侵权行为法

第一册

基本理论

一般侵权行为

王泽鉴　著

中国政法大学出版社

谨以本书
献给

恩师
Karl Larenz
（1903 – 1993）

序

侵权行为法一书预定分为三册，陆续刊行。第一册在于阐释侵权行为的基本理论；分析讨论"民法"第 184 条规定的一般侵权行为、侵权行为法的基本概念、体系构造与思考方法。其中关于侵权行为法上的公平正义与经济效率，以及德国法上的 Verkehrspflicht 如何纳入台湾地区侵权行为法的体系，俟于再版时再为补充。第二册将以特殊侵权行为作为重点，分析检讨共同侵权行为、雇用人责任、劳动灾害、汽车事故、公害、产品责任及服务责任等重要侵权行为类型，并探究归责原则由过失责任到危险责任的变迁。第三册旨在研究如何在侵权行为法、无过失补偿及社会保障制度上建立一个公平、有效率的意外事故人身损害赔偿、补偿的体系。希望本书的刊行对台湾地区民法学的研究方法和发展能有一些贡献。

本书能够顺利出版，得到许多人的支持和协助。林美惠律师（现在日本东京大学深造）一年前主动提议要协助整理稿件，催促本书的诞生。她认真负责的奉献和厚实的民法学造诣，深值感佩。程明伟、郭铭松、陈佑寰、林圣哲诸君与邱琦法官协助校阅原稿，编制索引；詹森林、陈聪富二位教授校阅初稿；陈忠五教授提供宝贵意见；小女慕华设计封面；均备极辛劳，谨在此敬致诚挚的谢意。最要感谢的是神的怜悯、慈爱和保守，赐我平安喜乐，愿卑微的工作，亦能蒙他的喜悦。

谨以本书献给我博士论文的指导教授 Karl Larenz，他从事民法及方法论的教学研究，长达 60 年，是德国 20 世纪最伟大、最具影

响力的法学家之一。感念他教导我法学思考的方法，认识德国法学
Dogmatik 的精义，尤其是启发我持续不断学习的心志。

王泽鉴
于新店五峰山
1998 年 6 月 2 日

二刷感言

　　本书初版承读者爱护、鼓励，得于一个月之内二刷重印，甚为感激。行政法院蔡评事进田先生不辞辛劳，校阅全书，提出许多宝贵的改正意见，林清贤君提供一份详细的勘误表，谨对他们的爱心表示最大的谢意。清晨校对稿件，曦阳照射在飘落窗前的枝叶和花朵，仰头看蔚蓝的天空、远山橙黄桔绿的秋色，忆起新荒漠甘泉（考门夫人著，余也鲁译）的一首小诗：

> 枫树的红叶，
> 在秋风里闪耀，
> 丰收过的禾田，
> 歇息在初霜的紫色里。
> 应该在秋天的富实，
> 得到内心的欢乐，
> 一年中最可爱的月份，
> 像钻石般闪耀，
> 彰显神的荣光，他的大爱。

1998 年 9 月 24 日

　　本书于 1998 年 9 月初版刊行，值此四刷，特增补 1999 年 4 月 2 日通过，将于 2000 年 5 月 5 日施行的"民法"债编部分修正相关条文，并增列"最高法院"判决及论文资料。每一本书发行之后，即告落伍，俟诸他日，再作全面修订。谨再对读者的鼓励，表示敬意。

王泽鉴
于新店五峰山
1999 年 6 月 2 日

简 目

目　录

第一章　基本理论

第二章 侵权行为法在比较法上的观察

第三章　侵权行为的意义、类型及
侵权责任的限制或抛弃

第四章 第184条的结构分析

第五章　故意或过失不法侵害他人之权利
—184 条第 1 项前段—

第六章　故意以背于善良风俗之方法加损害于他人
—第 184 条第 1 项后段—

第七章 违反保护他人之法律
—第 184 条第 2 项规定—

第一章　基本理论

第一节　危害事故、损失补偿：问题及研究课题

第一款　问题的提出

问题：台湾地区每年因工业灾害、交通事故及公害等而死亡、伤害的人数究竟有多少，造成多少的损失，消耗多少社会资源？被害人从何来源获得赔偿或补偿？为获得此种救济须支付多少成本？如何有效率地减少危害事故，建立合理补偿制度？

一、危害事故与社会成本

这是一个危机四伏、充满损害的社会。矿场发生爆炸，工人罹患职业病；车祸每日有之，空难频传；废气伤害人畜，漏油污染良田；有缺陷的商品充斥市场；医生误诊或用药不当。除此等工业灾害、交通事故、公害及商品缺陷、医疗事故外，其他肇致损害的事由，更是层出不穷，如绑架杀人，逼良为娼，毁人名誉，窥人隐私，偷窃他人营业秘密，走私猪肉引入口蹄疫等。危害事故自古有之，今日为烈，其主要原因系社会经济发展快速，科技发达，人口集中都市，生活竞争激烈，政府施政缺少规划，及执行法令不

力等。

危害事故侵害他人权益，有为人身伤害（如死亡、身体健康
受损）；有为物的毁损（如汽车灭失、良田不能耕种）；有为所谓
纯粹经济上损害（如捷运施工挖断电力管线，致用户不能营业；
猪只拍卖市场因口蹄疫流行而停止交易）。其所造成的损害包括财
产上损害（如医药费、丧失之工资或营业收入，物之价值减少）、
及非财产上损害（肉体或精神的痛苦）等。此外，要处理危害事
故，必须调查、谈判、仲裁、抗争、诉讼等，因而发生各种交易
成本。

然则在台湾地区每年究有多少意外事故，对被害人及其家庭、
社会究竟造成多少损失，耗费多少资源?[1] 在工业灾害方面（职
业灾害），有较详细的统计资料，1996 年底，劳工保险给付农林渔
牧狩猎业、矿业及土石采取业、制造业、水电燃气业、营造业、运
输仓储及通信等事业单位之劳工因职业灾害伤亡人数（包括伤病、
残废、死亡），达 29 593 人，其中伤病 24 009 人，残废 4 476 人，
死亡 1 108 人，经扣除交通事故外，仍有职业灾害 22 843 人，其中
伤病 18 016 人，残废 4 150 人，死亡 677 人。在 1996 年度全产业
劳工因灾害保险的件数为 31 542，其给付金额（包括伤病给付、

---

[1] 一个国家开发的程度表现在对统计的重视、运用及统计资料上。1978 年英国皇家
关于人身伤害民事责任及补偿委员会（Royal Commission on Civil Liability and Com-
pensation for Personal Injury, Comnd 7054, 1978 HMSO）曾作有各种伤害事故及损
害赔偿的统计分析，估算为支付被害人 1 磅的纯利益，其费用约为 75 便士，并据
此而提出改进的建议，最具参考价值；并请参阅 Atiyah, Accidents, Compensation
and the Law, fifth edition by Peter Cane, 1993。Luntz and Hambly 合着澳洲侵权行为
法（Torts, Cases and Commentary, fourth edition, 1995）开宗明义即分析检讨澳洲
的意外事故及社会成本，据统计每年约有 7 600 人死亡；30 万人住院医治，200
万住院日，1 000 万次的医疗，全部经济负担约为 110 亿澳币。美国法上关于统计
资料，参阅 J. G. Fleming, American Tort Process, 1988, pp. 1-21。德国的资料，
参阅 Hans-Leo Weyers, Unfallschäden, 1970, S. 47f.

残废给付、死亡给付及医疗（给付）总计为 2 822 079 628 元。[1]

在车祸方面，1997 年的事故为 3 162 件，死亡人数为 2 735 人，受伤人数为 2 428 人。车辆损坏，支出医药费及其他损失合计 12 428 1300 元。此项统计当然不能包括所有的车祸事故。关于车祸所造成的损失及对被害人的赔偿，则无统计资料。[2]

台湾地区的公害问题日益严重，关于事故件数及损失并无完整的资料，惟环境保护署对公害纠纷调处案件作有统计，第一件声请案件为 1994 年台电林口发电厂与淡水桃园渔民渔具受油污染纠纷，经调处成立，申请人（台电）补偿捐助 23 234 886 元。1997 年度的重要案件是中油大林厂外海浮游桶渗油染海域致渔获受损纠纷，正在调处中。[3] 关于经由诉讼请求损害赔偿的公害案件，尚未见有系统的分析整理。

关于商品缺陷及医药事故等根本欠缺必要的基本资料。此二者与消费者保护具有密切关系，1994 年施行的"消费者保护法"对商品责任及服务责任创设无过失责任，期望"消费者保护委员会"

---

[1]　资料来源："劳工委员会"编印劳动检查年报（1996 年），1997 年 10 月，第 33 页以下，第 200 页以下。

[2]　为便于比较，兹将近年车祸件数、死亡及受伤人数，列表如下（资料来源：交通资料统计月报，1997 年 4 月，第 347 期）：

年　　度	件　　数	死亡人数	受伤人数
1994	3 303	3 094	2 937
1995	3 528	3 065	2 933
1996	3 619	2 990	2 939
1997	3 162	2 735	2 428

[3]　参阅叶俊荣，环境政策与法律，台大法学丛书 63，第 269 页至第 311 页（公害纠纷事件的性质与结构分析）。

能收集资料，作有系统的调查研究。至于各种事故所造成的损失，耗费的社会资源，难以估算，必属天文数字无疑。想想一次废油污染海域、一次空难、一次高速公路上的连环车祸所肇致的伤亡，对社会经济所生的损失，即可知之！避免一次公害事件、一次空难、一次车祸、一次商品事故（如米糠油多氯联苯惨案），可以节省可观的社会资源！

二、两个重要问题

在现代社会，危害事故剧增，损失重大，已如上述。其应面对的重要问题有二：

其一，如何防止或减少危害事故？

其二，如何合理填补所生的损害？

关于危害事故的防止或减少，涉及企业管理、科学技术、行政措施、法令规章和其他社会制度。在工业灾害方面，安全检查最值重视。在交通事故方面，驾驶训练、道路设计、交通规则的执行等与肇事率具有密切关系，例如"道路交通安全规则"第89条第5款规定小客车前座人员均应系妥安全带，将大幅地降低伤亡的人数及伤害程度。在公害方面，环保科技和环保政策及环保教育同具重要性。在商品缺陷方面，商品标准与检验制度可以防范不具有安全性的商品流入市场。然而必须提出的是，社会资源有限，防范措施必须顾及成本，因而发生如何有效率使用有限资源的问题。降低高速公路行车速度，虽可减少车祸，但妨碍交通便捷；在所有平交道设置管理员，固可防范意外，惟必增加经营成本，故须考量各种因素而做选择决策。须特别提出的是，关于危害事故的防止，法律的制裁，尤其是刑法的处罚亦具有一定的作用，例如酒醉驾车最易闯祸，若对肇事者吊销驾照，科以重刑，在某种程度应能吓阻此类肇致严重损害的犯罪行为。

危害事故层出不穷，无论如何尽其能事，终难避免，如何合理赔偿、填补被害人所受的损害，至为重要。经过长期社会经济的发展，已逐渐完善各种社会保障制度，1994年施行的"全民健康保险法"所创设的健康保险制度，提供医疗给付，最具意义。无过失补偿制度（No-Fault Compensation）的发展，亦值重视。1958年的"劳工保险条例"就职业灾害保险创设了一种新的规范模式，1996年施行的"强制汽车责任保险法"，对于车祸提供了必要的被害人保护，1998年的犯罪被害人保护法，除补侵权行为损害赔偿的不足外，兼具保障被害人人权的积极的功能。此外各种商业保险，如财产保险、健康保险、伤害保险等，亦有助填补损害，近年来发展迅速，实值注意。

第二款 研究课题及方法

一、研究课题

危害事故的防止及损害赔偿是个涉及甚广的重大问题。本书系以侵权行为法为研究对象，其目的在于较深入、有系统地说明在何种情形，加害人应对被害人所受的损害负赔偿责任，并探究其填补损害及预防危害事故的功能。在英美普通法国家，侵权行为法（Law of Torts, Tort Law）是一个独立的法律领域，属必修基本课目，教科书及专门著作甚多。德、法及日本等大陆法系国家，侵权行为系民法债之发生的一种原因，但亦有不少的专门著作。[1] 台湾地区虽有一定数量的论文，惟缺少体系的论著，尚有补充的余地。就内容言，暂定3册，即（1）基本理论、一般侵权行为（第184条）。（2）特殊侵权行为。（3）损害赔偿、补偿体系的再构成。

二、研究方法

1. 本书除论述侵权行为法的基础理论外，主要在于阐释第184条（一般侵权行为）的结构及解释适用，因其涉及侵权行为法的

---

[1] 本书所参考的英美德日关于侵权行为的重要著作及论文，参阅附录（1）。

基本问题，特别强调价值取向的论证及思考方法，致力于将抽象的概念和概括条款加以具体化、类型化，在此意义上本书具有法学方法论的性质。

2. 关于侵权行为的规定甚为简洁、抽象，因法院判决而获得规范生命，促进法律进步，使侵权行为法具有案例法（case law）的性质。在英美普通法国家，判决先例是侵权行为法的法源，为研究的重点。在大陆法系的国家，判决先例亦备受重视，而为分析评释的对象。在台湾地区关于侵权行为的判例、判决及决议，数以百计，本书作者曾试请学生举出十个所谓 leading case，多不知之。一般学生多注重法条、教科书抽象理论的记忆，而忽略于法律生命有机的成长。为此，本书特别纳入重要的判例、判决，并做较深入的评释，并对 leading case 赋予一个名称（如在医院中抱走他人婴儿案件：1996 年度台上字第 2957 号判决），以凸显其所蕴含的法律原则及在台湾地区侵权行为法发展的意义。

3. 台湾地区侵权行为法是比较法的产物。侵权行为法是一个适于作比较法研究的法律领域。英美法长期的历史经验、德国法上的理论体系构成，足供认识侵权行为法在法律政策（policy）及法律技术（judicial technique）的关系，[1] 有助于对侵权行为法的解释适用，将于相关部分，详为说明，一方面显现台湾地区侵权行为法的特色及争点，他方面希望借镜比较法上的规范模式，探寻改进及解决的途径。

4. 1970 年以来，侵权行为法的研究深受法律的经济分析的影响，即从经济效益及财富极大化的观点探究侵权行为法的目的和功能，用以解释适用侵权行为法的规定。法律的经济分析已成为一种重要思考工具，应有介绍论述的必要。

---

[1] John Bell, Policy Arguments in Judical Decisions, 1983.

第二节 侵权行为法的机能

问题：试从填补损害及预防损害的观点检视侵权行为法的功能及其存在的意义，并说明责任保险对侵权行为法的影响。

危害事故层出不穷，造成各种损害，已如上述。显然的，并非所有的危害事故，皆可构成"侵权行为"，而归由某人负责。侵权行为法系在规定何种行为，侵害何种权益时，应就所生的何种损害如何予以赔偿。侵权行为法的内容与其所要达成的机能或目的具有密切关系。

侵权行为法的机能在其历史发展中迭经变迁，如赎罪、惩罚、威吓、教育、填补损害及预防损害等，因时而异，因国而不同，反映着当时社会经济状态和伦理道德观念。就台湾地区现行法制言，拟提出说明的有二：一为填补损害，一为预防损害。分述如下：

第一款 填补损害

一、填补损害的机能与侵权行为法的发展

填补损害系侵权行为法的基本机能。第 184 条第 1 项规定："因故意或过失，不法侵害他人之权利者，负损害赔偿责任。故意以背于善良风俗之方法，加损害于他人者亦同。"可资参照。使加害人就其侵权行为所生的损害负赔偿责任，非在惩罚，因损害赔偿基本上并不审酌加害人的动机、目的等，其赔偿数额原则上不因加

害人故意或过失的轻重而有不同。[1] 填补损害系基于公平正义的理念,其主要目的在使被害人的损害能获得实质、完整迅速的填补,有助于促进侵权行为法的发展,如过失责任的客观化,举证责任的倒置、无过失责任的建立及损害赔偿数额的合理化等。

二、损害移转与损害分散

所谓损害赔偿,首先是指损害移转(loss shifting)而言,即将被害人所受的损害转由加害人承担,负赔偿责任。此为传统侵权行为法所强调的功能,着眼于加害人与被害人的关系,以加害人行为的可非难性(故意或过失)为归责原则,标榜个人责任。值得注意的是,损害分散(loss spreading)的思想已逐渐成为侵权行为法的思考方式,认为损害可先加以内部化(internalization)由创造危险活动之企业者负担,再经由商品或服务的价格机能,或保险(尤其是责任保险)加以分散,由多数人承担。如汽车制造人得将其应负的损害赔偿,藉着调整汽车的价格或责任保险,分散于消费大众或汽车公司的股东。此种分散损害的方式具有二个优点:一为使被害人的救济获得较佳的保障,一为加害人不致因大量损害赔偿而陷于困难或破产。此所涉及的,除加害人和被害人外,尚有社会大众,不特别着眼于加害人的过失,而是在寻找一个"深口袋"(deeper pocket),有能力分散损害之人,并体认到这是一个福祸与共的社会,凸显损害赔偿集体化的发展趋势。

责任保险与侵权行为法的发展,具有互相推展的作用。[2] 侵

---

〔1〕 关于"慰抚金",参阅拙著,民法学说与判例研究,(2),第253页;关于"惩罚性赔偿金",参阅杨靖仪,"惩罚性赔偿金之研究",1996年度台大硕士论文(甚具参考价值);陈聪富:"美国惩罚性赔偿金的发展趋势",台大法学论丛,第27卷,第1期,第231页。关于惩罚性赔偿金的合宪性问题,参阅 Bungert, Verhältnismässigkeitsprinzip und US-amerikanische punitive damages, VersR 1994, 15.

〔2〕 关于责任保险将于本丛书第3册,作较深入的论述,其所涉及的基本问题,参阅财团法人责任保险研究基金会编印的"责任保险论文菁萃",1980。

权责任的加重，促进了责任保险的发达，而责任保险制度的建立也使侵权行为法采取较严格的责任原则。商品责任或汽车责任的无过失化可以说是建立在责任保险的前提上。在美国，所谓侵权行为法（尤其是关于产品责任、医疗事故）的危机，[1]事实上就是责任保险的危机，即企业厂商不能以合理的保险费买到责任保险，而被迫放弃开发某种具有危险性的产品或服务。

在侵权行为法的解释适用上，责任保险的作用是一个有趣的问题。在台湾地区，原告是否会主张被告买有责任保险、法院判决时曾否考虑因被告买有责任保险，而对过失等构成要件作有利于原告的认定。从判决书中难以查知。在英美，关于侵权行为的诉讼，应否斟酌责任保险颇有争议，有认为法院认定事实、适用法律不应因有无保险而受影响。英国卓著声誉的法官 Lord Denning[2] 则认为诸如汽车等事故，法院认知其损害赔偿将由保险人负担。若非基于损害赔偿将不由加害人负责，而将由保险公司承担，法院不会如此愿意认定其有过失，或给予巨大的赔偿数额。[3] 无论如何，正如 Fleming 教授所云，"责任保险对侵权行为法的发展关系属一个隐藏的说服者。"[4]

---

[1] G. L. Priest, "The Current Insurance Crisis and Modern Tort Law" 96 Yale L. J. 1521 (1987).

[2] Lord Denning 是英国 20 世纪最著名的法官，使英国普通法更现生机，关于其生平，E. Heward, Lord Denning, A Biography, 1997。

[3] 参阅 Street, Torts, p. 11.

[4] J. G. Fleming, Law of Torts, p. 9. Fleming (1919-1997) 生于德国，受教育于英国，任教于英、澳、美等国，其所著 Law of Torts 被大英国协法律人奉为圣经。近知其于 1997 年逝世，余读其书，识其人，深获教益，谨在此表示感念之意。关于其生平及贡献，R. M. Buxbaum 的纪念献词，American Journal of Comparative Law Vol. 45 (1997), 645.

第二款　预防损害

损害的预防胜于损害补偿。关于损害预防的一般问题，前已论及，侵权行为法规定何种不法侵害他人权益的行为，应予负责，藉着确定行为人应遵行的规范，及损害赔偿的制裁而吓阻侵害行为，具有一定程度的预防功能，固无疑问。惟任何法律（包括刑法或行政法）的预防功能均受有限制，侵权行为法自不例外，其主要影响因素甚多，如行为人得否知悉法律的存在，或认识其行为的危害性；行为人纵有此种认识亦有时难改变其行为，难免错估危害发生的可能性，低估损害赔偿责任的严重性，而怠于防范。

责任保险制度一方面有助于对侵权行为法分散损害的功能，他方面在某种程度亦会减损其预防损害的作用。因而须探究一个重要课题，即保险公司应如何促使被保险人采取防止或减少危害事故的措施。其最直接可行的是将保险费与肇事纪录予以连结，依肇事率定其保险费率。其次是保险公司亦应协助被保险人发现或防范危害事故，可举二例加以说明。在加拿大，某保险公司突然面临因被保险人使用的蕃茄装瓶爆炸，而产生一连串索赔事件，调查后发现该瓶的设计有缺陷，而劝被保险人放弃使用。又某著名音乐家习惯开车旅行中谱曲，常因疏于注意而肇祸，虽提高保险费，并无效果。最后保险公司告知若不改变此种习惯，将终止其保险，该音乐家终于雇用司机。[1] 此外，保险公司亦应与有关机关合作，加强各种防范危害事故的安全教育。

须注意的是，上述关于侵权行为法预防（或吓阻）功能的说

---

[1]　此二例取自 Allen M. Linden, Canadian Tort Law, 3rd edition, 1982, p. 9.

明，系属传统的见解。[1] 近年来法律学者及经济学者从法律经济分析的论点，强调应重视侵权行为法的预防机能，具有启发性。

第三节　归责原则

第一款　法律政策与归责事由

问题：台湾地区侵权行为法有采过失责任、推定过失责任、无过失责任（危险责任）及衡平责任，试说明：(1) 各种归责原则的法律政策及理论依据；(2) 某种事故（如商品缺陷）采某种归责原则的理由；(3) 关于汽车或医疗事故究应采过失责任，推定过失责任或无过失责任，其理由在何？

任何国家的侵权行为法皆面临一个基本问题：因权益受侵害而生的损害究应由被害人承担，抑或使加害人负损害赔偿责任？关于此点，各国法律多采相同原则，即被害人须自己承担所生的损害，仅于有特殊理由时，始得向加害人请求损害赔偿。诚如美国著名法学家 Holmes 所云："良好的政策应让损失停留于其所发生之处，

---

[1]　关于传统侵权责任理论（The Traditional Theory of Tort Liability）与侵权责任经济理论（An Economic Theory of Tort Liability）的比较，参阅 Cooter/Ulen, Law and Economics, 2nd edition, 1996, p. 262, 270.

除非有特别干预的理由存在。"[1] 所谓良好的政策乃在避免增加损失，因为使被害人得向加害人请求损害赔偿，无论在法律规范或实际执行上，势必耗费资源或产生交易成本。所谓特殊理由指应将损害归由加害人承担，使其负赔偿责任的事由，学说上称之为损害归责事由或归责原则。[2] 此乃侵权行为法的核心问题。

第二款　过失责任

一、过失责任的理论基础

关于侵权行为法上的归责原则，首先应提出的是过失责任，即因"故意或过失"不法侵害他人权利时，应就所生的损害，负赔偿责任。德国法上的 Verschuldenshaftung，包括故意（Vorsatz）与过失（Fahrlässigkeit），台湾地区判例学说上称为过失责任，当然包括故意在内。

---

[1] O. W. Holmes, The Common Law, 1891, p. 50: "Sound policy lets losses lie where they fall except where a special reason can be shown for interference." 关于 Holmes 的生平及法学思想，参阅杨日然，"美国实用法学的哲学基础及其检讨"（2），收于法理学论文集，1997，第 179 页。The Common Law 一书是美国人关于法律所写的最卓越著作（R. Posner, Cardozo, A Study in Reputation, 1990. p. 20）.

[2] 拙著，"损害赔偿之归责原则"，民法学说与判例研究，（1），第 345 页。邱聪智，"从侵权行为归责原理之变动论危险责任之构成"，1982 年度台大博士论文，（甚具学术价值）；民法研究（1），第 77 页以下。潮见佳男，民事过失的归责构造，信山社，1995。

自 19 世纪以来，过失责任成为各国侵权行为法的归责原则。[1] 1804 年的法国民法（第 1382 条），1900 年的德国民法（第 823 条），1886 年的日本民法（第 709 条）皆明定采取过失责任。在英美法上的过失责任（fault liability）则由法院判例创设之，[2] 台湾地区第 184 条第 1 项前段规定："因故意或过失不法侵害他人之权利者，负损害赔偿责任。"亦采同一原则。

侵权行为法为何要采过失责任主义？德国法儒耶林（Rudolf von Jhering）谓："使人负损害赔偿的，不是因为有损害，而是因为有过失，其道理就如同化学上的原则，使蜡烛燃烧的，不是光，而是氧气一般的浅显明白"。耶林氏的名言，充分表现当时的法学思潮。19 世纪在重视个人的自由和理性，过失责任主义所以被奉为金科玉律，视同自然法则，其主要理由有三：（1）道德观念：个人就自己过失行为所肇致的损害，应负赔偿责任，乃正义的要求；反之，若行为非出于过失，行为人已尽注意的能事时，在道德上无可非难，应不负侵权责任。[3]（2）社会价值：任何法律必须调和"个人自由"与"社会安全"两个基本价值。过失责任被认为最能达成此项任务，因为个人若已尽其注意，即得免负侵权责

---

[1] 参阅 L. Sólyom, The Decline of Civil Law Liability, Budapest, 1980. 本书旨在比较资本主义国家及社会主义国家的侵权行为法，尤其是过失责任的机能，第 6 章标题为："Why does the Principle of Fault Liability Predominate in Socialist Civil Law?" 甚具参考价值。Sólyom 氏为匈牙利有名的民法学者，现任匈牙利宪法法院院长，本书作者于 1998 年曾与其晤面于 Budapest，谈论该书，彼对来自台湾之人，深知其著作的内容，颇感喜悦，此为比较法研究的趣事，附志于此，以供追忆。

[2] 参阅 Charles O. Gregory, Trespass to Negligence to Absolute Liability, 37 Va. L. Rev. 359, 361–370（1951）.

[3] 以道德观念作为过失责任的基础，乃 19 世纪的古典见解，值得注意的是 R. Posner 氏从法律经济分析的观点，认为过失责任具有促进有效率配置经济资源的功能，A Theory of Negligence, Journal of Legal Studies, 1972, p. 29, 36. 参阅 R. L. Rabin, Perspectives on Tort Law, 3rd Edition, 1990, pp. 1–32.

任，则自由不受束缚，聪明才智可得发挥。人人尽其注意，一般损害亦可避免，社会安全亦足维护。（3）人的尊严：过失责任肯定人的自由，承认个人抉择、区别是非的能力。个人基于其自由意思决定，从事某种行为，造成损害，因其具有过失，法律予以制裁，使负赔偿责任，最足表现对个人尊严的尊重。

过失责任原则对于侵权行为法的发展，具有两项贡献：（1）扩大了侵权行为法的适用范围。早期侵权行为法系采个别侵权类型，过失责任原则的广泛适用性，打破了结果责任对侵权行为类型的限制，建立一般原则。19世纪以来，工业技艺进步，人类交易活动频繁，损害事故增加迅速，基于过失责任主义而建立的侵权行为法，在填补损害方面，担负着重要任务。（2）促进社会经济发展。在结果责任主义之下，若有损害即应赔偿，行为人动辄得咎，行为之际，瞻前顾后，畏缩不进，创造活动，甚受限制；反之，依过失责任原则，行为人若已尽相当注意，即可不必负责，有助于促进社会经济活动。现代资本主义之发达与过失责任主义实具有密切关系。[1]

二、过失责任的客观化

过失应依何标准而认定，影响过失责任的规范机能甚钜。各国多采客观化的标准，德国学者强调此为类型化的过失标准；英美法系以拟制的合理人（Reasonable man）作为判断模式。1930年上字第2746号判例谓："因过失不法侵害他人之权利者，固应负损害赔偿责任。但过失之有无，应以是否怠于善良管理人之注意为断者，苟非怠于此种注意，即不得谓之有过失。"基本上亦采客观的认定

---

[1] 在美国法曾发生19世纪过失责任的兴起是否在于"补贴"保护刚起步的工业的争论，参阅 Schwartz, Tort Law and Economy in Nineteenth Century America: A Reinterpretation, 90 Yale L. J. 1917, 1922, 1734 (1981); R. L. Rabin, The Historical Foundation of the Fault Principle: A Reinterpretation, 15 Ga. L. Rev. 925 - 961 (1981).

标准。准此以言，驾车肇祸者不得以其刚取得驾照、欠缺经验、未具一般驾驶者通常应具的能力和经验而主张其无过失，不必负责。Homles 氏于论及美国法如何建立过失责任原则时曾谓："法律的标准是一般适用的标准。构成某特定行为内在性质的情绪、智能、教育等情状，层出不穷，因人而异，法律实难顾及。个人生活于社会，须为一定平均的行为，而在某种程度牺牲自己的特色，此对公益而言，诚属必要。某人生性急燥、笨手笨脚，常肇致意外而伤害邻人，在此情形，其天生的缺陷于天国审判中固然会被容忍，但此种出于过失的行为对邻人而言，确会造成困扰，其邻人自得要求他人就自己的行为践行一定的标准，由社会众人所设立的法院应拒绝考虑加害者个人的误差。"[1]

三、过失责任的举证及推定

关于过失的有无，原则上应由被害人（即请求损害赔偿的原告）负举证责任。法谚有云："举证之所在，败诉之所在"。为使被害人有较多受偿的机会，法院常采事实上推定等方法减轻原告举证的困难。值得注意的是，民法更进一步设有举证倒置的规定，即先推定加害人具有过失，非经反证不得免责。如新修正第 184 条第 2 项关于违反保护他人之法律，第 187 条关于法定代理人责任，第 188 条关于雇用人责任，第 190 条关于动物占有人责任，及新修正第 191 条关于工作物所有人责任等。

过失的客观化醇化了传统个人主义的过失责任，不再强调行为人道德的非难性，而着重于社会活动应有客观的规范准则。举证责任的倒置在某种程度修正了过失责任，使法院基于社会需要，衡量当事人的利益，合理地分配损害。第 188 条规定的雇用人推定过失责任，因实务上举证免责的案例甚为罕见，实际上殆同于使雇用人负无过失责任。

---

[1] O. W. Holmes, The Common Law, pp. 107–110.

第三款　危险责任（无过失责任）

一、危险责任的理论基础

侵权行为法上的归责原则，除过失责任外，尚有无过失责任，即侵权行为的成立不以行为人的故意或过失为要件，德国法则称之为 Gefährdungshaftung（危险责任）。所谓危险责任，顾名思义，系以特定危险的实现为归责理由。换言之，即持有或经营某特定具有危险的物品、设施或活动之人，于该物品、设施或活动所具危险的实现，致侵害他人权益时，应就所生损害负赔偿责任，赔偿义务人对该事故的发生是否具有故意或过失，在所不问。无过失责任的用语消极地指明"无过失亦应负责"的原则，危险责任的概念较能积极地凸显无过失责任的归责原因，本书采之，为行文方便，与无过失责任互用之。

加害人就因其过失行为侵害他人权益所生的损害，应负赔偿责任，属当然自明之理，得为公民法律意识所接受。在危险责任，行为人并无可资非难的过失，为何尚须负赔偿责任，其依据何在？

危险责任的基本思想，不是对不法行为的制裁。民用航空器的经营，原子能设施的占有，商品的制造销售等，虽具危险性，乃现代社会必要的经济活动，法所容许，无不法之可言，不得以之作为违法性判断的客体，原则上不得对之主张侵害除去或侵害防止请求权。危险责任的基本思想在于"不幸损害"的合理分配，乃基于分配正义的理念，至其理由，归纳四点言之：（1）特定企业、物品或设施的所有人、持有人制造了危险来源。（2）在某种程度上仅该所有人或持有人能够控制这些危险。（3）获得利益者，应负担责任，系正义的要求。（4）因危险责任而生的损害赔偿，得经由商品服务的价格机能及保险制度予以分散。

二、现行法上的危险责任

台湾地区系采过失责任原则，关于无过失责任（危险责任）系在特别法设其规定，其主要的有民用航空法、核子损害赔偿法及消费者保护法。分述如下：

"民用航空法"第 89 条规定："航空器失事致人死伤，或毁损他人财物时，不论故意或过失，航空器所有人应负损害赔偿责任。其因不可抗力所生之损害，亦应负责。自航空器上落下或投下物品，致生损害时，亦同。"（参阅第 90 条、第 91 条）。同法第 93 条规定："乘客及载运货物，或航空器上工作人员之损害赔偿额，有特别契约者，依其契约；特别契约中有不利于台湾地区民众之差别待遇者，依特别契约中最有利之约定，无特别契约者，由'交通部'依照本法有关规定并参照国际间赔偿额之标准订定办法，报请'行政院'核定公告之。前项特别契约，应以书面为之。第 1 项所定损害赔偿标准，不影响被害人以诉讼请求之权利。"又同法第 94 条规定："航空器所有人应于依第 8 条申请登记前，民用航空运输业应于依第 48 条申请许可前，投保责任保险。前项责任保险，经'交通部'订定金额者，应依订定之金额投保之。"

"核子损害赔偿法"第 18 条规定："核子设施经营者对于核子损害之发生或扩大，不论有无故意或过失，均应依本法之规定负赔偿责任。但核子事故系直接由于国际武装冲突、敌对行为、内乱、或重大天然灾害所造成者，不在此限。"（参阅第 8 条至第 17 条）。依同法第 24 条规定："核子设施经营者对每一核子事故，依本法所负之赔偿责任，其最高限额为新台币 42 亿元。前项赔偿限额，不包括利息及诉讼费用在内。"又依同法第 25 条第 1 项规定："核子设施经营者应维持足供履行核子损害赔偿责任限额之责任保险或财务保证，并须经'原子能委员会'核定，始得运转核子设施或运送核子物料。"[1]"消费者保护法"第 7 条规定："从事设计、生产、制造商品或提供服务之企业经营者应确保其提供之商品或服务，无安全或卫生上之危险。商品或服务具有危害消费者生命、身体、健康、财产之可能者，应于明显处为警告标示及紧急处理危险之方法。企业经营者违反前两项规定，致生损害于消费者或第三人时，应负连带赔偿责任。但企业经营者能证明其无过失者，法院得减轻其赔偿责任。"

关于上开特别法上的无过失侵权行为，应综合说明的有六点：

1. 危险责任传统上是建立在形体化的一定危险来源之上，如航空器、核子设施，称为危险持有人或设施责任（Halter-oder Anlagehaftung）；其后扩张于生产或提供具有缺陷的商品或服务，称为行为责任（Handlungshaftung）。

2. "消费者保护法"第 7 条一方面采无过失责任，一方面又规定企业经营者若能证明其无过失者，法院得减轻其赔偿责任，此为台湾地区所独创，举世查无其例，属于一种特殊的无过失责任。

3. 无过失责任非绝对，各有其免责事由（请参阅上开相关法律规定）。航空器所有人对不可抗力所生损害亦应负责，最称严格。

4. 关于受保护的权益，法律设不同的规定，在民用航空器事故，为人之死伤、他人财物的毁损。在核子损害，为生命丧失、人身伤害或财产损害。在公路行车事故，为伤害、死亡或财物毁损。在消费者保护法的产品或服务责任，为生命、身体、健康、财产。所谓财产，除物之毁损灭失外，是否包括纯粹财产上损失（纯粹经济上损失），尚有疑义。须特别指出的，上开法律均未排除民法上规定请求非财产上损害之金钱赔偿（慰抚金）。

---

[1] 朱柏松，"台湾地区'核子损害赔偿法'之构成及修正"，法学丛刊，第 146 期，第 49 页。

5. 关于危险责任，应否限制其赔偿数额，系立法政策的重大问题。[1] 在核子损害，对每一核子损害有最高限额；在民用航空器责任，得由"交通部"订定损害赔偿额。于其他情形，未设最高赔偿数额的限制。

6. 无过失责任的建立，与责任保险制度具有密切关系，前已再三论及。民用航空运输业于申请许可前，须投责任保险。核子设施经营人须维持足供履行核子损害赔偿责任限额之责任保险或财务保证。汽车或电车所有人应依交通部所定之金额，投保责任险。关于商品或服务责任，虽无强制投保责任险的规定，为使企业经营者分散损害，商品责任险的推广，甚属重要，自不待言。

第四款　衡平责任

在台湾地区侵权行为法上除过失责任及无过失责任外，尚有所谓的衡平责任，一为无行为能力人或限制行为能力人的衡平责任，一为雇用人的衡平责任。分述如下：[2]

一、无行为能力人或限制行为能力人的衡平责任

第 187 条规定："无行为能力人或限制行为能力人不法侵害他人之权利者，以行为时有识别能力为限，与其法定代理人连带负损害赔偿责任。行为时无识别能力者，由其法定代理人负损害赔偿责任。前项情形，法定代理人如其监督并未疏懈，或纵加以相当之监督，而仍不免发生损害者，不负赔偿责任。如不能依前两项规定受损害赔偿时，法院因被害人之声请，得斟酌行为人与被害人之经济

----

〔1〕　Kötz, Zur Reform der Schmerzensgeldhaftung, Festschrift für v. Caemmerer, 1978, S. 389.

〔2〕　须注意的是，债编修正第 187 条于第 3 项规定增列法定代理人衡平责任："如不能依前二项规定受损害赔偿时，法院因被害人之声请，得斟酌行为人及其法定代理人与被害人之经济状况，令行为人或其法定代理人为全部或一部之损害赔偿。"关于第 187 条及第 188 条将于本丛书第 2 册（特殊侵权行为）论述之。

状况，令行为人为全部或一部之损害赔偿。前项规定，于其他之人，在无意识或精神错乱中所为之行为，致第三人受损害时，准用之。"本条第 3 项规定及第 4 项所准用者，学说上称为衡平责任（或公平责任）。

此项衡平责任系仿自德国民法第 829 条，其在民法体系上的意义迄未获澄清，如何纳入现行归责原则，仍有争议。有认为系无过失责任；[1] 有认为此结果责任，由损害公平分担而来，亦可称为公平责任；[2] 有强调此为法律特别体恤贫弱，令经济力较强之行为人，予以相当之补恤，全属道德规范之法律化，与所谓无过失责任主义之法理则属二事。[3] 值得特别提出的是，最近德国学者有认为德国民法第 829 条规定的衡平责任得纳入危险责任的理论，因无行为能力人或限制行为能力人不具侵权能力时，对其他之人构成特殊危险，而突然丧失意识之人则构成现实上具体的危险来源。再者，此项规定所涉及的不幸损害的分配，属危险责任的基本任务，而斟酌当事人的财产状况，以定赔偿责任，乃分配正义的特征。[4] 此项见解，可供参考。

二、雇用人的衡平责任

第 188 条规定："受雇人因执行职务，不法侵害他人之权利者，由雇用人与行为人连带负损害赔偿责任。但选任受雇人及监督其职务之执行，已尽相当之注意或纵加以相当之注意而仍不免发生损害者，雇用人不负赔偿责任。如被害人依前项但书之规定，不能受损害赔偿时，法院因其声请，得斟酌雇用人与被害人之经济状况，令雇用人为全部或一部之损害赔偿。雇用人赔偿损害时，对于

---

[1] 胡长清，民法债编总论，第 167 页。

[2] 史尚宽，债法总论，第 178 页。

[3] 王伯琦，民法债篇总论，第 89 页。

[4] Larenz / Canaris, Schuldrecht Ⅱ/2, S. 650 (653).

为侵权行为之受雇人，有求偿权。"本条第 2 项所规定的，学说上有称为衡平责任，有认为系雇用人的无过失责任。[1] 本书认为学说上用语的歧异，在于其着眼点的不同。就不以雇用人的过失为要件言，系属无过失责任；就其依个案斟酌雇用人与被害人之经济状况，令雇用人为全部或一部之损害赔偿言，乃出于衡平原则。尚须说明的是第 188 条第 2 项的"衡平责任"，系台湾地区所独创，一方面为坚守过失责任原则，一方面又为保护被害人而设的妥协性规定，乃由雇用人过失责任过渡到无过失责任的产物。[2] 在实务上雇用人得举证免责的案例，甚为罕见，此项衡平责任，名存实亡，不具规范意义。

第五款　归责原则体系的构成

归责原则为侵权行为法的基本问题，除过失责任及无过失责任（危险责任）外，尚有所谓衡平责任。兹将台湾地区侵权行为法上的归责原则，整理如下：

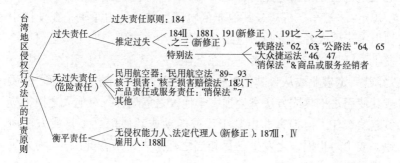

---

〔1〕　史尚宽，债法总论，第 186 页；孙森焱，民法债编总论，第 221 页。

〔2〕　参阅拙著，"雇用人无过失责任制度的建立"，民法学说与判例研究，(1)，第 1 页。

上开归责原则体系凸显着台湾地区侵权行为法的特色与发展，由传统的过失责任移向无过失责任，建立了双轨责任体系，[1] 并分为四种形态，即过失责任、推定过失责任、无过失危险责任及衡平责任。此种于民法规定过失责任，而于特别法创设危险责任的体例，基本上应值赞同。此不仅在于维持传统民法典的理念，尚涉及立法技术问题，因为无过失危险责任涉及责任主体，受保护利益、损害赔偿范围、责任保险等问题（参阅"消费者保护法"关于商品或服务的规定），不宜在具基本规范的民法设其规定，以免破坏完整的法律体系。[2]

值得特别指出的是，1999 年 4 月 2 日通过（2000 年 5 月 5 日施行）的债编部分修正条文将侵权行为列为主要修正事项，并以调整归责原则为重点。除修正第 191 条规定外，增设 3 个条文：(1) 第 191 条之一第 1 项规定："商品制造人因其商品之通常使用或消费致他人之损害，负损害赔偿责任。但其对于商品之生产、制造或加工、设计并无欠缺或其损害非因该项欠缺所致或于防止损害之发生，已尽相当之注意者，不在此限。"（2）第 192 条之二第 1 项规定："汽车、机车或其他非依轨道行驶之动力车辆，在使用中加损害于他人者，驾驶人应赔偿因此所生之损害。但于防止损害之发生，已尽相当之注意者，不在此限。"（3）第 191 条之三规定："经营一定事业或从事其他工作或活动之人，其工作或活动之性质或其使用之工具或方法有生损害于他人之危险者，对他人之损害应负赔偿责任。但损害非由其工作或活动或其使用之工具或方法所致，或于防止损害之发生已尽相当之注意者，不在此限。"均采过失推定责任。

---

[1] 关于侵权行为法上双轨责任体系的基本理论，参见 Esser, Die Zwei Spürigkeit unseres Haftpflichtrechts, JZ 1953, 129.

[2] 邱聪智，"危险责任与民法修正"，民法研究（1），第 279 页（第 306 页）。

　　增订第 191 条之一，使商品制造人负推定过失责任，与消费者
保护法规定的无过失商品责任，成为商品责任双轨体系，是否妥
当，有无必要？尚有研究余地。第 191 条之二增订推定过失的汽车
等动力车辆驾驶人责任，配合强制汽车责任保险法所创设的无过失
补偿制度，应有助于强化对车祸被害人的保护。第 191 条之三关于
工作或活动的危险责任的规定，系属概括条款。[1] 综合言之，立
法者似认商品制造人责任、汽车等动力车辆驾驶人责任系属危险责
任的类型，而以第 191 条之三作为危险责任的一般规定，惟均采过
失推定原则，可称之为"推定过失的危险责任"，有别于"无过失
的危险责任"（如民用航空器、核子损害、商品或服务责任），使
台湾地区侵权行为法的归责原则更趋多元化。归责原则是侵权行为
法的核心问题，须适应社会发展，就各个意外事故斟酌其危害性，
责任保险可行性及其他相关因素加以调整，使其更能公平、有效率
地发挥其预防危害填补损害的机能。

第四节　侵权行为法与其他损害补偿制度

　　问题：甲系乙运送公司的司机，因驾车过失撞到受雇
于丙公司正在执行职务的劳工某丁，丁受伤不能工作，住
院接受全民健康保险医疗给付，而丁投有健康保险，乙投

---

[1] 债编修正增订第 191 条之三系采意大利民法第 2050 条规定，德国学者 Michael R.
Will 氏在其 "Quellen erhöhter Gefahr" 乙书（1980），曾就各国（包括前苏联、墨西
哥、意大利等国）民法关于危险事故所设的概括条款从事比较研究（关于意大利民
法，S. 150-190），认为意大利民法第 2050 条规定非采德国法上的危险原则，系建
立在过失责任的基础之上（S. 152），在比较法上未获重视，不享有高的评价。在
检讨意大利民法第 2050 条于实务上的解释适用后，Will 氏认为该条规定未臻精确，
不能令人满意，且属无用（unscharf, deshalb unbefriedigend und letztlich wohl
unnützlich）。意大利民法第 2050 条制定于 1942 年，一个被认定为无用的规定，竟
为 1999 年的台湾地区债编修正采为侵权行为的基本原则，实属比较法的异数。

有责任保险。

1. 试说明侵权行为法、劳工保险条例及劳动基准法、强制汽车责任保险法、全民健康保险法及商业保险（健康保险、责任保险）所构成的损害赔偿或补偿的体系、规范功能及其未来的发展。

2. 丁得否同时享有侵权行为损害赔偿、职业灾害补偿、强制汽车责任保险给付或健康保险给付？

3. 全民健康保险的保险人于对丁给付后，对加害人甲或乙、劳保局或强制汽车责任保险人得主张何种权利？

第一款　三阶层的损害赔偿或补偿体系

一、问题的说明

侵权行为损害赔偿请求权的成立须具备法定要件，通常应由被害人就加害人的过失负举证责任，常须藉助诉讼，耗费时日及各种成本，加害人亦须有资力，始具实益。纵具备侵权行为的要件，被害人亦因各种原因，未能或难以主张其权利。为保护被害人，为因应社会经济发展，在台湾地区逐渐创设了无过失补偿制度，并健全社会安全保障，形成了三个阶层的赔偿或补偿体系。最基层系社会安全保障，如全民健康保险；在其上者为无过失补偿制度，如劳工职业灾害保险、预防接种、药害的受害救济、强制汽车责任保险、犯罪被害人保护等；居于顶层的则是侵权行为法。为便于观察，图示如下：

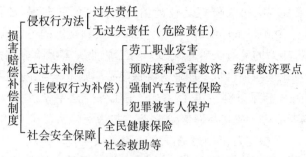

二、社会安全保障的建立

社会安全保障制度旨在保障人民生存的基本权利（"宪法"第15条、第155条、增修条文第10条第5、7项）。1980年制定的"残障福利法"[1]及"社会救助法"系实践福利社会理念的两个重要立法。最具开创性的则是1994年8月9日公布施行的"全民健康保险法"。[2]依本法办理的全民健康保险就保险对象于有效期间发生疾病、伤害、生育事故时，依本法规定给与门诊或住院诊疗（第2条、第32条）。保险事故是否因侵权行为而发生，在所不问。例如甲男强奸乙女，传染梅毒，乙女怀孕生丙，亦受感染。在此类情形，乙女若欲依侵权行为法规定请求损害赔偿时，必须经由诉讼，能否获得赔偿，端视甲男有无资力而定；丙对乙得否主张侵权责任，尚有争议。惟依"全民健康保险法"，乙及丙均得请求医疗给付，获得生活的基本保障。

三、无过失补偿制度

（一）劳工职业灾害补偿

无过失补偿（No-Fault Compensation），指对一定范围之人因某意外事故而生的损害予以补偿，而不以具备侵权行为的成立要件

---

[1] 本法已于1997年修正并更名为："身心障碍者保护法"。

[2] 陈怡安，"全民健康保险法规范的医疗关系"，1998年度东吴大学法律学研究所硕士论文。陈怡安医生兼具法学及医学素养，提供若干宝贵意见，谨致谢意。

为必要，为避免与无过失侵权责任混淆，又称之为"非侵权行为补偿"（Non-Tort Compensation），劳工保险条例规定的劳工职业灾害补偿系最典型的无过失补偿制度。劳工职业灾害保险分伤病、医疗、残废及死亡四种给付。职业灾害保险费原则上全部由投保单位负担（参阅"劳保条例"第15条）。劳工保险之主管机关（劳工委员会）设劳工保险局办理保险业务，并为保险人。又"劳动基准法"第59条规定劳工因遭遇职业灾害而致死亡、残废、伤害或疾病时，雇主应依其规定予以补偿，但如同一事故，依劳工保险条例规定，已由雇主支付费用补偿者，雇主得予以抵充之（参阅"劳基法"第59条及其他相关规定）。

劳工职业灾害补偿制度可供说明，侵权行为损害赔偿与无过失补偿（非侵权行为补偿制度）的区别，[1]分三点言之：（1）基本思想：侵权行为损害赔偿系以分配正义为其指导原则，旨在填补损害，使被害人能够回复损害发生前之原状；反之，劳工职业灾害补偿则在维护劳动者的生存权，保障劳工最低必要的生活。（2）成立要件：侵权行为的成立，须以加害人具有故意或过失为要件，被害人对损害的发生或扩大与有过失时，法院得减免其得请求的损害赔偿。反之，于劳工职业灾害补偿，雇主或其他之人对事故的发生是否具有过失，在所不问。纵被害人对事故的发生与有过失（甚至重大过失），亦可请领全部劳保给付，无适用过失相抵的余地。[2]（3）给付内容：侵权行为损害赔偿的基本思想在于填补被

---

[1] 参阅拙著，"劳灾补偿与侵权行为损害赔偿"，民法学说与判例研究，（3），第253页、第266页以下。

[2] 参阅"劳工保险条例"第23条规定："被保险人或其受益人或其他利害关系人为领取保险给付，故意造成保险事故者，保险人除给与丧葬津贴外，不负发给其他保险给付之责任。"依行政法院1970年判字第364号判决："原告因请领其夫劳工保险之死亡给付，被告官署以被保险人之死亡原因系'缢死'，依照'劳工保险条例'第31条规定，不得享有保险给付之权利，并无不合。"

害人的损害，故其得请求的，除人身损害外，尚兼及物之损害，损害赔偿的范围则包括所受损害及所失利益。生命、身体或健康遭受侵害者，虽非财产上损害，亦得请求赔偿相当之金额（慰抚金）。反之，于劳工职业灾害补偿，则仅限于人身伤害，其给付金额且有限制。

（二）预防接种受害救济

"卫生署"于1988年6月30日订定"预防接种受害救济要点"，亦属一种无过失补偿制度，[1] 其目的在使因预防接种而导致严重疾病、残障、死亡者能迅速获得救济。所谓预防接种，指依照"卫生署"防疫政策所推行或提供之预防接种措施。预防接种受害救济金来源为：（1）各级卫生机关及公立医疗机构采购预防接种疫苗时，代收得标厂商提供之捐款。该项捐款应载明于疫苗采购须知及合约书中；捐款金额，按剂计算，每剂疫苗售价在新台币（以下同）10元以上者，收缴1元，未满10元者，以10%计算。（2）私立医疗机构采购疫苗时，比照前款规定提供之捐款。（3）社会各界之捐款。至于救济金之保管、运用，由"卫生署"设立专户办理。预防接种救济之对象为：（1）死亡者为依民法规定之继承人。（2）残障及严重疾病者为本人或其法定代理人。预防接种救济给付标准为：（1）死亡救济：①经病理解剖鉴定，确认系因预防接种致死者，最高为100万元。②经病理解剖鉴定，无法确认系由其他原因致死者，在前款额度内，从优给付。③经病理解剖鉴定，确认系其他原因致死者，给付丧葬补助费15万元。（2）残

---

[1] 预防接种受害救济要点，系关于特定种类产品而设的补偿制度。在1980年，美国发生所谓的产品责任危机，药物制造者无法以合理的保险费购买责任保险，以应付高额赔偿威胁退出市场，为期解决。美国国会乃于1986年制定 The National Childhood Vaccine Injury Act，采无过失补偿制度，参阅 Franklin and Rabin, Tort Law and Alternatives, p. 776. 台湾地区上开救济要点系受美国立法影响而订定。又"卫生署"于1999年订定"药害救济要点"，请参照读之（药害救济咨询专线02-2361-1232）。

障救济：①极重度残障者最高为 90 万元。②重度残障者最高为 80 万元。③中度残障者最高为 60 万元。④轻度残障者最高为 40 万元。受害救济之对象应于接种之日起 1 年内，向预防接种地之卫生局提出救济之申请，由"卫生署"设审议小组审议之。

（三）强制汽车责任保险

汽车事故是一种主要的损害来源，如何合理加以规范，实值关切。就比较法加以观察，德国道路交通法第 7 条规定，除不可抗力外，汽车持有人应负危险责任（无过失侵权责任），并另订汽车持有人强制保险法。日本自动车损害赔偿保障法第 3 条规定推定过失的侵权责任，并于同法规定强制保险。在美国，关于汽车事故，系采普通法上的过失侵权责任与任意责任保险结合的规范型态。为保护被害人，Keenton 及 O´connell 两位教授于 1965 年提出"交通事故被害人基本保障"，设计所谓强制保险的无过失补偿（No-Fault Compensation），其特色系规定汽车事故受害人的基本补偿，在此限度内，不论加害人有无过失，对被害人的人身伤害予以补偿，并在此基本补偿限额内，废除普通法过失侵权行为的损害赔偿责任。美国各州最早实施此种汽车无过失补偿保险制度的系麻塞诸塞州（1971 年），其后纽约州等亦采之。[1]

台湾地区关于汽车事故一向系适用民法关于侵权行为的规定，采过失责任主义，并设强制责任保险。被害人损害赔偿请求权的成立，须具备侵权行为要件，对于保险人并无直接请求权。此种制度不足保护汽车事故被害人，众所共知，改进方案多次提出，长期争议未决，直至 1996 年始制定"强制汽车责任保险法"，使因汽车事故致身体受伤、残废或死亡的受害人能迅速获得基本保障。为达此目的，本法设两项重要制度：（1）第 5 条规定："因汽车交通事

---

[1] 施文森，汽车保险及其改进之研究（尤其是第 8 章），1990 年再版，论述甚详，可供参考。

故致受害人体伤、残废或死亡者，加害人不论有无过失，在相当于本法规定之保险金额范围内，受害人均得请求保险赔偿给付"。(2) 第 36 条、第 38 条规定应设置汽车交通事故特别补偿基金，使肇事汽车无法查究、肇事汽车非被保险汽车，或肇事汽车之保险人无支付能力者，其被害人得向特别补偿基金请求补偿。强制汽车责任保险法所规定的，究系无过失侵权行为责任的强制保险，抑为所谓的无过失补偿责任制度？尚有疑问。

在无过失侵权责任的强制保险与无过失补偿强制保险两种制度，其保险给付均不以加害人具有故意或过失为要件，具有迅速保障受害人的功用。就规范机能言，究采何种模式，因各国法律传统风格及立法政策而异，但就节省诉讼成本费用及逐渐扩大建立社会安全制度的长期观点言，采无过失补偿制度，具有积极意义。[1] 准此以言，强制汽车责任保险法应解释为系采无过失补偿制度，而非无过失责任的强制保险。

（四）犯罪被害人保护法

为补偿因犯罪被害而死亡者之遗属或重伤者之损失，以保障人民权益，促进社会安全，台湾地区于 1998 年 5 月 27 日制定"犯罪被害人保护法"，规定因犯罪被害而死亡者之遗属或受重伤者得申请犯罪补偿金。本法共 36 条，规定犯罪被害补偿金之种类及支付对象、得申请遗属补偿金、遗属之顺序、不得申请遗属补偿金的情形、补偿之项目及其最高金额等事项。（阅读之）[2]

---

〔1〕 参阅 J. G. Fleming, New Compensation System：Woodhouse and Pearson, in：Haftung-sersetzung durch Versicherungsschutz, 1980, S. 11；Peter Cane, Atiyah's Accidents, Compensation and the Law, p. 398f.

〔2〕 参阅谢协昌，"犯罪被害制度之研究"，1994 年度台大硕士论文；林辉煌，"建构犯罪被害人之司法保护体系"，律师杂志，第 223 期，第 17 页；郭明政，"犯罪被害人保护法—后民法与社会法律时期的成熟标竿"，政大法律评论第 60 期（1998 年 12 月），第 303 页；Fuchs, Zivilrecht und Sozialrecht, 1991.

第二款 多种损害赔偿或补偿制度的适用关系

一、基本问题

关于损害的赔偿或补偿，法律设有侵权行为法、劳工职业灾害补偿、疫苗接种救济、强制汽车责任保险、犯罪被害人保护、全民健康保险等。在保险制度，除责任保险（第三人保险）外，尚有第一人保险（人身保险、财产保险）。在此多种损害赔偿或补偿体系，常发生各种损害或补偿制度的适用关系，例如甲在乙运送公司担任司机，因驾车过失撞到受雇于丙正在执行职务的劳工丁，丁受伤不能工作，住院接受全民健康保险的医疗给付，而乙投有责任保险，丁则有健康保险。兹将其基本问题图示（见下页）：

关于同一损害（如伤害住院医疗或现金给付），有多数赔偿或补偿制度时，其处理模式有三：（1）被害人均得请求而保有之。（2）被害人仅得选择其一。（3）被害人得分就不同赔偿或补偿来源主张之，但不得超过其所受损害。由于各种赔偿或补偿系因不同时期，因应不同的需要而创设，关于其相互间的关系，难做完整的规定，疑义甚多。在解释适用上须避免超过赔偿或补偿（overcompensation），以防浪费资源，并应顾及法律所设的优先原则及立法目的。

二、侵权行为损害赔偿请求权与其他补偿制度的并存及抵充

侵权行为损害赔偿请求权原则上不因其他补偿制度的存在而受影响，如就汽车事故言，虽有"强制汽车责任保险法"第5条的规定，被害人仍得依民法关于侵权行为规定向加害人请求损害赔偿，即"强制汽车责任保险法"第5条规定在其保险金额范围内，并不排除侵权行为损害赔偿请求权。惟在实际上，被害人通常会依强制汽车责任保险法规定向保险人请求保险给付，在其损害超过保险给付时，始考虑主张加害人应负侵权责任。在此情形，为防止超过补偿，"强制汽车责任保险法"第30条规定："保险人依本法规定给付之保险

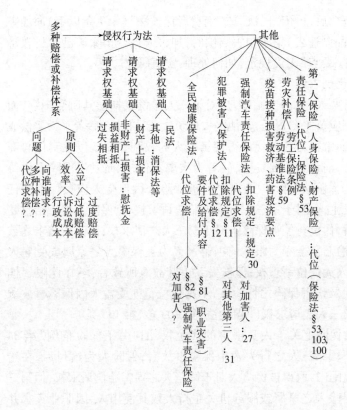

金,视为加害人或被保险人损害赔偿金额之一部分;加害人或被保险人受赔偿请求时,得扣除之。"

依"劳动基准法"第 60 条规定,雇主依第 59 条规定给付之补偿金得抵充同一事故所生损害之赔偿额。此之所谓损害赔偿额,包括侵权行为损害赔偿。

"犯罪被害人保护法"第 11 条规定,依本法请求补偿之人,已受有社会保险、损害赔偿给付或因犯罪行为被害依其他法律规定得受之金钱给付,应自犯罪被害补偿金中减除之。

在预防接种受害的情形,被害人于依"预防接种受害救济要点"

请求救济金后,再依"民法"或"消费者保护法"(第7条以下)向加害人(如商品制造者)请求损害赔偿时,加害人得否扣除该已给付救济金? 上开"要点"未设规定,如何处理,实值研究。

三、代位求偿

若有两人(或两个制度)应对第三人赔偿或补偿其所受损害,而其中之一应负主要责任,其他之人仅负次要责任时,后者于为赔偿或补偿后,通常得对前者代位行使第三人的权利。如就侵权责任与商业保险言,前者为主要责任,后者为次要责任,从而发生保险人代位的问题,"保险法"第53条规定:"被保险人因保险人应负保险责任之损失发生,而对于第三人有损失赔偿请求权者,保险人得于给付赔偿金额后,代位行使被保险人对于第三人之请求权,但其所请求之数额,以不逾赔偿金额为限。前项第三人为被保险人之家属或受雇人时,保险人无代位请求权;但损失系由其故意所致者,不在此限。"惟人寿保险及伤害保险之保险人,不得代位行使受益人因保险事故所生对于第三人之请求权("保险法"第103条、第135条)。

社会保险上关于人身损害的代位权,旧"劳工保险条例"第34条规定:"因第三人之行为发生保险事故者,保险人为给付后,在给付额之范围内,取得被保险人对于第三人之损害赔偿请求权,但第三人为被保险人之家属或服务机关主持人或其使用人,因职业灾害并发生保险事故时,除事故系由其故意所致者外,不适用之"。1979年2月19日修正"劳工保险条例"时,以对被害人有利而删除此项条文。由于"劳工保险条例"未设类如"强制汽车责任保险法"第30条关于扣除的规定,故被害人兼得请求劳保给付及侵权行为损害赔偿,而发生"超过赔偿"的问题。[1]

惟须注意的是,"强制汽车责任保险法"第31条明定:"汽车交通事故之发生,如可归责于被保险人或加害人以外之第三人者,保险

---

[1] 拙著:"劳灾补偿与侵权行为损害赔偿",民法学说与判例研究,(3),第253页以下。

人得于给付金额范围内代位行使被保险人对于该第三人之损害赔偿请求权。前项第三人为被保险人或加害人之家属者,保险人无代位求偿之权利。但汽车交通事故系由其故意所发生者,不在此限。"

"犯罪被害人保护法"第 12 条规定:"'政府'于支付犯罪被害补偿金之后,于补偿金额范围内,对犯罪行为人或依法应负赔偿责任之人有求偿权。前项求偿权,由检察官行使。第 1 项之求偿权,因 2 年间不行使而消灭。于支付补偿金时,犯罪行为人或应负赔偿责任之人不明者,自得知犯罪行为人或应负赔偿责任之人时起算。"

四、保险竞合

关于人身伤害,除有商业保险(人寿保险、健康保险、责任保险),尚有社会保险(劳工保险、强制汽车责任保险及全民健康保险),就同一事故发生保险竞合时,何者为基本保险,何者为次要保险,而由前者保险负终局给付义务亦值研究。[1] 关于此点,"全民健康保险法"设有两个重要原则性规定。第 81 条:"被保险人参加职业灾害保险者,其因职业灾害事故所发生之医疗费用,由职业灾害保险偿付。"反面推论之,被保险人属普通灾害保险者,其医疗费用,仍由全民健康保险给付之。第 82 条:"保险对象因汽车交通事故,经本保险提供医疗给付者,本保险之保险人,得向强制汽车责任保险之保险人代位请求该项给付。"由此可知立法者系认强制汽车责任保险属基本保险,应由其负最后承担医疗给付。又可否由此规定反面推论,全民健康保险之保险人不得向汽车交通事故有可归责之加

---

〔1〕　参阅 1997 年度台上字第 2265 号判决:"按保险制度,旨在保护被保险人,非为减轻损害事故加害人之责任。保险给付请求权之发生,系以定有支付保险费之保险契约为基础,与因侵权行为所生之损害赔偿请求权,并非出于同一原因。后者之损害赔偿请求权,殊不因受领前者之保险给付而丧失,1979 年台上字第 42 号著有判例。基于相同法理,现役军人受伤,于军医院医疗,由"政府"负担医疗费用,系以其为公服役为基础,与因侵权行为所生之损害赔偿请求权,并非出于同一原因,上诉人不得因此而免负赔偿责任。"民事裁判汇编,第 29 期,第 139 页。

害人代位求偿？

由上述可知，关于各种补偿制度间的适用关系，法律设有不同规定，例如关于代位求偿问题，劳工保险本有规定，但被删除之。强制汽车责任保险法设有向加害人求偿（第27条）及对其他第三人代位（第31条）的规定。"全民健康保险法"规定应由职业灾害保险（第81条）、强制汽车责任保险之保险人（第82条）承担最后给付义务。犯罪被害人保护法对于求偿权设有明文规定（第12条）。有疑义的是，全民健康保险的保险人提供医疗给付后，可否向对该保险事故（车祸或其他事由）可归责之第三人代位请求该项给付？[1] 代位求偿涉及到公平（防止超过赔偿）及效率（求偿费用），深值研究，将于本丛书第3册作较深入全面的探讨。

第五节　侵权行为法的未来[2]

一、侵权行为法机能的评估

侵权行为法的重要机能在于填补损害及预防损害。关于此二项机能的评估，在台湾地区欠缺资料或研究。每年法院究竟处理多少侵权行为的案件？其主要类型为何？侵权行为损害赔偿的诉讼所耗费的时间、费用，例如为获得一元的赔偿，究要付出多少成本；诉讼外解决途径的实际状况如何、赔偿数额是否合理，皆乏实证研究。至于损害预防的效用，涉及统计及量化，更为困难。台湾地区多年来从事民法侵权行为法的修正，偏重于收集、斟酌取舍外国立法例，未能建

---

[1]　参阅江朝国，"'全民健保法'第82条代位权之探讨"，月旦法学杂志，第4期，第98页；吴月泷，"'全民健康保险法'第82条规定之探讨—论健保局行使代位权之适法性及其面临之困境与评析"，保险专刊，第50辑（1997年12月），第138页。

[2]　拙著，"侵权行为法的危机及其发展趋势"，民法学说与判例研究，(2)，第147页；朱柏松，"侵权行为理论发展之新趋势"，法学丛刊，第153期，第40页；J.G. Fleming, Is There a Future for Tort? 58 A.L.J. 131(1984).

立在实证研究的基础上,此一领域的研究有待开拓。

二、赔偿补偿体系的调整

　　台湾地区法上三个阶层的赔偿补偿体系原属倒金字塔型,由侵权行为法担负着分配损害的主要机能。多年来,其他二个阶层陆续扩大,逐渐呈现一个较为平衡的结构。须注意的是,新西兰于1973年施行 Accident Compensation Act(事故补偿法),规定因车祸、医疗劳灾等意外事故受生命、身体的损害者,无论是否出于他人的过失,皆得请求补偿,并禁止就死亡或身体伤害依侵权行为规定请求损害赔偿。[1] 新西兰的事故补偿法创设了一种以社会保障为基础的广泛补偿体制,深具开创性及前瞻性,举世注目,带动了许多关于侵权行为法及其他补偿制度的思考和改革建议。[2] 台湾地区整个赔偿补偿体系亦有检讨的必要:在侵权行为法方面,民法应作修正,就特别侵权行为类型调整其原则,并创设更合理的救济程序等。关于无过失补偿制度,应研究逐渐扩大其类型,[3] 以厚植社会保障基础,充实其内容。要言之,整个损害赔偿补偿制度必须随着社会经济发展重新评估,做适当的改进,使各种制度更能互相协力,有效率的配置社会资源,使被害人获得更合理公平的保障。

---

[1]　关于新西兰的 Accident Compensation Act 的制定及思想背景,参阅 Palmer, Compensation for Personal Injury: A Requim for the Commen Law in New Zealand, 21 American Journal of Comparative Law(1973);贺凌虚译,新西兰新的人身伤害赔偿制度,宪政思潮选辑(6),第763页。Palmer, Compensation for Incapacity, 1979; Henderson, The New Zealand Accident Compensation Reform, 48 U. Chi. L. Rev. 781(1981). 关于新西兰侵权行为法,参阅 Todd, The Law of Torts in New Zealand, 1991.

[2]　英国法,Peter Cane, Atiyah's Accidents, Compensation and the Law, pp. 397– 427. 美国法,Rabin, Some Reflections on the Process of Tort Reform, 25San Diego L. Rev. 13 (1988); Huber, Liability: The Legal Revolution and Its Consequences, 1988; Sugarman, Doing away with Personal Injury Law, 1989. 德国法,Weyers, Unfallschäden, 1971. 比较法研究参阅加藤雅信编,损害赔偿から社会保障へ,三省堂,1989。

[3]　关于医疗事故采无过失补偿制度的争论,参阅 Halley 编,Medical Malp–ractice Solutions, Systems and Proposals for Injury Compensation, 1989.

三、侵权行为法的存在意义

鉴于无过失补偿及社会保障制度的建立及扩大发展,许多学者对侵权行为法的未来表示关切,有因新西兰"事故补偿法"的施行而为侵权行为法唱起挽歌。有预测侵权行为法的衰微。有谓侵权行为处于交叉,陷入危机,主张应废弃侵权行为法。这些观察或预言含有若干理由,自不待言。以过失责任原则为基础的侵权行为法具有许多须要改进的弱点,实不容否认,而无过失补偿及社会安全保障在若干方面较有效率,亦应肯定。侵权行为法不应成为填补损害的唯一或主要制度,而应与其他制度共存,担任着不同的任务。侵权行为法提供了个人权益受不法侵害时的保护机制,使被害人得依私法规定寻求救济,令加害人就其侵权行为负责,其所维护者,系个人的自主、个人的尊严,其重要性不低于冷酷的效率,实为人类社会存在的基本价值。[1]

关于人身意外损害赔偿,各国依其社会经济发展所创设形成的补偿体系,基本上系由倒金字型转为平方型(平衡型),并渐次移向金字塔型,台湾地区正处于第一个阶段,为便于观察,图示如下:

---

〔1〕 Allen M. Linden, Canadian Tort Law, p. 23; Ernst J. Weinrib, The Idea of Private Law(尤其是第 8 章,The Autonomy of Private Law,pp. 204-231), 1995. 并参阅 England,The Philosophy of Tort Law, 1993.

第二章　侵权行为法在比较法上的观察

台湾地区侵权行为法系外国法的继受，基本上采德国立法例，其理论构成并受日本法的影响，而德国民法及日本民法均以法国民法为其立法背景。须注意的是，近年来逐渐引入美国法上的 Products Liability，Informed Consent，Privacy，Wrongful Birth 等制度。因此特立本章简要介绍大陆法系的法国、德国、日本及英美侵权行为法的基本原则及体系架构，[1] 期能有助于认识台湾地区侵权行为法历史基础，[2] 阐释其解释适用的争议，并了解侵权行为法的内容与其社会经济发展之间的相互作用关系。[3]

---

[1] Zweigert/Kötz, Einfürung in die Rechtsvergleichung, 3 Aufl. 1996, pp. 597-716；Catala/Weir, Delict and Torts：A Study in Parallel, Tul L. Rev. 37（1963）573；38（1964）221，663；39（1965）701. 值得注意的是，Christianv. Bar 所著的 Gemeineuropäisches Deliktsrecht Band I（1996）对欧盟各国（包括英国）的侵权行为法作有综合比较研究，内容丰富，颇具特色，甚值参考。

[2] 在台湾地区，法律的历史基础的研究，有待加强。最近台大法律系王泰升教授从事台湾法律史的研究，很有贡献。此种历史基础的研究，在方法上亦包括比较法。英国著名法学家 S. F. C. Milsom 所著 Historical Foundation of the Common Law（1969，本书有新版）及 Zimmermann, The Law of Obligations：Roman Foundations of the Civilian Traditions（1992），均值参考。

[3] 关于中华人民共和国的侵权行为法，参阅王利明主编，民法侵权行为法，中国人民大学出版社，1993；王利明，"合久必分：侵权行为法与债法的关系"，法学前沿，第 1 辑，法律出版社 1997 年版，第 92 页；张新宝，中国侵权行为法，第 2 版，中国社会科学出版社 1998 年版。

第一节 大陆法系的侵权行为法

第一款 罗马法

一、十二铜表法

罗马法是大陆法系的根源，乃现代侵权行为法的历史基础。罗马最古老的成文法是十二铜表法（相传制定于公元前450年），以古老简单的文字规定，凡因特定行为侵害他人时，应支付赎罪金，一方面作为刑罚，一方面用以慰抚被害人，作为被害人放弃复仇的一种代偿。复仇是古代法律的特征，在原始社会，家族是最基本的社会单位，对外享有特定的权利义务关系，对内则以维持荣誉及和平为主要任务，对侵害行为的反应就是复仇。复仇的方式本来漫无限制，后来逐渐采用同类主义，即所谓"以牙还牙，以眼还眼"，其所注重的不是加害人的主观意识，而是客观的损害结果。报仇一方面满足了被害人或其家族心理感情，他方面亦可因此预防将来损害的发生。惟复仇行为破坏秩序，不合团体利益，而且农业社会需要和平，于是理智逐渐控制感情，同时在私有财产体制下，物质的补偿终较心理快感具有实益，复仇方式乃遭废弃，罚金制度卒告建立，其向国家支付者为刑罚，其向被害人或其家族支付者，则为损害赔偿。[1]

十二铜表法对侵权行为法系采个别列举的规范方式。伤害他人

---

〔1〕 参阅陈朝璧，罗马法原理（上册），第8页；郑玉波，罗马法要义，第146页；Giuseppe Grosso（朱赛佩·格罗索），Storia Del Diritto Romana (1965)，黄凤译，罗马法史，中国政法大学出版社，1994，第76页以下。Peter G. Stein（英国剑桥大学罗马法教授），Römisches Recht und Europa（英文版德译，1996），此为罗马法文化史的巨著，简明扼要，关于十二铜表法，pp. 14—19。

的四肢或使之分离，若不能成立和解时，准予图害报复（第 8 表 20）。折断自由人一骨者，罚金 300AS（AS 是罗马的货币单位）。折断奴隶一骨时，罚金 150AS（第 8 表 3）。侵害人格权的，罚金 250AS（第 8 表 4）。现行窃盗如系夜间或昼间携带凶器时，格杀勿论；如系昼间无凶器而其人又为自由人时，则由政务官加以鞭打之后，委之被害人，被害人可将其卖为奴隶；若其人本为奴隶时，则可由达尔不亚（Tarpeia）岩坠杀之（第 8 表 14）。至于非现行盗则仅处以二倍的赔偿（第 8 表 16）。[1]

二、说明 lex Aquilia

在罗马侵权行为法发展史上，公元前 286 年制定的 lexAquilia（亚奎利亚法）的重要性仅次于十二铜表法。本法共有 3 章，其中两章规定侵权行为。第 1 章规定："因违法（iniuria）杀害他人的奴隶、四足动物或家畜者，应对其所有人赔偿被害物于杀害前 1 年内与最高价额相当的金额。"第 3 章规定："违法（iniuria）烧毁、粉碎（urere）或破坏（rumpere）他人之物者，应对其所有人赔偿最近 30 日以内相当于该物最高价额的金额。"[2]

由此两章规定可知，lex Aquilia 关于物的侵害已创设了较为一般化的原则，而其最为重要的成就则在于提出 iniuria 的概念。iniuria 者，指"不法"而言，即不具正当防卫或法所容许自助行为等的违法阻却事由。按其字义，iniuria 原指故意侵害，其后罗马疆域扩张、人口增加，危害事故渐趋严重时，罗马法学家乃认为过失侵害行为亦构成 iniuria，而有 lex Aquilia 的适用，并由直接侵害

---

〔1〕　参阅郑玉波，罗马法要义，第 59 页；前田达明，不法行为法，第 4 页。关于十二铜表法的历史背景，H. F. Jolowicz, Historical Introduction To The Study of Roman Law, 1971, pp. 11–13, 106–111.

〔2〕　参阅 Hausmaniger, Das Schadensersatzrecht der lex Aquilia, 1976; F. H. Lawson and B. S. Markesinis, Tortious Liability for Unintentional Harm in the Common law and the Civil law I, 1982; Zimmermann, The Law of Obligations, pp. 953– 1092.

行为（如用手杀人）扩大及于间接侵害行为（如驱犬伤人）。lex Aquilia 蕴含着侵权行为法的基本概念及思考方法，[1] 在两千年后的今日，iniuria 的概念仍以不同的形式存在于大陆法系的侵权行为法。[2]

lex Aquilia 虽在实务上迭经扩张适用，但古典时期的罗马法仍未能完全扬弃传统之个别的责任规则而代之以一般原则，直至 17、18 世纪开明时期，自然法昌盛，认为得依自然理性建立法律规范，并倡导法典化理念时，始由 1804 年的法国民法创设了侵权行为法的一般原则。[3]

第二款　法国民法

1804 年的法国民法是近代第一个民法典，关于侵权行为仅设 5 条规定（第 1382 条至第 1386 条），甚属简洁。法国民法第 1382 条规定："基于过咎（Faute）的行为，使他人发生损害者，应负赔偿责任"，第 1383 条规定："个人不仅对于因自己之故意行为所生之损害，即对于因自己之懈怠（néRR；gligence）或疏忽（impru-

---

[1] 关于 lex Aquilia 的解释适用，优帝学说汇编（Digesten, 9.2）记载着 Ul-pian, Gaius 等罗马古典时期大法学家的见解，是法学的宝藏。兹举乙则 Ulpian 的论述如下：Mela 氏谓，数人一起玩球，其中一人用力踢球，该球落于远处正在为某奴隶刮胡子的理发师的手中，致其小刀切伤奴隶的喉咙时，应认其有过失，须依 lex Aquialia 负责。Procalus 氏则谓，其过失在于理发师，因其在通常玩球或交通繁忙之处从事理发，应将过失归其负担。又可认为被害者明知理发处所在于危险地方，仍信赖理发师，乃咎由自取（D.9.2.11），须附说明的是，D. 系优士丁尼帝所编辑 Digest（学说汇编）的简称，9.2.11 指第 9 编、第 2 章、第 11 条。近年来，中国政法大学在江平教授领导下从事罗马民法大全的翻译，贡献卓著。关于 lex Aquilia，参阅米健译，私法之债，阿奎利亚法，中国政法大学出版社。

[2] 关于英美法，参阅 Banakas, Injuria in the new Anglo-American Law of Negligence, in: Festschrift für Erich Steffen (1995), S. 19, 23f.

[3] Kötz, Deliktsrecht, S. 7, 9f.; Zimmermann, The Law of Obligations, 1992, p. 1031f.

dence），致损害于他人者，亦负赔偿责任。"由此规定可知法国民法的侵权行为系建立在一个概括、抽象的一般原则之上，宣示着过失责任主义，是法制史上一项空前伟大的成就。兹分自己行为责任、非自己行为责任及无过失责任三种情形说明之：

一、自己行为责任

法国民法第 1382 条及第 1383 条系规定所谓自己行为责任。前者规定积极作为的侵权行为，后者规定消极不作为的侵权行为。综合言之，其要件有三：[1]

1. 须被害人受有损害（Dommage），通说认为包括精神损害（非财产损害，Dommage moral）。侵害他人致死者，被害人的未婚妻，甚至情妇，就其所受精神痛苦亦得请求赔偿。受保护的，不限于权利，纯粹经济上损失亦包括在内，如某职业足球员被他人杀害时，其所属足球俱乐部亦得请求赔偿因此所受的损害，因其须对替代球员支付高额费用。

2. 须所生损害可归责于法国民法第 1382 条所称 Faute，或第1383 条所称懈怠（ngligence）或疏忽（imprudence）。Faute 是法国侵权行为法上的核心概念，由于民法典未设定义，争议甚多，一般认为系指过失，并包括故意在内。须特别指出的是，在法国侵权行为法理论上并未明显区别"违法性"及"过失"，二者兼含于Faute 概念之内。故被害人的行为系出于正当防卫时，认为系不成立 Faute，无所谓违法性阻却的概念。

3. 在损害及具有可归责行为之间须具有因果关系（lien de causalit）。[2] 依法国判例学说，损害非出于被告的行为，系因外

---

[1] 以下说明参照 Zweigert / Kötz, Einführung in die Rechtsvergleichung, S. 619f.；John/Boyron/Whittaker（eds.），Principles of French Law, 1998, pp. 354-397. 本书论述法国法基本原则简明扼要，甚具参考价值。

[2] Motulsky, Die Zurechnenbarkeit des Kausalzusammenhanges im französischen Schadensersatzrecht, RabelsZ 25（1960）242.

在事由（causere），如不可抗力所致，或因被害人的过失或被告难以预见的第三人行为所致时，得中断因果关系。若尚不构成中断因果关系的事由时，法院得适当减轻其赔偿额。关于如何限制得请求赔偿的损害，实务上参照法国民法第 1151 条关于契约的规定，采直接立即说（une suite immdiate et directe），由法官依其常识经验加以判断。

二、非自己行为责任

所谓非自己行为责任，包括就他人行为负责及物之责任。法国民法第 1384 条规定："虽非自己行为发生之损害，但因自己应为其负责之'他人行为'（le fait des personnes）或因'保管物之行为'（le fait des choses que l'on a sous sa garde）所生之损害，亦负赔偿责任。父母，就其未成年同居子女之行为所生之损害，负赔偿责任。雇主及业主，就其佣役或受雇人因业务所生之损害，负赔偿责任。教师及技师，就学生或学徒，在其监督下所生之损害，负赔偿责任。"第 1385 条规定："动物所有人或使用人，就置于其管理下之动物，因走失或逃匿所生之损害，负赔偿责任。"第 1386 条规定："工作物所有人，因工作物之保存欠缺或构造瑕疵而塌毁所生之损害，负赔偿责任。"关于上开规定，应特别说明的有二点：

1. 对此等非自己行为责任的归责原则，由于法国民法本身未明确规定，法国学者见解分歧，一般认系采推定过失。

2. 就法国民法的体例言，第 1384 条第 1 项后段关于"因保管物之行为所生之损害，亦负赔偿责任"，原被认为系第 1385 条（动物占有人责任）及第 1386 条（建筑物所有人责任）的综合前提规定，其本身并不具独立的规范地位，并非一个独立的"请求权规范基础"。例如工厂的锅炉爆炸，伤害工人，或驾车肇祸伤害路人时，因其不合法国民法第 1385 条及第 1386 条的要件，应适用法国民法第 1382 条或第 1383 条规定，从而原告应就加害人的过失（Faute）或懈怠疏失负举证责任。惟此显然不足保护被害人，法国法院乃重新诠释法国民法第 1384 条第 1 项后段，肯定其具有独立的规范功能，得用以规律所谓无生物（如锅炉、汽车等）所致的损害，创设了无过失责任，被认系法国侵权行为法的革命，在比较法及方法论上具有意义，广受重视。[1]

三、无过失责任

如前所述，法国民法第 1384 条第 1 项后段所创设的无过失责任是一项革命，而法律上的革命常是一个漫长的发展过程。[2] 在 1870 年，一个洗濯工厂锅炉爆炸的案件，法国最高法院采传统见解，否认有法国民法的第 1384 条第 1 项后段的适用。在 1887 年一个工厂机器破损倾倒伤害工人案件，法国最高法院为保护因工业灾害而受害的劳工，乃扩张适用法国民法第 1385 条关于建筑物所有人责任规定，强调接连于建筑物的机器为建筑物之附属物，机器的瑕疵应视为建筑物本身的瑕疵，故被害人无庸证明所有人的过失，亦得请求损害赔偿。

经过了长期准备，法国最高法院终于在法国民法施行后的第 93 年（1897 年），依法国民法第 1384 条第 1 项后段创设了所谓无生物责任原则。在本件，被告所有蒸气锅炉爆炸，原告之夫在船上工作，当场死亡，乃诉请赔偿。原审以被告并无过失而驳回原告之诉。第二审的巴黎高等法院类推适用法国民法第 1386 条规定使被

---

[1] 参阅邱聪智："法国无生物责任法则之发展"，民法研究（1），第 161 页至第 184 页（附有日文资料文献），论述甚详，足供参考。另参阅 Kötz / Zweigert, Einführung in die Rechtsvergleichung, S. 663; Tunc, The Twentieth Century Development and Function of the Law of Torts in France, Int'l Com. L. Q. 14 (1965) 1089; F. H. Lawson and B. S. Markesinis, Tortious Liability for Unintentional Harm in the Common law and the Civil Law I p. 142, 146f.

[2] 侵权行为法另一个伟大的革命是美国法院创设的严格产品责任，前后历经一百余年，由 Winterbotton v. Wright（1842）到 Greenman v. Yuba Power Products Inc.（1963），参阅 Prosser, Wade and Schwartz, Torts: Cases and Materials, p. 694f.，将于本丛书第 2 册论及产品责任时再行详述。

告负赔偿责任。被告提起第三审上诉。法国最高法院首先肯定法国民法第 1384 条第 1 项后段系一项独立的规定，对于一切之所谓无生物皆应适用，以保护受害的劳工。1899 年法国制定劳工保险法，特别采纳此项判决的意旨，对劳动灾害采无过失责任。其后法国最高法院逐渐扩张法国民法第 1384 条第 1 项后段，使之及于堤防崩毁及煤气爆炸等意外事故。法国最高法院于 1930 年在有名的 Jand´heur v. Les Galeries Belfortaises 乙案更肯定法国民法第 1384 条第 1 项后段规定对于汽车事故亦得适用，并再度强调被告仅于证明该损害系出于不可归责的偶然事故，不可抗力或外在原因时，始得免责，其归责原理遂由"推定过失"转为"责任推定"，建立相当于无过失责任制度。嗣后其适用范围更见扩大，包括声、光、电气等无体物在内。

最后须特别提出的，法国法上关于危险活动或设施的责任，系由判例所创设，故危险责任的立法较为少见，其主要者有 1934 年的民用航空法、1841 年的矿业法规定的矿害责任，以及 1965 年的核子损害赔偿法等。

第三款　德 国 法

一、德国民法上的不法行为

德国在普法战争（1871 年）之后，为实现一个民族，一个国家，一个法律的历史任务，于 1887 年开始研拟制定民法典，关于如何规定不法行为（unerlaubte Handlung）曾发生重大争论。台湾地区的侵权行为系采德国规范模式，因此了解其立法背景及理由，具有意义。

德国继受罗马法而形成的普通法（Gemeines Recht），仍采传统的侵权行为类型，为适应社会需要，虽一再扩张（尤其是 lex Aquilia）其适用范围，但未完全克服个别列举方式的缺点。在另一方面，欧陆其他民法典，因受自然法理念的影响，已创设一般概括原则，除前述的 1804 年的法国民法典外，尚有 1812 年的奥国民法。[1] 在此情形下，德国民法的起草者原想参考法国民法的立法例规定凡故意或过失不法侵害他人者，负损害赔偿责任。但其后改采折衷主义，创设了所谓三个类型侵权行为，其理由有三点：(1) 就思想背景言，在 19 世纪末叶以后，自然法理念已趋式微，代之而起的是德国法学家 Savigny 所倡导的历史法学派。(2) 一般概括条款隐藏了法律解释适用的困难，广泛授权于法官，不合当时德国人对司法功能的认知。(3) 立法理由书特别指出，若无较为明确的规则，德国法院必将制造在法国法院实务上所见的矛盾与零乱。[2]

德国民法关于不法行为的规范，系折衷于个别列举方式与一般概括原则之间，采取三个基本侵权类型，即 (1) 德国民法第 823 条第 1 项规定："因故意或过失，不法侵害他人之生命、身体、健康、所有权或其他权利者，对所生之损害应负赔偿责任"。(2) 同条第 2 项规定："违反以保护他人为目的之法律者，亦负同一义务。依其法律之内容无过失亦得违反者，仅于有过失时始生赔偿责任"。(3) 德国民法第 826 条规定："故意以背于善良风俗加损害于他人者，应负损害赔偿责任。"学者称之为三个小的概括条款体系（System von drei "kleinen" Generalklauseln）。[3] 除此一般不法行为规定外，德国民法另设有所谓特殊不法行为，如共同侵权行为（第 830 条），雇用人责任（第 831 条），监护人责任（第 832 条）等。

---

[1] 奥国民法第 1295 条规定："任何人得向加害人请求赔偿因其过失所加之损害。此种损害得因违反契约或无契约关系而发生。"简要说明，参照 Kapfer, Das Allgemeine bürgerliche Gesetzbuch, 15Aufl. 1987, §1295. 参阅黄越钦："奥国民法（AGBG）在法学上之地位"，政大法学评论，第 4 期，第 201 页。

[2] ProkokolleⅡ, S. 571.

[3] Larenz / Canaris, Schuldrecht Ⅱ/3 §75 Ⅰ (S. 355).

一百年来德国不法行为法在理论构造（如关于过失与违法性的关连，相当因果关系与法规目的的适用关系）及解释历经重大演变，其最具突破性的是将德国民法第 823 条第 1 项前段所称"其他权利"（Sonstiges Recht）扩张及于一般人格权（Allge-meines Persölichkeitsrecht）及营业权（Das Recht am Gewerbebetrieb）。[1] 另一个重要发展系创设了 Verkehrspflicht 的概念，改变了德国侵权行为法的思考方法。此等问题将留待讨论台湾地区侵权行为法相关部分时再加说明。

二、危险责任

德国民法系采过失责任原则，无过失的危险责任的发展则采特别立法方式，在 1900 年德国民法施行前，既已有之，最早者如 1838 年普鲁士铁路法规定的铁路事故责任，最近的重要立法是 1990 年施行的商品责任法（Produkthaftungsgesetz）及环境责任法（Umwelthaftungsrecht）。[2]在这长达 150 年期间曾制定各种法律，规范矿业、汽车、航空、水污染、核子损害、药物及商品责任等事故。各个特别立法系针对不同社会发展阶段及科技进步的需要，一再增修补正，致其构成要件、受保护的权益、免责事由、赔偿内容及范围，各有不同；其共通的是设最高赔偿限额及排除慰抚金请求权。此种法律状态产生二个缺点：（1）危险责任体系庞大，内容零乱。（2）不能涵盖所有的危险活动，难免遗漏。德国联邦政府曾于 1976 年损害赔偿法修正草案提出修正条文，最近德国民法债编修正研究亦曾列为重点，德国学者更致力于研拟各种版本的一般

---

[1] Fabricius, Zur Dogmatik des sonstigen Rechts "gemäss § 823 Abs. 1 BGB", AcP 160 (1961), 273.

[2] Marburger, Grundsatzfragen des Haftungsrechts unter Einfluss der gesetzlichen Regelung zur Produkthaftung-und zur Umwelthaftung, AcP 192 (1992), 1.

概括条款,[1] 因无共识,均未被接受。在可预见的将来,德国法上的危险责任仍将以特别法的方式继续不断的发展,与民法上的不法行为法并立,构成的双轨二元责任体系。[2]

第四款 日 本 法

1890 年(明治 23 年)制定的日本民法(称为旧民法)系模仿 1804 年法国民法,现行日本民法(1896 年)则参考德国民法草案(1888 年、1890 年)而修正,兼具法国法及德国法的因素。[3] 日本民法关于不法行为法共设 16 条规定,体系上可分为一般不法行为及特殊不法行为。[4]

一、一般不法行为

日本民法第 709 条规定:"因故意或过失侵害他人之权利者,负因此所生损害之赔偿责任。"此为关于一般行为的规定,揭示过失责任主义原则,通说认其构成要件有四:[5](1)加害人故意或过失行为。(2)违法侵害他人的权利。(3)因权利被侵害而发生损害。(4)

---

[1] Kötz, Haftung für besondere Gefahr – Generalklausel für die Gefährdungs-haftung AcP 170 (1970), 1.

[2] 参阅邱聪智:"德国损害赔偿法之修正与危险责任之归趋",收于民法研究(1),第 339 页。关于德国现行危险责任体系结构的分析,参阅 Larenz / Canaris, Schuldrecht Ⅱ/2 §84 (S. 559–653);Kötz, Deliktsrecht, Nr. 333–373.

[3] 关于不法行为法的研究,日本论文著作甚为丰富,其研究范围,除德国法及法国法外,兼括英美法,足供参考,参阅前田达明,不法行为法,民法Ⅵ2,昭和 55 年;几代通(德本伸一补订),不法行为法,平成 5 年(ⅳ附有基本文献资料)。最近发展,参阅山田卓生编集代表,新、现代损害赔偿法讲座,共 6 卷,日本评论社,1997 年起刊行。

[4] 关于日本民法的条文,参阅日本民商法规汇编,司法通讯社,1975。

[5] 加藤一郎,不法行为(增补版),第 61 页;几代通,不法行为法,第 17 页。

加害人具有责任能力（参照日本民法第 712 条，第 713 条）。[1]

日本民法上一般不法行为的发展重点在于权利侵害与违法性。按日本旧民法第 370 条规定："因过失或懈怠加损害于他人者，应负赔偿责任。"现行日本民法参考德国民法第 823 条第 1 项规定，将"加损害于他人"，改为"侵害他人之权利"，使之更为明确，[2] 此乃基于古典自由主义思想，具有保障活动自由，尤其是经济自由竞争的机能。在实务方面，早期（明治、大正期间）依立法者的旨趣，对权利侵害采严格解释。其后在有名的大学汤事件，将不法行为法所保护的权利加以扩大，及于所谓的"老铺"，即因长年营业而生的无形的经济利益。[3]

日本大审院扩大解释权利的判例转变，对学说产生甚大的影响，末川博及我妻荣二位著名的民法学者认为，为适应实际社会需要，并体察不法行为的基础已由个人人本的思想进入人类社会上损

---

[1]　日本法在比较法上逐渐受到重视，最近资料，参阅 J. O. Haley (ed.), Law and Society in Contempary Japan, 1988; Baum, Rechtsdenken, Rechts system und Rechtswirklichkeit in Japan, RabelsZ 59 (1995).

[2]　前田达明，不法行为法，第 67 页。

[3]　大判大正 14 年 11 月 28 日，民集四卷，第 670 页。参阅前田达明，不法行为法，第 69 页以下；川井　健，不法行为法，第 73 页。史尚宽，债法总论，第 135 页（注三）对此日本侵权行为法上最著名的案例作有如下的说明："日本大正 14 年 11 月 28 日，大审院判例：甲主张其先祖乙于大正 4 年 4 月 2 日由丙承租其所有之大学澡堂，以此名称为澡堂营业，其时约订于'老铺'租赁契约终了之际，得由丙自己购买或由乙任意出卖与他人。嗣于大正 10 年 10 月 15 日租赁届满，丙妨碍甲出卖其老铺，擅将大学澡堂之房屋连同甲先祖以来所设备之生财出租，因此使甲丧失其先祖以来所有之老铺。甲对于丙主张债务不履行，如不认有特约，则对于老铺之侵权行为。原判决以老铺非权利，不得为侵害之对象。大审院以侵害之对象非为老铺，乃为因老铺出卖所应得之利益。此利益应认有侵权行为损害赔偿请求权而为保护之必要。其实此为营业权之侵害，因被上告人之行为，使原告丧失其营业之处分权"。参阅川井　健，大学汤事件について-不法行为法の体系と课题，收于现代社会と民法学の动向（上），加藤一郎古稀纪念，有斐阁，1992，第 99 页。

失公平妥当的负担分配，在不法行为的构成要件上应由权利侵害移向违法性（"权利侵害"から"违法性"へ），依被侵害法益的种类及侵害行为态样的相关关系，以决定加害人应否负损害赔偿责任。[1] 此种居于通说地位的相关关系理论，一方面扩大不法行为法所保护的客体，他方面藉违法性判断加以控制，使侵害权益及违法性的类型化成为研究的重点，是日本不法行为法理论构成的主要特色。[2]

二、特殊不法行为

日本民法关于无责任能力人监督者责任（第712条、第713条、第714条）、雇用人责任（第715条）、定作人责任（第716条）、土地之工作物等之占有人及所有人责任（第717条）、动物占有人责任（第718条）及共同侵权行为（第719条）设有特殊规定，主要在于调整其归责原则，采过失推定责任（称为中间责任或准无过失责任）。其中最值得提出的是，日本民法第717条第1项规定："因土地之工作物之设置或保存有瑕疵，致他人发生损害者，该工作物之占有人对被害人负损害赔偿之责。但占有人为防止损害之发生，已尽相当之注意者，该损害由所有人赔偿之。"学说上认为本条规定工作物占有者应负中间责任，所有者应负无过失责任，此种责任的加重乃根据于危险责任的思想，从而本条亦常被扩大解释或类推适用，作为公害或制造物责任的法律基础。[3] 关于汽车事故，昭和30年制定的自动车损害赔偿保障法，设有免责要件的中间责任，亦系基于危险责任而制定的特别法。

---

[1]　末川博，权利侵害论，昭和24年，第294页以下；我妻荣，债权法（不法行为），现代法律学全集。

[2]　前田达明，不法行为法，第67页以下；几代通，不法行为法，第59页以下。

[3]　参阅中井美雄："土地工作物责任"，损害赔偿法讲座（6），第137页；植木哲："工作物责任、营造物责任"，民法讲座（6），第527页；几代 通，不法行为法，第162页。

第二节　英美侵权行为法

第一款　英国侵权行为法

在英国，侵权行为称为 Tort，按其字义系指不法侵害（wrong）。英国侵权行为法系以令状（writ）为基础而发展，法院依特定令状，经由诉讼而创造某种得为主张的救济。由之而产生的诉讼方式（Form of action）各有其独自的程序及实体的规则可循，旨在保护特定利益不受特定方式的侵害。诉讼方式选择错误时，应受败诉的判决。其后，诉讼方式的重要性渐次式微，1875 年的司法改革虽根本废除之，但仍如历史法学家 Maitland 所云："诉讼方式虽被埋葬，但仍从坟墓支配着我们。"[1] 英国法官及律师仍习惯于将事实纳入传统的法律概念用语。古典侵权行为教科书的编制体系仍受传统思考方式的影响。[2]

英国最早关于侵权行为（Tort）的救济方法系依 Writ of Trespass 而开始。Trespass 此种侵权行为的主要特征系其侵害行为必须是直接（direct）、暴力（forcible），法律所保护的客体包括不

---

[1] Maitland, Forms of Action (1936 ed.) pp. 1–11："The Forms of action we have buried, but they still rule us from their graves。"参阅 Glanville Williams and B. A. Hepple, Foundations of the Law of Tort, 2nd Edition, 1984, p. 27f. 中文资料参阅何孝元，英美侵权行为法概述，1957 年。日文资料参阅冢本重赖，英国不法行为法要论，昭和 52 年，中央大学出版社。

[2] 参阅 Salmond and Heuston, Law of Torts, 21th Edition, 1996；Winfield and Jolowicz, Tort, 14th Edition, 1994. 但须得注意的，近年来英国侵权行为法教科书有以"受保护利益（protected interest）"为体系结构，较接近大陆法系的著作。参阅 J. G. Fleming, The Law of Torts（以澳洲法为重点），8th edition, 1992；Markesinis and Deakin, Tort Law, 3rd edition, 1994.

动产（Trespass to Land）、动 产（Trespass to Chattel）及人身
（Trespass to Person）。在此情形下，损害行为出于间接或非暴力
时，Trespass 即不成立。为补救此项缺点，14 世纪的法院开始创设
一种称为 "Trespass on the case" 的侵权行为类型，其特色在于不
以侵害行为的直接性及暴力性为要件。关于 Trespass 及 Trespass on
the case 的区别，Fortescue 法官在 Reynolds v. Clarke 一案[1]曾作
如次说明："设有人投掷木头于道路，当其于落下之际，击中他人
时，构成 Trespass；反之，木头落地后，有人经过跌倒而致受伤
时，则属 Trespass on the case。" 英国法上的各种侵权行为，除
Trespass（如 assault and battery，false imprisonment）外，皆属 tres-
pass on the case，包括 defamation, deceit, conversion, nuisance，甚
至 Rule in Ryland v. Fletchen 及 malicious prosecution,[2]其中最为重
要的是 Negligence（过失侵权行为）。[3] Negligence 原指行为人欠
缺注意，为若干侵权行为的主观要件，但到了 19 世纪，Negligence
逐渐发展成为一种独立之侵权行为（Tort），而于有名的 Donoghue
v. Stevenson 一案[4]达到完成的阶段。在本案，原告在咖啡馆中有
朋友为其购买一瓶姜啤酒，其中含有已腐败的蜗牛躯体，先则不知
而饮用，迨其后发觉时，深受惊吓，乃向该姜啤酒的制造人请求赔
偿。著名的法官 Lord Atkin 认为被告违反其对原告所负之注意义务
（duty of care），应负赔偿责任，提出英国侵权行为法上最著名的判
决理由："法律的作用在于限制请求权人的范围，及其救济的程度，
当'你必须爱你的邻人'的道德规范成为法律规定时，你就不可伤

---

〔1〕　1725 1 Str. 634, 636.
〔2〕　关于各种侵权行为（Torts）的意义，简要说明参阅何孝元，前揭书。
〔3〕　J. C. Smith, Liability in Ne gligence, 1984.
〔4〕　House of Lords（1932）A. C. 562. 参见 Tony Weir, A Casebook on Tort, 7th Edition,
　　　1992, p. 21; P. T. Burns（ed.）, Donoghue v. Stevenson and the Modern Law of Negli-
　　　gence, The Paisley Papers, 1990.

害你的邻人。当法律提出'谁是我的邻人?'的问题时,其答案必须严格认定。当你可合理地预见你的作为或不作为将影响邻人时,应采取合理的注意措施,以避免结果发生。然而在法律上谁是我的邻人? 答案是:当我从事该系争作为或不作为时,可合理地预见将因我的行为,密切、直接而受影响之人,均是我的邻人。"[1]

Negligence 过失侵权行为的成立须具备三项要件,即 Duty of care(注意义务)、Breach of the duty(义务的违反)及 Damage(损害),由于其具有普遍概括性,使 Negligence 成为适用范围最广的侵权行为。在此三个构成要件中以 Duty of care 最属关键,例如当甲违规驾车撞伤乙,路人丙目睹其事而受惊吓(shock),丁见乙危急,施以救治时,被戊驾车撞伤。在此情形,甲对乙、丙、丁应否依 Negligence 侵权行为负损害赔偿责任,首先须视甲对被害人是否负有 duty of care(注意义务)而定。又例如甲挖掘地下道,毁损乙的电缆,致丙工厂因停电而不能营业时,应否负赔偿责任,亦属 duty of care 的问题。为掌握此项概念,英国法院提出了预见性或关联性(proximity)等各种判断标准,并强调此乃属利益衡量上的政策(policy)问题。[2]

就归责原则言,英国侵权行为法原则上系采过失责任原则(Fault Principle),[3] 各种侵权行为(torts)有不同的主观归责事由,有以 malice(恶意)为要件,如 malicious prosecution(恶意起

---

[1] Donoghue v. Steveson 此段判决理由,英国学习法律之人,皆能背诵。Lord Atkin 因此判决而享盛名,永垂法史。关于其生平,参阅 Geoffrey Lewis 着 Lord Atkin, 1983。

[2] 参阅 J. G. Fleming, The Law of Torts, pp. 135-190. John Bell, Policy Arguments in Judicial Decision, 1983. 并参阅拙著:"挖断电缆的民事责任",民法学说与判例研究,(7),第97页。

[3] 关于英国侵权行为法的 Fault principle,参见 Glanville Williams and B. A. Hepple, Foundations of the Law of Tort, pp. 85-122,论述深入,足供参考。

诉)、malicious abuse ofprocess(恶意滥用诉讼)等;有以 intention
(故意)为要件者,如 false imprisonment(不法监禁)、inducing
breach of contract(诱人违约)、intimidation(胁迫)。至于 Negligence
侵权行为须以 negligence(过失)为要件,自不待言。采严格责任的
有 Vicarious Liability(代负责任)、Rule in Ryland v. Fletchen、动物
责任、及 1987 年制定的消费者保护法规定的产品责任等。[1]

　　最后须再说明的是,英国侵权行为法肇自 13 世纪,历经变迁,
长达 600 余年,由法院创设了各种不同的个别侵权行为(torts)。
Salmond 氏认为在英国并无所谓的侵权行为法(a law of tort),而是
一群互不相关的不法侵害行为,各有其名称,并未形成一个作为侵
害责任基础的概括的统一原则。[2] Winfield 氏则持相反的见解,认
为整个英国侵权行为可回归到单一的统一原则,那就是侵害他人
者,除有正当抗辩外,应构成侵权行为。[3] 赞成后说的,其著书
称为 Law of Tort,赞成前说的,则称为 Law of Torts。英国侵权行为
法能够生存迄今,显现其弹性的适应力。现代英国侵权行为法正在
使用着古老的工具应付新的时代的社会需要,逐渐增加侵害隐私权
(invasion of privacy)等新的侵权行为,并经由制定法的修正与普
通法的调和,藉重法院判例与学说的协力,而继续不断的发展。[4]

---

〔1〕 Markenisis/Deakin, Tort Law, p. 461f.

〔2〕 Salmond and Heuston, Torts, 21th edition, 1996, p. 115.

〔3〕 Winfield, Province of the Law of Tort(1913), Ch. 3. 关于此项争论, 参阅 J. G.
　　 Fleming, The Law of Torts, p. 5.

〔4〕 参阅 B. S. Markesinis and S. F. Deakin, Tort Law, p. 58; Street, The Twentieth Cen-
　　 tury Development and Function of the Law of Tort in England, Int´l Comp. L. Q. 14
　　 (1965) 862; Jack Beatson, Has the Common Law a Future? Cambridge Law Journal 56
　　 (2) 1997, pp. 291–314. 关于英国法与美国法的比较研究, 参阅 Atiyah and Sum-
　　 mers, Form and Substance in Anglo–American Law, 1991; R. Posner, Law and Legal
　　 Theory in England and America(1996), 甚具启示性, 关于侵权行为法部分, 参阅
　　 pp. 39–67.

第二款　美国侵权行为法

美国于 1776 年独立前是英国的殖民地，独立后仍继受英国法，包括侵权行为法在内。[1] 纽约州于 1848 年废止令状制度，其他各州从之。在令状体系崩溃之后，美国侵权行为法随着建立 Negligence 侵权行为，逐渐形成一个具有活力、创造性的法律领域，[2] 经由英国法而超越之，其主要原因为：美国社会的迅速发展；理论与实务的有力结合；19 世纪末期开始引进了个案研究法；20 世纪初期法律实证主义的冲击，及 60 年代后法律经济分析的影响；各州对侵权行为法的管辖提供了可供比较研究的丰富判决，经由美国法律协会的整编（Restatement of Torts, Second 1964），具有整合、促进法律发展的重要功能。[3]

美国侵权行为法除传统的各种侵权行为（Torts）外，另创设了若干重要制度，如 products liability, informed consent, privacy, wrongful birth、wrongful life 等。[4]

---

[1] 参阅 Pound, The Development of American Law and its Deviation from English Law, in (1951) 67 L. Q. R. 49–66；Wengler, Die Anpassung des englishen Rechts durch Judikatur der vereinigten Staaten, in: Festschrift füRRrRabel Band I, 1964, S. 37–65；René David 原著，漆竹生译，当代主要法律体系，五南图书出版公司，1990，第 409 至第 464 页。

[2] 详阅 G. Edward White, Tort Law in America：an Intellectual History, 1980, 此为关于美国侵权行为法发展史的重要著作，颇值一读。

[3] Restatement of Torts, Second 1964. 参阅刘兴善等译，美国法律整编侵权行为法，1986 年。

[4] 关于美国侵权行为法，参阅 Prosser / Keeton, Law of Torts, 5th edition, 1989；Prosser, Wade and Schwartz, Torts：Cases and Materials, 9th edition, 1994；Franklin and Robin, Tort Law and Alternatives, Cases and Materials, 5th Edition, 1992；R. A. Posner, Tort Law and Economic Analysis, 1982；Epstein, Cases and Materials on Torts, 5th edition, 1990.（第 1371 页以下附有重要论文资料，甚值参考）。

应特别强调的是，美国侵权行为法许多规则或理论固然具有特色，但其与大陆法系，甚至英国显著的不同，乃此等规则或理论据以运作的制度架构。[1]构成美国侵权行为的基层结构的重要因素包括法律积极主义、陪审制、律师费用系于诉讼成败，专为人身伤害原告组成的律师团体等。侵权行为法上的积极主义使法院担负起使侵权行为法现代化的任务，并使其从规范当事人间平均正义的传统机能，转向担负分配财富的使命，成为一种隐藏的公法。[2]产品责任及医疗事故责任等系在此种制度架构上发展出来，具有特殊的美国经验，此在研究美国侵权行为法或继受其制度时应予注意。[3]

第三节 比较法与台湾地区侵权行为法

一、侵权行为法的解释适用

台湾地区侵权行为法系继受外国法，法学著述多在讨论外国的判例学说，具有浓厚比较法的性格。比较法研究可供认识不同的规范模式，不受限于固有的体系，对于法律规定之解释适用、成长与发展，具有意义。兹以第 184 条规定为例，加以说明。

第 184 条规定："因故意或过失，不法侵害他人之权利者，负

---

[1] 以下说明参照 J. G. Fleming, American Tort Process, 1988. 此为了解美国侵权行为法的重要著作。

[2] Green, Tort Law as Public Law in Disguise, 38 Tex. L. Rev. (1995); P. H. Sc huck (Editor), Tort Law and the Public Interest, 1991. 关于美国侵权行为法的重要基本问题，参阅 R. L. Rabin, Perspectives on Tort Law, 3rd edition, 1990; S. Levmore, Foundations of Tort Law, 1994.

[3] 关于美国法在台湾地区法的继受是一个重要问题，有待研究，参阅 RolfStürner, Die Rezeption US-amerikanischen Rechts in der BudesrepublikDeutschland, in: Festschrift für Kurt Rebmann, 1989, 839; Wolfgang Wiegand, The Reception of American Law in Europe (1991) 39 American Journal of Comparative Law 247; Reinhard Zimmermann (Hrsg.), Amerikanische Rechtskultur und europäisches Privatrecht, 1995.

损害赔偿责任。故意以背于善良风俗之方法，加损害于他人者，亦同。违反保护他人之法律者，推定其有过失。"台湾地区侵权行为法的此项基本规定采自德国民法，而有所修正，即第184条第1项前、后段系参照德国民法第823条第1项，惟将其受保护的权利予以概括化，相当于日本民法第709条，但日本民法并无类似台湾地区第184条第1项后段之规定。台湾地区第184条第2项系参照德国民法第823条第2项，惟未如德国民法明定其为侵权行为的一种类型。此种比较法的分析可使吾人更深刻地了解台湾地区第184条的根源、变迁及特色，而有助于处理台湾地区侵权行为法上二个重要争议问题：

1. 如何解释第184条第1项前段所称"权利"，区别第1项前段与后段的适用关系。

2. 第184条第2项是否仅属举证责任倒置的规定？将其解释为一种独立的侵权行为类型时，具有何种规范意义？

二、法律政策与法律技术

法律政策指形成侵权行为规则时所考虑的因素，包括法院负担、法益衡量、社会经济发展，民事责任体系的内在平衡，及保险制度等。[1] 所谓法律技术，指为达成一定政策目的而限制，或扩张侵权责任时而采的手段。法律政策与法律技术的关连有立法层面者，例如侵权行为的规范究应采列举、概括或类型的方式；关于危险责任究应否采以特别法个别立法之方式，抑或创设概括条款加以规范。更值得重视的是，法院如何解释适用法律，以促进侵权行为法的发展。在比较法上，我们看到法国法院藉着法国民法第1384条第1项后段创设了"无生物无过失责任"；德国法院以宪法上人

---

[1] 参阅 Lawson and Markesinis, Tortious Liability for Unintentional Harm in the Common Law and the Civil Law I, p. 43f.; Markesinis und von Bar, Richterliche Rechtspolitik im Haftungsrecht, 1981.

格尊严为依据创设了一般人格权及慰抚金请求权；日本通说采用被侵害法益的种类与侵害行为态样的"相关关系理论"，诠释日本民法第709条；美国法院首先克服契约关系相对性（privity of contract），[1]建立商品制造人过失侵权行为，再经由担保责任而创设产品严格责任。此等案例显现各国法院创造法律的政策目的与技术，深具启示性。

各国法院解释适用侵权行为法固皆有其法律政策的考虑，但有不同的表现方法。最为公开的是英美法，此与其为判例法具有密切关系。大陆法系法院则较隐藏，但乃以利益衡量及价值判断为其理由构成的内容。此种政策取向（policy approach）可以扬弃各国法律固有的概念体系，作为侵权行为法功能比较的基础，而有助于发现各国法律的规范模式，如何以不同的技术解决相同的问题，此将于本书相关部分加以论述，兹举侵害他人债权为例，先做简要的说明。

甲歌手与乙传播公司缔约录制某名曲，丙传播公司出高价诱甲与乙毁约，为其录制同一歌曲。在此情形，丙对乙是否构成侵权行为，应否负赔偿责任？在德国法此属侵害他人"债权"问题，通说认为德国民法第823条第1项所称"其他权利"，不包括债权，应适用德国民法第826条规定（故意以背于善良风俗之方法加损害于他人）。在法国民法，其第1382条所保护的利益虽包括侵害他人债权，但通说解释应以加害人具有故意为要件。[2]在日本民法，其第709条所称权利亦包括债权，但依"相关关系理论"，认为债权的侵害须以侵害行为出于故意为必要。在英美法上，无侵害他人

---

〔1〕 Privity of Contract 的理论影响英美侵权行为法，尤其是产品责任的发展至巨，俟于本丛书第2册再行详论。

〔2〕 Palmer, French Contract Interference, The American Journal of Comparative Law, Vol. 40（1992），297.

"债权"的概念，inducing breach of contract 的侵权行为（Tort），系以故意（Intention）为要件。在台湾地区究应适用第 184 条第 1 项前段或后段规定，尚有争论，但应以适用后段规定为是。由此可知，各国法律以不同的技术来规范侵害他人债权的问题，原则上皆以故意为要件，其政策上的考虑系因债权不具社会公开性及为维护市场的竞争。[1]

三、侵权行为法的历史变迁及其基本问题

比较法在横的方面是以各国现行法律为研究对象，在纵的方面则从事历史的观察。[2] 侵权行为法的发展大体上可分三个时期。在 18 世纪之前的农业社会，危害事故较少，损害较轻，侵权行为法的功能尚属有限。在大陆法，仍受 lex Aguilia 法的影响，采列举主义，英美法亦采个别侵权行为（Torts）的规范模式。在 19 世纪之后，由于社会经济发展、机器时代的来临、科技的进步及自然法理念的洗礼，欧陆各国民法法典多创设概括性的侵权行为原则，并采过失责任主义，在英美法则为 Negligence 侵权行为的登场，使侵权行为法的发展达于顶峰。20 世纪以来，尤其是 50 年代之后，以过失责任为基础的侵权行为法机能深受检讨，进而发生重大变迁。危险责任的引进或增设促成侵权行为法体制内的改革。然而更值得注意的是，随着福利国家理念的发展，许多替代性或辅助性制度渐次兴起，使侵权行为法本身的存在价值受到质疑，侵权行为法的前途备受关切，并引起学者对其所具公平性（哲学基础）与效率性（经济分析）的争论，此项变迁涉及侵权行为法的机能、归责原则、赔偿制度及方法论的思考，实有深刻研究、检讨反省的必要。

---

〔1〕 比较法上的深入精细研究，吉田邦彦，债权侵害论再考，有斐阁，1991。

〔2〕 参阅 André Tunc, Torts, ChapterI, Encyclopedia of Comparative Law, 1983. pp. 1–57.

第三章　侵权行为的意义、类型及
侵权责任的限制或抛弃

第一节　侵权行为的意义

问题：甲明知自己感染人类免疫缺乏之病毒，隐瞒而与乙奸淫，致传染于乙，试就此例说明侵权行为、犯罪行为、民事责任、刑事责任与附带民事诉讼。

侵权行为，指因不法侵害他人的权益，依法律规定，应对所生损害负赔偿责任的行为。现行民法采过失责任原则，但故意或过失非属侵权行为概念所必要，侵权行为的成立不以故意或过失为要件的亦属有之 侵权行为的本质在于侵害他人权益的不法性，德国民法称为 Unerlaubte Handlung，日本民法译为不法行为，我民律草案原亦采用之，现行"民法"改称为侵权行为，着眼于权益的保护。

侵权行为损害赔偿责任因法律规定而发生，[1] 为法定债之关系，性质上属于民事责任。与侵权行为应该加以区别的，是属于刑事责任的犯罪行为。

侵权行为与犯罪行为曾混迹一起，今则分道扬镳，完全分化，刑事责任之目的系制裁反社会性的行为，旨在防止将来犯罪行为的发生；重视主观情事，以处罚故意为原则，过失为例外（参阅"刑法"第12条）；科刑之际，应审酌一切情事，尤其是犯罪之动机、目的、犯罪所受的刺激、犯罪之手段、犯人之生活状况、品行等（"刑法"第57条）。反之，侵权行为的民事责任则以填补损害为主要目的，原则上不分故意或过失，有时甚至不以故意或过失为要件；决定损害赔偿数额时，对于加害人的主观情事，原则上不加审酌。又须注意的是，刑事责任系采罪刑法定主义，行为之处罚，以行为时之法律有明文规定者为限（"刑法"第1条）。关于侵权行为，不采法定主义，得为类推适用。

同一行为同时构成侵权行为与犯罪行为的，颇为常见。如强奸妇女（"刑法"第221条），过失驾车肇事致人伤亡（"刑法"第277条以下）。又明知自己感染人类免疫缺乏的病毒，隐瞒而与人为猥亵之行为或奸淫，致传染于人时，加害人除应依第184条第1项前段规定负损害赔偿责任外，尚应负刑事责任（"刑法"第277条、"后天免疫缺乏症候群防治条例"第15条）。为便于被害人请

---

[1] 侵权行为的法律效果为"损害赔偿"，其得请求的若为"补偿"，则不具侵权行为的性质。"土地法"第139条规定："土地重划后，土地所有权人所受之损益，应互相补偿，其供道路或其他公共使用所用土地之地价，应由'政府'补偿之"。1957年台上字第1398号判例谓："被上诉人将系争土地编为水利用地，系依土地沿革及地方需要所划定，自不发生侵权行为之问题，而"土地法"第139条所谓之补偿，其性质亦与民法上因侵权行为所负之损害赔偿责任迥然不同，即使被上诉人应予补偿其地价而未予补偿，亦只能依法请求补偿，要不得因其未予补偿，即可谓得依侵权行为而为损害赔偿之请求。"

求损害赔偿，"刑事诉讼法"第 9 编设有附带民事诉讼，于第 487 条规定："因犯罪而受损害之人，于刑事诉讼程序得附带提起民事诉讼，对于被告及依民法负损害赔偿责任之人，请求回复其损害。前项请求之范围，依民法之规定"。[1]

第二节　侵权行为的类型

第一款　民法上的侵权行为

侵权行为系于债编通则（第 184 条至 198 条）设其规定，分为一般侵权行为及特殊侵权行为。一般侵权行为指第 184 条规定而言。特殊侵权行为指第 185 条规定的共同侵权行为，第 186 条规定的公务员侵权行为，第 187 条规定的未成年人侵权行为与法定代理人责任，第 188 条规定的雇用人责任，第 189 条规定的定作人责任，第 190 条规定的动物占有人责任，及第 191 条规定的工作物所有人责任。

其他各编对侵权行为亦设有规定，其主要者有：（1）第 28 条规定："法人对于其董事或其他有代表权之人因执行职务所加于他人之损害，与该行为人连带负赔偿之责任。"（法人侵权行为）（2）第 149 条规定正当防卫逾越必要程度者，应负相当赔偿之责；第 150 条规定紧急避难行为人对危险之发生有责任者，应负赔偿之

----

[1] 须注意的是，附带民事诉讼的提出，必以刑事诉讼程序之存在为前提，若刑事诉讼未经提起公诉或自诉，即不得对于应负赔偿责任之人，提起附带民事诉讼（1940 年附字第 64 号判例）。只须所受之损害，系由于被告犯罪之所致，不以被告侵害事实所触犯之罪名，是否经刑事法院独立论处罪刑为必要（1964 年台上字第 1550 号判例），依契约应与刑事被告负损害赔偿之人，不得于刑事诉讼程序对之附带提出民事诉讼（1964 年台上字第 43 号判例）。

责；第 152 条第 2 项规定自助行为之行为人向法院声请处理被驳
回，或其声请迟延者，应负损害赔偿责任。（3）第 782 条规定：
"水源地或井之所有人，对于他人因工事杜绝、减少或污秽其水
者，得请求损害赔偿。如其水为饮用，或利用土地所必要者，并得
请求回复原状。但不能回复原状者，不在此限。"立法理由书谓：
"查民律草案第 1018 条理由谓因开凿土地、营造房屋、或其他工
事，致将土地所有人之泉源断绝，或污损者，加害人应依侵权行为
之法则，任损害赔偿之责。若回复原状，惟以不得已时为限，始许
其请求，盖必使其回复原状，则必除去工事，于经济上所损实大，
故设本条以限制之。"可资参照。

"民法"上某项规定被认为属侵权行为时，其主要实益之一在
于其消灭时效应适用第 197 条第 1 项规定，即损害赔偿请求权自请
求权人知有损害及赔偿义务人时起，2 年间不行使而消灭，自有侵
权行为时起，逾 10 年者亦同。

第二款　特别法上的侵权行为

问题：试阅读"核子损害赔偿法"、"民用航空法"、
"铁路法"、"公路法"、"大众捷运法"、"专利法"、"商
标法"、"著作权法"、"公平交易法"及"消费者保护
法"等有关侵权行为的规定，说明其构成要件及法律效
果的特色，比较其不同，并分析检讨立法政策。

一、关于侵权行为的特别法

特别法上的侵权行为尚属不少，其重要的有"核子损害赔偿
法"、"民用航空法"、"铁路法"、"公路法"、"大众捷运法"、"商
标法"、"专利法"、"著作权法"、"公平交易法"、"消费者保护法
等"，兹就其内容，择其重要者，分三点说明如下：

（一）调整归责原则

采无过失责任的有"核子损害赔偿法"（第11条）、"民用航空法"（第89条），"消费者保护法"（第7条）。采过失推定的有"铁路法"（第62条）、及"大众捷运法"（第46条）。须注意的是，"铁路法"（第62条）、"公路法"（第64条）及"大众捷运法"（第46条）皆明定，如能证明事故之发生非由于铁路或因大众捷运系统营运机关之过失者，对于人之死亡或伤害仍应酌给恤金。

（二）智慧财产权的保护

商标法、专利法及著作权法对于商标专用权、专利权及著作权设有二项共同规定：（1）不作为请求权，即对于侵害其权利者得请求排除其侵害；有侵害之虞者，得请求防止其侵害。（2）对于损害设有多种计算方法，被害人于请求损害赔偿时，得择一计算其损害（请阅读相关规定）。

（三）惩罚性赔偿金制度

"公平交易法"第31条规定："事业违反本法之规定，致侵害他人权益者，应负损害赔偿责任。"同法第32条规定："法院因前条被害人之请求，如为事业之故意行为，得依侵害情节，酌定损害额以上之赔偿。但不得超过已证明损害之3倍。侵害人如因侵害行为受有利益者，被害人得请求专依该项利益计算损害额。"又依"消费者保护法"第51条规定："依本法所提之诉讼，因企业经营者之故意所致之损害，消费者得请求损害额3倍以下之惩罚性损害赔偿金；但因过失所致之损害，得请求损害额1倍以下之惩罚性赔偿金。"

二、法律适用关系

关于侵权行为亦适用"特别法优先于普通法"原则，即特别法有规定者，应先适用，其无规定时，依民法规定。"核子损害赔偿法"第1条第2项规定："原子能和平用途所发生核子损害之赔偿，依本法之规定，本法未规定者，依民法及其他法律之规定。"

"消费者保护法"第 1 条第 2 项规定："有关消费者之保护，依本法之规定，本法未规定者，适用其他法律"，所谓其他法律包括民法在内，自不待言。

民法上的侵权行为原则上得与特别法侵权行为损害赔偿请求权发生竞合关系，被害人得自由选择行使之。特别法上的规定通常较为有利，被害人多会主张之。特别法一方面使加害人负推定过失责任或无过失责任，他方面明定最高赔偿数额的，亦属有之。例如"公路法"第 64 条："汽车或电车运输业遇有行车事故，致人、客伤害、死亡或财物毁损丧失时，应负损害赔偿责任。但经证明其事故之发生系因不可抗力或非由于汽车或电车运输业者之过失所致者，不负损害赔偿责任。前项损害赔偿金额及医药补助费发给办法，由'交通部'定之。"依"交通部"所订之汽车事故赔偿金额及医药费补助发给办法其最高赔偿金额设有限制，在此情形，解释上应认为被害人依民法规定请求损害赔偿时，其赔偿金额不受此限制。[1] 1992 年台上字第 1882 号判决谓："'公路法'第 64 条第 1项规定：汽车运输业者遇有行车事故，致人、客伤害、死亡时，应负损害赔偿责任，但经证明其事故之发生系因不可抗力或非由于汽车运输业者之过失所致者，不负损害赔偿责任。此与汽车运输业者之受雇人因执行职务，不法侵害他人之权利者，被害人得依'民法'第 188 条第 1 项规定请求汽车运输业者赔偿损害，两者之损害构成要件、赔偿金额、及举证责任均不相同，即不得因前者之规定而排除后者之适用。"[2] 可资赞同。上开原则于民用航空器事故亦有适用余地。航空器致人死伤时，不论故意或过失，被害人均得依"民用航空法"第 89 条规定所定办法请求损害赔偿。若能证明

---

[1] 拙著："公路法关于损害赔偿特别规定与民法侵权行为一般规定之适用关系"，民法学说与判例研究，(6)，第 41 页。

[2] "司法院"公报，第 34 卷，第 11 期，第 37 页。

航空器所有人有故意或过失时，则得依民法规定请求损害赔偿，其数额不受限制。

第三节　侵权责任的限制或抛弃

　　问题：侵权责任得否依合意排除或限制之？甲明知乙无照驾驶，搭其便车发生车祸时，甲得否向乙请求损害赔偿？

　　因侵权行为而生的损害赔偿责任，原则上得预先合意排除或限制之。此项合意得由当事人明示或默示为之。在无偿搭便车的情形，例如甲明知乙无照驾驶，搭其便车发生车祸时，系自甘冒险，应适用过失相抵的原则（第217条）。当事人在其契约的关系上为责任的免除或限制时，是否及于侵权责任，应依解释认定之。[1]例如黑夜雇计程车到深山别墅，约定非重大过失对车祸不必负责时，其约定应解为亦及于侵权责任。

　　以合意排除侵权责任，不得违反公共秩序或善良风俗（第72条），亦不得违反法律强行规定（第71条）。故意或重大过失之责任不得预先免除（第222条）。值得注意的是，"消费者保护法"第23条规定："刊登或报导广告之媒体经营者明知或可得而知广

---

〔1〕　参阅1996年度台上字第3043号判决："债务人之违约不履行契约上之义务，如其行为同时构成侵权行为时，除双方另有特别约定，足认其有排除侵权行为责任之意思外，债权人自非不得或依"债务不履行"或依"侵权行为"之法律关系，择一向债务人请求损害赔偿。"（民事裁判书汇编，第25期，第147页）；1998年度台上字第2835号判决："侵权行为与债务不履行之请求权竞合时，债权人非不得择一行使之，仅关于债务人应负之损害赔偿责任，若于债务不履行有特别规定，则债权人于依侵权行为之规定请求赔偿时，除别有约定外，仍应受该特别规定之限制而已（如第638条规定损害赔偿额之算定）"。

告内容与事实不符者，就消费者因信赖该广告所受之损害与企业经营者负连带责任。前项损害赔偿责任，不得预先约定限制或抛弃。"又"消费者保护法施行细则"第7条第3项规定："本法第7条规定所定企业经营者对消费者或第三人之损害赔偿责任，不得预先约定限制或抛弃。"依定型化契约条款加以限制或抛弃侵权责任时，应适用"消费者保护法"相关规定（第11条以下）处理。

第四章　第184条的结构分析

第一节　政策、体系及功能

例题：若您受托负责起草台湾地区侵权行为法时，将如何加以规范？试比较英美法、法国民法、德国民法及日本民法相关规定，并思考台湾地区第184条的法律政策及法律技术的基本问题，尤其是分析探讨该条分别规定第1项前段和后段、第2项的理由和功能。

第一款　法律政策及规范模式

一、法律政策

侵权行为法旨在规范不法侵害他人权益所生损害的赔偿问题，涉及到两个基本利益：一为被害人权益的保护，一为加害人行为自由。二者处于一种紧张关系。从被害人的观点言，无论加害人"有无过失"，对侵害其"一切权益"的"所有损害"皆应赔偿，最属有利。但此将严重限制加害人的行为自由，动辄得咎，难以预估其行为所生损害赔偿责任的范围，势必阻碍个人的人格形成和经济活动，对社会发展亦非有益。整个侵权行为法的历史就在于如何平衡"行动自由"和"权益保护"，其规范模式因地而异，因时而别，沈淀着不同社会的文化、经济制度、社会变迁和价值观念。德国哲学家康德谓："法律云者，实系个人恣意与他人的恣意得依一般自由原则相互结合的诸条件。"[1]侵权行为法的主要任务即在于合理界限个人得发展其自由，追求其利益的范畴。

　　法律政策必须藉着法律技术加以实现，而此涉及两个层次的问题：一为在立法上应如何规范侵权行为法的原则及其构成要件；一为在法律的解释适用上应如何使其适应变迁社会中的需要。此二者深刻地影响着每个国家侵权行为法的形式、内容和风格。

二、规范模式

　　关于侵权行为的规范模式，比较法上有三种基本形态。第一种规范模式是英美法的个别侵权行为类型（Torts）。惟在过失侵权行为（Negligence）出现之后，已具有一般化的性质，表现于其成立要件（duty of care，breach of duty 及 damage）之上，其所保护的客体包括人身（person），所有权（property）及其他权利，并逐渐扩张及于纯粹经济损失（财富，wealth）。英美判例学说再三强调 duty of care 的认定系政策问题，使英美侵权行为法富于活力，较具开放性。[2]

　　第二种规范模式是法国民法第 1382 条及第 1383 条所采的概括条款。此项基于自然法理念而创设的一般原则，其所保护的客体并不区别权利与利益，从而如何界定其应受保护的权益，系法国民法的重要任务，180 余年的解释适用产生了丰富的案例，使法国侵权行为法具有浓厚案例法（case law）的性格。

　　第三种规范模式是德国民法所采的折衷主义。德国于 1888 年

---

[1]　Immauel Kant, Metaphysik der Sitten, 1797, Einleitung in der Rechtslehre § B a F。参阅 D. V. Owen (ed.), Philosophical Foundations of Tort Law, 1995, pp. 163~166, 253 ~254.

[2]　A. J. F. Jaffrey, The Duty of Care 1992; Rolf Lang, Normzweck und Duty of Care, 1983.

开始组成委员会起草民法，关于如何规定侵权行为，曾斟酌英国法及法国法。1890 年提出的第一草案第 704 条规定："任何人因故意或过失而为之不法行为，加损害于他人者，应对因此行为所生之损害，负赔偿责任。"此项规定系受法国民法的影响。第二次委员会认为此项规定过于概括，难以适用，而改采三个侵权行为类型的规范模式（德国民法第 823 条第 1 项、第 2 项、第 826 条）。关于法国及德国立法的不同，主要是自然法的思想在 19 世纪的德国，因受历史法学派影响已趋式微。德国民法的起草人，不是理想主义者，而是政府官僚；不是革命家，而是法学教授。[1]

日本民法兼受法国民法及德国民法的影响。旧民法上的不法行为系仿法国民法，现行民法则参考德国民法第一次草案，而于第 709 条规定："因故意或过失侵害他人之权利者，负因此所生损害之赔偿责任。"

如上所述，各种规范模式均有其特色及利弊。英美侵权行为的类型是数百年历史发展的产物，不是建立在预先设计的原则或逻辑之上。法国民法的优点在其概括性，但未能提供明确的价值判断，影响法律适用的可预见性。德国民法的优点在于为法律提供较为精确的构成要件，缺点则在于其受保护权利的范围较狭。1911 年大清民律制定时，面临着选择或创造何种规范模式的重大课题。显然的，这不仅要对各国法制的立法原则及实施经验有深刻的了解，更要有远见及想像力去洞察侵权行为法的规范功能和社会的发展。

第二款　体系构成

第 184 条第 1 项规定："因故意或过失，不法侵害他人之权利者，负损害赔偿责任。故意以背于善良风俗之方法，加损害于他人

---

〔1〕　Zweigert/Kötz, Einfürung in die Rechtsvergleichung, S. 626.

者亦同。"第 2 项规定："违反保护他人之法律者，推定其有过失。"要了解本条的规范意义，首须追溯其立法沿革。[1]

民律第一次草案（即大清民律草案）第 945 条第 1 项规定："因故意或过失，侵害他人之权利而不法者，对于因加损害而生之损害，负赔偿责任。"第 946 条规定："因故意或过失违反保护他人之法律者，视为前条之加害人"，第 947 条规定："以背于善良风俗之方法，故意加损害于他人者，视为第 945 条之加害人。"民律第二次草案则调整其条文，于第 246 条规定："因故意或过失不法侵害他人之权利者，负损害赔偿责任，故意以有伤风化之方法侵害他人者，亦同。"第 247 条规定："因故意或过失违背保护他人之法律，视为前条之侵权行为人。"民律第一次草案和第二次草案的最大不同，在于将三个条文并为两个条文。第 184 条更将此两个条文浓缩成一个条文，并分为两项。

基上所述，可知 184 条系源自德国民法，比较言之，应说明者有二：（1）德国民法第 823 条第 1 项所保护的权益，限于生命、身体、健康、自由、所有权及其他权利；第 184 条第 1 项将之概括化，明定为权利。（2）德国民法第 823 条第 2 项明定违反保护他人法律者，应负侵权责任。民律第一次草案及第二次草案均设同样规定，但现行第 184 条第 2 项改为："违反保护他人之法律者，推定其有过失。"因而产生一项重大争论，即本项规定究为单纯举证责任倒置，抑为一种独立的侵权行为类型。

184 条第 1 项系明定两个独立的侵权行为类型。第二项所规定的，是否为独立的侵权行为，虽有争论，但本书采肯定说，民法债编修正明定之。准此以言，184 条规定了三个类型的侵权行为，即：

---

[1] 关于民律草案的规定，参阅民法制订史料汇编，上册，第 653 页；下册，第 132 页及 133 页。

1. 故意或过失不法侵害他人之权利（184条第1项前段）。

2. 故意以背于善良风俗之方法加损害于他人（184条第1项后段）。

3. 违反保护他人之法律（新修正第184条第2项）。

兹为便于了解，将184条规定的侵权行为体系图示如下：

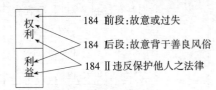

第三款　规范功能

一、区别性的权益保护

184条规定为调和"行为自由"和"保护的权益"此两个基本利益，区别不同的权益的保护，而组成侵权行为责任体系。被侵害者系他人之权利时，只要加害人具有故意或过失，即应依184条第1项前段负损害赔偿责任。其被侵害者，非属"权利"时，须加害行为系出于故意背于善良风俗方法（184条第1项后段），或违反保护他人之法律（184条第2项）时，被害人始得请求损害赔偿。易言之，184条第1项前段所保护的，限于权利，不及于一般财产上利益（纯粹财产上损害、纯粹经济上损失）。一般财产上利益仅能依184条第1项后段规定或第2项受到保护。例如甲挖断乙的电缆，致丙证券公司不能营业受有损害。在此情形，乙的所有权受到侵害，得依184条第1项前段向甲请求损害赔偿；丙所受的是纯粹财产上不利益，须证明甲系故意以背于善良风俗的方法致加损害，始得依184条第1项后段规定请求损害赔偿。立法者所以作此"区别性的权益保护"，系鉴于一般财产损害范围广泛，难以预估，为避免责任泛滥，特严格其构成要件，期能兼顾个人的行为自由。

权益区别性的保护系侵权行为法上的核心问题，表现于不同的保护强度（不作为请求权、第 184 条的适用及慰抚金），图示如下（请深思明辨之），俾便参照：（阿拉伯数字为民法条文）

权益 保护强度		不作为请求权	侵 权 行 为		
			184 I	损害赔偿	慰抚金
人格权	生 命	18 I	前 段	192	194
	身 体			213，193	195
	健 康			213，193	195
	名 誉			213	195
	自 由			19，213	
	姓 名				
	信用、隐私、贞操、重大侵害其他人格利益			213	195 I： "民法" 修正
身分权	违反婚约、离婚			213	979、999、1056
	父母、配偶、子女身分法益		前段	213	195 II： "民法" 修正
物 权		767	前段	213	
债 权			前段 后段 ?	213	
纯粹经济损失			后段	213	

二、社会规范的机制：市场、社会道德及政治

第 184 条规定三种侵权行为类型,乃三个不同的社会规范机制：[1](1)就 184 条第 1 项前段言,系经由"市场"而为规范,即由个人决定是否从事某种社会经济活动,而负担因故意或过失不法侵害他人权利的责任。(2)就 184 条第 1 项后段言,乃经由社会道德而为规范,

---

[1] Brüggemeier, Deliktsrecht, Rn. 84ff., 790ff., 839f.

以维持社会伦理秩序。(3)就 184 条第 2 项言,则系经由立法(或政治)制定保护他人法律而规范人的行为。三者之中以 184 条第 1 项前段规定居于重要的地位,突显市场规则二项机能:(4)决定应受保护的"权利"范围。(5)确立"过失"的判断基准,使市场活动有较明确的"行为规范",而在此具体化的过程中,法官担负着重要的任务。实务上的案件亦反映着 184 条三个侵权类型所规范的对象。就公布的判决言,适用 184 条第 1 项前段的案件最多,包括车祸、工业灾害,公害,商品缺陷,医疗事故,盗卖股票等。违反保护他人法律的案件次之,其中以违反道路交通安全法规较为常见。故意以背于善良风俗加损害案件的亦属不少。侵权行为案件的统计分析有助于更进一步了解法律的规范功能及社会发展,具有重要意义,应值重视。

第二节　请求权基础思考方法[1]

　　问题:某甲于乙信用合作社开立甲种活期存款户,乙信用合作社未依法定准则规定征信加以审查。甲签发支票向丙购物,支票不能兑现,丙就其所受损害得否向乙信用合作社请求损害赔偿?

一、三个请求权基础

　　须再强调的是,第 184 条规定三个独立侵权行为类型,作为被害人得据以向加害人请求损害赔偿的规范基础(请求权基础),得发生竞合关系。三者的构成要件不同,因此在处理具体案例时,应分别检查各个请求权基础而认定之,兹举三例加以说明:

　　1. 甲奸淫未满 16 岁女童,系故意不法侵害乙女的人格权(身体、名誉、贞操,第 184 条第 1 项前段)。此项加害行为系故意以

---

[1]　参阅拙著,法律思维与民法实例—请求权基础理论体系,1999。

背于善良风俗加损害于他人（第184条第1项后段），并违反保护他人的法律（第184条第2项，"刑法"第227条）。[1]

2. 乙盗丙的古董，甲故意自乙买之，系不法侵害丙的所有权（第184条第1项前段），并违反保护他人的法律（第184条第2项、"刑法"第349条）。

3. 甲开掘地道，挖断乙电力公司的电缆，致丙餐厅不能营业，受有损失。在此情形，对乙而言，甲系过失侵害其所有权（第184条第1项前段）；对丙而言，其被侵害的不是权利，而是纯粹财产上损害，无第184条第1项前段的适用。甲非故意以背于善良风俗加损害于丙，不符第184条第1项后段的规定。又在现行法上查无保护丙不受此种侵害的法律，第184条第2项的要件亦不具备。故丙对甲不得依第184条第1项前段、后段或第2项规定请求损害赔偿。

二、1962年台上字第1107号判决[2]（空头支票案件）

关于第184条所规定请求权的检查，实务上有乙则案例，有助训练请求权基础的思考方法，深具启示性。1962年台上字第1107号判决谓："损害赔偿之债，以有损害之发生及有责任原因之事实，并二者之间有相当因果关系为其成立要件，本院着有判例（1941年上字第18号）。本件上诉人主张被上诉人对于诉外人唐中文开立甲种活期存款户，领用空白支票，未依银行业及信用合作社甲种活期存款处理准则规定加以调查，致被其以未经核准营业登记之中华鱼类食品工业股份有限公司名义开立存户，领用空白支票，因得以开发空头支票向上诉人骗取货物，指被上诉人为共同侵权行为人，请求赔偿上诉人因该项空头支票4张共面额14 930元（新台币下同）之损害。原审综合全辩论意旨，斟酌证据调查之结果，

---

[1] 孙森焱，民法债编总论，第200页（注64）。
[2] 裁判类编，民事法（7），第101页。

以被上诉人因唐中文偕同该管县政府合作社主任李运芳前往开户，李运芳曾调查唐中文确有申请营业并经营加工厂之事实，并无共同侵权行为可言，唐中文开户后曾签发支票 5 张均经兑现，其中一张面额1 650元，即为另行交付上诉人之已获兑现者，均为上诉人所不否认，足见上诉人受损害原因之唐中文签发空头支票事实，与被上诉人准许唐中文开立存户之行为，其间并无相当之因果关系，因而废弃第一审判决，改判上诉人败诉，于法尚无不合。上诉论旨，仍以被上诉人不应准许唐中文开户，致其受空头支票之损失，为不服之理由，殊非足采。"关于本件判决，应说明者有三：

1. 本件上诉人（甲）以被上诉人（乙）未依银行业及信用合作社甲种活期存款处理准则加以调查，准许诉外人开户签发空头支票，致其受有损失，认乙应负共同侵权行为。共同侵权行为的成立，须各加害人具备第 184 条规定一般侵权行为的要件。第 184 条系以"区别性权益保护"为其规范基础，因此应先认定原告之何种权益受到侵害，作为探寻请求权基础的出发点。

2. 在本件，法院认为上诉人受损害原因之唐中文签发空头支票事实，与被上诉人准许唐中文开立存户之行为，其间并无因果关系，故不成立侵权行为，并未指明何种请求权基础。实则，关键问题不在于因果关系。如采此见解，则诉外人唐中文开户后签发的支票均未兑现时，被上诉人准其开户的行为，是否具有因果关系，应否肯定其因果关系而成立侵权行为？

3. 真正问题在于受侵害的权益及其在第 184 条的适用。唐中文氏签发空头支票向上诉人骗取财物，上诉人所受的侵害，是支票不能兑现而受的损失，属纯粹财产上损害（纯经济上损失），故上诉人不能主张第 184 条第 1 项前段。又上诉人亦不能依同条第 1 项后段请求损害赔偿，因被上诉人并无故意以背于善良风俗方法致加损害于上诉人。须强调的是，第 184 条第 2 项亦无适用余地，因银行业及信用合作社甲种活期存款处理准则乃在维护金融秩序，而非在于确保支票的兑现，非属所谓保护他人之法律。若金融业者须就空头支票负侵权责任，其范围将漫无边际，势难负担而无法经营。

第三节　侵权行为在民法体系上的地位

第一款　侵权行为与"民法"债编的适用

问题：甲、乙驾车违规超速互撞，致路人丙受伤。丙出国前将其损害赔偿请求权让与丁，并通知甲、乙。丁向甲请求给付，甲无故迟延，乙知其事，即对丁为清偿。试就本例说明侵权行为之"债"之发生、标的、给付、多数当事人、债之转移及债之消灭。

被害人（债权人）因侵权行为得向加害人（债务人）请求损害赔偿（给付），侵权行为系债之发生原因之一，与契约、无因管理及不当得利同在债编设其规定。关于债编通则的适用，兹就上开甲与乙驾车违规超速撞伤丙之例，分六点言之：

1. 债之发生：甲与乙因共同不法侵害丙的权利（身体、健康），应连带负损害赔偿责任（第185条、第273条）。

2. 债之标的：关于损害赔偿，应适用第191条以下及第213条等规定。丙并得依第195条规定向甲、乙请求慰抚金。

3. 债之效力：甲、乙连带对丙负有给付义务，未依债之本质为给付时，应负债务不履行责任（第219条以下）。

4. 多数当事人：甲与乙对丙负连带损害赔偿责任，成立连带债务（第272条以下）。

5. 债之移转：丙得将其对甲、乙的债权让与第三人（第294条以下）。甲、乙对丙的债务亦得由第三人承担之（第300条以下）。

6. 债之消灭：甲、乙对丙的损害赔偿债务因清偿等事由而消灭。

第二款　请求权竞合

第一项　侵权行为与契约

问题：甲有名贵寿山石，被乙所盗，精雕成玉壶。乙中风住院外出前，将该玉壶寄托于丙，丙擅以作为己有，高价让售于善意之丁，并交付之。试说明当事人间各得主张的请求权及其竞合关系。

一、侵权责任与契约责任的不同

侵权行为与契约是两种主要民事责任。前者系由法律规定不得侵害他人的注意义务，后者则在保护契约当事人的利益，因此侵权责任及契约不履行的构成要件及法律效果多有不同，分六点言之：

1. 就归责原则言：民法上的侵权行为系以故意或过失为要件，所谓过失系以抽象轻过失为标准。契约上注意程度得由当事人约定，当事人未为约定时，原则上以故意或过失为要件，但过失之责任，依事件之特性而有轻重（第 200 条）。又依法律对不同契约类型而设的注意程度，有为善良管理人之注意（如租赁第 432 条）；有为应与处理自己事务尽同一的注意（如无偿寄托第 590 条）；亦有仅就故意或重大过失负责（如赠与第 410 条）。法律未特别规定时（如买卖），应适用一般原则。又对第三人行为负责言，在侵权行为，雇用人得证明选任或监督受雇人已尽相当之注意或纵加以相当之注意而仍不免发生损害，而不负赔偿责任（第 188 条第 2

项）。在契约债务不履行，依第 224 条规定，债务人就其代理人或使用人关于债之履行有故意或过失时，应与自己之故意或过失负同一责任。

2. 举证责任：依一般举证原则，侵权行为的被害人应证明行为人的故意或过失、损害及因果关系。在契约债务不履行，债权人无须证明债务人的故意或过失，而以证明债务不履行及损害及因果关系为已足，债务人则须证明有不可归责于自己之事由，始得免责。1993 年台上字第 267 号判决谓："第 184 条第 1 项前段规定侵权行为以故意或过失不法侵害他人之权利为成立要件，故主张对造应负侵权行为责任者，应就对造之故意或过失负举证责任（参照本院 1969 年台上字第 1421 号判例）。又在债务不履行，债务人所以应负损害赔偿责任，系以有可归责之事由存在为要件。故债权人苟证明债之关系存在，债权人因债务人不履行债务（给付不能，给付迟延或不完全给付）而受损害，即得请求债务人负债务不履行责任，如债务人抗辩损害之发生为不可归责于债务人事由所致，即应由其负举证责任，如未能举证证明，自不能免责（参照本院 1940 年上字第 1139 号判例意旨）。二者关于举证责任分配原则有间。"

3. 受保护的权益：在侵权行为，依第 184 条第 1 项前段的规定，权利受侵害时，于加害人具有故意或过失时，被害人即得请求损害赔偿（第 1 项前段）；权利以外的利益（尤其是纯粹经济上损失），则须加害人出于故意背于善良风俗致加损害于他人（同条第 1 项后段），或违反保护他人法律时（第 184 条第 2 项），始得请求损害赔偿。在契约债务不履行，其保护的客体除人格权、所有权等权利外，尚包括纯粹经济上的损失。

4. 赔偿范围：在侵权行为，被害人得请求与权益被侵害具有相当因果关系的财产上损害，法律有特别规定时，虽非财产上损害，亦得请求相当金额之损害（慰抚金）（第 18 条、第 195 条等）。不法侵害他人致死者，被害人对于第三人负有法定扶养义务者，加害人对于该第三人亦应负损害赔偿责任（第 192 条第 2 项），被害人之父母子女及配偶，虽非财产上的损害，亦得请求相当金额之赔偿（第 194 条）。在契约债务不履行，当事人就赔偿额未为约定者，依一般原则定之（第 213 条以下）。例如甲向乙购买面包，食后中毒时，虽得请求因此所受财产上损害，原不能以债务不履行为理由请求慰抚金，惟依新修正第 227 条之一规定："债务人因债务不履行，致债权人之人格权受侵害者，准用第 192 条至第 295 条及第 197 条之规定，负损害赔偿责任。"则得请求之。

5. 抵销：第 339 条规定，因故意侵权行为而负担之债，其债务人不得主张抵销。反之，在债务不履行之情形，债务人得以其对于债权人之同种之债权抵销之。

6. 时效：因侵权行为所生之损害赔偿请求权，其时效期间为 2 年或 10 年（第 197 条）。基于债务不履行所生请求权之时效期间，原则上为 15 年，但在甚多情形，"民法"规定有短期之时效（如第 456 条、第 437 条等）。

二、竞合的理论

同一行为得构成侵权行为及契约债务不履行，关于其内容的不同，已说明如上。两者均以损害赔偿为给付内容，债权人固不得双重请求。关于二种责任的关系，计有三说：[1]

1. 法条竞合说：法条竞合说认为契约债务不履行乃侵权行为的特别型态，侵权行为的规定为一般规定，债务不履行规定系特别规定，故同一事实可发生两个请求权，依特别法优于普通法的原则，只能承认债务不履行赔偿请求权的存在，亦即债权人只得行使债务不履行的请求权，而不得行使侵权行为的请求权。

2. 请求权竞合说：请求权竞合说认为一个具体事实同时具备

────────

〔1〕 参阅拙著，"契约责任与侵权责任之竞合"，民法学说与判例研究，(1)，第 395 页。

契约责任与侵权责任时，其所产生的两个请求权得独立并存，无论在成立要件、举证责任、赔偿范围、抵销、时效等，均应就各个请求权加以判断。就此两个请求权，债权人不妨择一行使，其中一个请求权若因达到目的以外的原因而不能行使（例如因时效而消灭），则他一请求权（时效较长者），仍犹存续。

3. 请求权规范竞合说：请求权规范竞合说认为一个具体生活事实符合债务不履行及侵权行为二个要件时，并非产生二个独立的请求权，论其本质，实仅产生一个请求权，但具有二个法律基础，一为契约关系，一为侵权关系，其内容应结合二个基础规范加以决定，债权人得主张对其有利之部分，但应特别斟酌法律之目的，即法律为尽速了结当事人间的关系，特别规定短期时效时，则应适用此项短期时效期间。此理论符合当事人利益，实践法律的规范目的，使实体法上请求权的概念与新诉讼标的的理论，趋于一致，甚值重视。

三、法条竞合说的适用

关于侵权责任与契约关系，台湾地区早期实务系采法条竞合说，兹举三则案例加以说明之：

1. 给付迟延与侵权行为：1954 年台上字第 752 号判例谓："侵权行为，即不法侵害他人权利之行为，属于所谓违法行为之一种。债务不履行为债务人侵害债权之行为，性质上虽亦属侵权行为，但法律另有关于债务不履行之规定。故关于侵权行为之规定，于债务不履行不适用之。第 231 条第 1 项，因债务延迟所发生的损害赔偿请求权，与同法第 184 条第 1 项。因故意或过失不法侵害他人之权利所发生之损害赔偿请求权有别，因之基于第 231 条第 1 项之情形所发生之赔偿损害请求权；无同法第 197 条第 1 项所定短期时效之适用，其请求权在同法第 125 条之消灭时效完成前，仍得行使之，应为法律上当然之解释。"

2. 商品制造者责任：在 1971 年度台上字第 1611 号判决（蒸

汽锅爆炸案件），[1] 被上诉人三生鱼肝油厂股份有限公司（简称三生公司）及上诉人王某等以三生公司向上诉人毛廷玉（即光宏铁工厂）购买蒸汽锅一座，安置厂内使用。因该蒸汽锅所装置之螺丝钉不合规格，发生爆炸，致厂房屋顶被炸毁。三生公司因此支出厂房及蒸汽锅修理费，依侵权行为规定请求损害赔偿。法院谓："惟查民事诉讼，首应确定为诉讼标的之法律关系，本件损害赔偿之诉，其损害赔偿请求权究竟如何发生，因侵权行为，抑本于契约关系，或依据法律之特别规定？按因侵权行为而发生损害赔偿者，乃指当事人间原无法律关系之连系，因一方之故意或过失行为，不法侵害他方权利之情形而言。本件上诉人毛廷玉出卖蒸汽锅，于交付之后，买受人之使用操作发生爆炸，即使蒸气锅本身存有瑕疵，致使买受人或第三人蒙受损害，能否指毛廷玉为侵权行为人，命负损害赔偿责任？已非无疑问。果另有其他契约关系或法律之特别规定可资依据，其依据又如何？"

3. 医疗事故：在 1972 年度台上字第 200 号判决，[2] 医生未尽善良管理人的注意致病人死亡，死者之父母依第 194 条的规定，请求非财产上损害赔偿。法院谓："惟查第 194 条规定不法侵害他人致死者，被害人之父、母、子、女及配偶，虽非财产上之损害，亦得请求赔偿相当之金额。但此项损害赔偿请求权，乃基于侵权行为所发生。至因侵权行为而发生损害赔偿者，又指当事人间原无法律关系之连系，因一方之故意或过失行为，不法侵害他方权利之情形而言。本件被上诉之子宋瀛枪被人刺伤，送由上诉人为之救治，依其情形，显已发生医生与病人之契约关系，亦损害发生前当事人间尚不能谓无法律关系之连系。上诉人纵因过失违反善良管理人之

―――――――――
[1]　拙著，"商品制作人责任"，民法学说与判例研究，(1)，第 357 页。
[2]　"司法院公报"，第 15 卷，第 3 期，第 6 页。关于本案判决的评释，拙著，"契约责任与侵权责任之竞合"，民法学说与判例研究，(1)，第 395 页。

注意义务，亦仅生债务不履行赔偿责任，被上诉人能否依上开第194条之规定请求非财产上之损害，殊非无疑问。"

四、请求权竞合说的肯定

法院于前开案件采取法条竞合说，颇有商榷余地。就理论言，侵权行为与契约债务不履行的成立要件不同，第184条第1项前段所称权利并不包括债权，债务不履行（如给付迟延）不当然皆能成立侵权行为，二者并无普通与特别的关系。就当事人利益衡量言，在医生手术疏忽致人于死的情形，法院认为死者父母不能依侵权行为的规定，主张第194条请求权，医生仅应负契约债务不履行责任。病人既死，人格已灭，自无从主张契约责任，死者的父母非契约当事人，应无请求权，如何向医生追究民事责任，殊有疑问。在商品因瑕疵（或缺陷）致人于死的情形，如死者与制造人之间无契约关系，则其父母、配偶、子女得主张第194条之请求权，故无疑问。反之若死者与制造人之有间买卖契约关系存在，则依法院见解，死者之父母、配偶及子女在法律上反而无从向商品制造人请求慰抚金，其不合事理，似甚显然。

实则，法院早已认识到法条竞合说的缺点。在1974年台上字第1987号判决，财团法人新生医院的医生张某为郭女接生，因疏于注意，致郭女休克死亡。死者之父、夫及子女支出殡葬费并受有精神上的痛苦，依第192条及第194条规定，请求赔偿。原审法院采取"最高法院"向来的见解，认为郭女因生产由张某接生，依其情形，在医院与郭女间显已成立契约关系，张某因欠缺注意致生郭女死亡的结果，亦仅负债务不履行的损害赔偿责任，上诉人依据侵权行为请求赔偿，即非正当，乃将上诉人（郭女之父、夫及子女）之诉，予以驳回。判决明确表示："契约责任与侵权行为竞合时，学说上固有采法条竞合说，认为行为人仅就契约上之义务负责者。惟对于人身自由权之侵害，若亦采此见解，则若干保护人身权之规定，必将受限制而无由发挥作用，为求符合立法意旨及平衡当事人之利益起见，对于本件情形，应认为债权人得就其有利之法律基础为主张。"

值得特别注意的是，请求权竞合说已为民事庭会议决议所肯定。1988 年 11 月 1 日第 19 次民事庭会议曾提出如下法律问题：A 银行徵信科员甲违背职务故意勾结无资力之乙高估其信用而非法超贷巨款，致 A 银行受损害（经对乙实行强制执行而无效果），A 银行是否得本侵权行为法则诉请甲为损害赔偿。决议谓："判例究采法条竞合说或请求权竞合说，尚未尽一致。惟就提案意旨言，甲对 A 银行除负债务不履行责任外，因不法侵害 A 银行之金钱，致放款债权未获清偿而受损害，与第 184 条第 1 项前段侵权行为之要件相符。A 银行自得本于侵权行为之法则请求损害赔偿。"[1] 在此"银行徵信科员违背职务案件"所作的决议，实际上业已废除了 1954 年度台上字第 639 号判例关于给付迟延规定系侵权行为特别规定的基本见解，在民法理论发展史上具有重大意义。

依请求权竞合理论，债权人原则上固得自由选择侵权行为或契约债务不履行损害赔偿请求权，惟为顾及法律对契约责任所设的特别规定，其侵权责任的成立应受限制。第 434 条规定："租赁物因承租人之重大过失致失火而毁损、灭失者承租人对于出租人负损害赔偿责任。"1933 年上字第 1311 号判例谓："租赁物因承租人失火而毁损灭失者，以承租人有重大过失为限，始对出租人负损害赔偿责任，第 434 条已有特别规定，承租人之失火，仅为轻过失时，出租人自不得以侵权行为为理由，依第 184 条第 1 项之规定，请求损害赔偿。"可资参照。此项判例仍以法条竞合说为其理论基础，就请求权竞合说的立场言，仍应肯定，出租人亦得依第 184 条第 1 项前段规定向承租人请求损害赔偿，惟为贯彻保护承租人的立法意旨须以承租人有重大过失为要件。此于第 410 条规定："赠与人仅就

---

[1]　本件决议附有二则深富学术价值的研究报告，务请参阅。

其故意或重大过失，对于受赠人负其责任"的情形，亦有适用
余地。

五、"民法"修正

关于契约责任与侵权责任的竞合，"民法"债编部分条文修正
作有一项重大改变，于第 227 条之二规定："债务人因债务不履
行，致债权人之人格权受侵害者，准用第 192 条至第 195 条及第
197 条之规定，负损害赔偿责任。"立法理由谓："债权人因债务不
履行致其财产权受侵害者，固得依债务不履行之有关规定求偿。惟
如同时侵害债权人之人格权致其受有非财产上之损害者，依现行规
定，只得依据侵权行为之规定求偿。是同一事件所发生之损害竟应
分别适用不同之规定解决，理论上尚有未妥，且因侵权行为之要件
较之债务不履行规定，如故意、过失等要件举证困难，对债权人之
保护亦嫌未周。为免法律割裂适用，并充分保障债权人之权益，爰
增设本条规定，俾求公允。"

第二项　侵权行为与无因管理[1]

无因管理，指未受委任，并无义务，而为他人管理事务（第 172
条），如收留迷途之幼童，修缮他人遭台风毁损的房屋。管理事务合
于本人意思，利于本人者（适法无因管理）得构成违法阻却事由，
不成立侵权行为。惟须注意的是，无因管理成立后，发生债之关系，
管理人因可归责之事由未依本人明示或可得推知之意思，以有利于
本人之方法为事务之管理，致侵害本人权利时，例如因过失以不洁
食物喂养收留孩童，致其健康受损时，除构成不完全给付债务不履
行责任外，尚应依第 184 条第 1 项前段规定负侵权行为损害赔偿之责

---

[1]　参阅拙著，民法债编总论（1），债之发生，第 238 页。

任。1966 年台上字第 228 号判例谓："无因管理成立后，管理人因故意或过失不法侵害本人之权利者，侵权行为仍可成立，非谓成立无因管理后，即可排斥侵权行为之成立。"可资参照。

第三项　侵权行为与不当得利[1]

不当得利，指无法律上之原因而受利益，致他人受损害，应负返还之义务（第 179 条）。不当得利可分为给付不当得利与非给付不当得利二个类型。前者如非债清偿，后者如无权处分、使用他人之物。不当得利与侵权行为发生竞合的，多属非给付不当得利，例如无权占用他人停车位，共有人中之一人超过应有部分而对共有物为使用收益时，得同时成立侵权行为与不当得利。诚如 1952 年台上字第 871 号判例谓："因侵权行为受利益致被害人受损害时，依法被害人固有损害赔偿请求权与不当得利返还请求权，其损害赔偿请求权虽因时效而消灭，而其不当得利返还请求权，在同法第 125 条之消灭时效完成前仍得行使之。"

第四项　例题解说

在本款首开例题，甲有寿山名石被乙所盗，乙精雕成玉壶。乙中风住院，将该玉壶寄托丙处，丙擅以之作为己有，以高出市面的价额，让售于善意的丁。在此情形，乙加工于甲的动产，因其所增之价值显逾材料之价值，其加工物（玉壶）的所有权属于加工人

---

[1] 拙著，民法债编总论（2），不当得利，第 19 页。

乙（第814条）。甲得依第184条第1项前段规定，向乙请求侵害其玉石所有权的损害赔偿。此外，甲并得依不当得利之规定向乙请求偿金（第816条）。丙擅将乙寄托的玉壶作为已有，以高价出卖于丁，并无权处分其所有权，丁善意受让该玉壶之占有，纵让与人丙无让与之权利，受让人丁仍能取得其所有权（第801条、第948条）。此际，乙得对丙主张如下的请求权：以不能返还寄托物为理由主张债务不履行责任；依不当得利规定请求返还其无法律上原因所获得的价金；得类推适用第177条关于不适法无因管理的规定，请求其让售该玉壶所得之利益；或得依第184条前段规定向丙请求侵害其所有权的损害赔偿。此项侵权行为损害赔偿请求权得与上开其他请求权发生竞合。至于乙对丁则无侵权行为损害赔偿请求权或不当得利请求权（理由何在?）。为便于了解，图示如下：

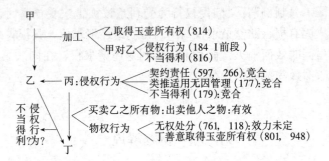

第五章 故意或过失不法侵害他人之权利
—第 184 条第 1 项前段—

第一节 侵权行为的三层结构

问题：19 岁之甲骑机车超速撞伤路人乙，乙住院治疗期间，名贵手表被盗，家中兰花枯死。试说明此项侵权行为的成立要件及其体系构成。

第 184 条第 1 项前段规定："因故意或过失不法 侵害他人之权利者，负损害赔偿责任。"旨在宣示过失责任原则。至其成立要件，通说认为须具备者有六：须有加害行为；行为须不法；须侵害他人之权利；须致生损害；须有责任能力；须有故意或过失。前四者为该行为的状态及其所造成结果的问题，属客观要件；后二者乃行为人本身主观方面的问题，属主观要件。[1] 此等要件在体系结构上可归纳为构成要件（Tatbestand）、违法性（Rechtswidrigkeit）、

---

〔1〕 郑玉波，民法债权总论，第 143 页；史尚宽，债法总论，第 106 页；孙森焱，民法债编总论，第 155 页；黄立，民法债编总论，第 233 页。

及故意或过失（Verschulden），是为侵权行为的三层结构。[1] 此项理论源自刑法，[2] 就第 184 条第 1 项："因故意或过失不法侵害他人之权利"规定的文义言，亦有依据。如 19 岁之甲骑机车过失撞伤路人乙，乙住院医治期间，名贵手表被盗，家中兰花枯死，兹参照此例，将第 184 条第 1 项前段的成立要件，图示如下：

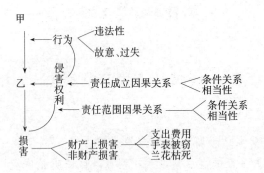

构成要件指侵害他人之权利的行为而言，如驾车撞伤路人，其组成因素包括行为、侵害权利、造成损害及因果关系。行为与侵害权利之间的因果关系称为责任成立因果关系，侵害权利与所生损害（如医药费、手表被窃、兰花枯死）之间的因果关系，称为责任范围因果关系。[3]

构成要件一旦具备，如侵害他人生命、身体、健康或所有权时，通常即可认定其违法性，故在违法性层次上所要检讨的是有无违法阻却事由存在，加害人对此应负举证责任。惟如侵害一般人格

---

[1] Larenz/Canaris, Schuldrecht Ⅱ/2, §75Ⅱ（S. 362f.）；Deutsch, Unerlaubte Handlung und Schadensersatz, S. 6f.

[2] 参阅苏俊雄，刑法总论Ⅰ，第 10 页以下；陈志龙，"开放性构成要件理论-探讨构成要件与违法性之关系"，台大法学论丛，第 21 卷，第 1 期，第 141 页。Roxin, Strafrecht, Allgemeiner Teil, Bd. I, §8。

[3] 关于此二种因果关系的详细说明，本书第 185 页。

权时，因其未具明确的保护范畴，违法性常须就个案依利益衡量加以认定。

在侵权行为结构上属于最上层的是故意或过失，并涉及责任能力问题。故意或过失系就特定构成要件加以判断，侵害行为不具备构成要件时，无进一步检讨故意或过失的必要。

上述侵权行为的三层结构在逻辑上具有一定次序的关连。须先有符合构成要件事实的行为，始判断该当行为是否违法，其后再就具违法性的行为认定其有无故意或过失。此项结构分析有助于认识违法性与故意、过失（可归责性）的区别。前者系就行为作法律上无价值的判价，后者系对行为者的非难。此在法律适用上请求权基础的检查具有实益。倘认定某特定行为不符合构成要件时，即无须再检讨其违法性或故意过失。例如甲问路于乙，乙误告方向，致甲耗费车资，徒劳往返时，乙并未侵害甲的权利，构成要件既不具备，不生违法性或故意、过失的问题。

第二节　行　为

第一款　行为的意义及自己行为责任

问题：甲财团法人医院医生乙对丙妇输血，血中含有病毒，丙妇怀孕后，再传染于胎儿丁。试问丁得否依第184条第一项前段规定向甲或乙请求损害赔偿？

一、行为的意义

侵权行为，顾名思义，须有侵害他人的"行为"。所谓行为，系指受意思支配，有意识之人的活动，例如言语、驾车、散步、手术开刀、经营KTV、卖鲁肉饭等。侵权"行为"通常系企图发生某种效果，如故意驾车撞人，无权处分他人之物，但不以此为必要，如做摔手动作时打破花瓶，射击飞鸟误中路人，亦属行为。无行为能力人或限制行为能力人亦得为行为，如禁治产人驾车肇事，8岁孩童投石伤人。其不受意思支配、无意识的举止动作，则非属行为，如梦中骂人，驾车时因中风肇事，受药物控制或催眠而毁损物品等。行为之侵害他人的权利，得为直接或间接，甲医生对乙妇输血，血液含有病毒（直接侵害）；乙妇怀孕后，再传染给胎儿丙时，侵害虽属间接，仍得成立侵权行为。又须注意的是，侵权"行为"是否存在，发生疑问时，应由被害人负举证责任。

二、自己行为责任原则

第184条规定在于宣示自己行为责任原则（或称个人责任原则），即行为人仅就自己的行为负责，对于他人的行为不负责任。所谓自己的行为，并不以自身的行为为必要，亦得藉由他人或某物为之，例如利用不知情的人处分他人之物，驱狗咬人等。第188条规定的雇用人责任，基本上仍属自己行为责任，因雇用人系就自己选任或监督的过失而负责，惟其过失则由法律加以推定。

三、行为人及被害人

第184条第1项前段所称不法侵害"他人"之权利，系指自然人及法人。在加害人方面，实务上认仅指自然人而言，并不包括法人在内。[1] 法人应依第28条及第188条规定负侵权责任。

第二款 作 为

问题：甲承租乙的房屋，租贷关系消灭后，继续占

---

[1]　参照1991年度台上字第344号判决："按第184条第1项规定种侵权行为之二种类型，均适用于自然人之侵权行为，上诉人为法人尚无适用上述规定之余地。"（民事裁判书汇编，第3期，第93页）。

有，甲拒不迁出时，其侵害乙的所有权的行为究属"作
为"，抑或"不作为"？

一、作为的意义与不作为的区别

行为可分为作为与不作为。作为指有所而为，可由外部认识
之，如手术开刀、出版刊物、通奸等。不作为指有所不为，如见亲
友遭绑架，坐视不报警；孩童溺水，不加援手等。积极的有所为与
消极的有所不为有时不易区分，若干行为乍视之下，似属不作为，
但实乃作为，例如开车遇红灯未煞车而肇事，未煞车系"有所不
为"，但此乃构成积极行为（驾车）过失的因素。医生关掉氧气
筒，就其不继续供应氧气言，似属不作为，惟就其阻止供应氧气危
害病患的生命言，应认系属作为。

二、实例分析：本权消灭后的无权占有

关于作为与不作为的区分，实务上有乙则案例，可供参考。
1994 年台上字第 710 号判决谓："张英英原占有该土地，虽系本于土
地所有人（共有人）之地位，然自 1989 年 4 月 7 日起，既经其他共
有人依'土地法'第 34 条之一规定，将之全部移转登记所有权予陈
庆飞等三人，张英英就该土地所有（共有）权即告消灭，而丧失继
续占有之权源。陈庆飞等三人于其请求张英英交付土地时，张英英
犹'消极地'不迁出，系不法侵害其所有权之行使，其所受损害得
请求张英英赔偿云云，衡诸侵权行为之成立，本不以积极行为为限，
其因消极行为致他人于损害，且损害与消极行为间有相当因果关系
者自亦属之（见 1953 年台上字第 490 号、1954 年台上字第 371 号等
判例）及张英英'消极的不自陈庆飞等三人买受之土地内迁出'之
行为，致陈庆飞三人所受不能使用、收益土地之损害之间，显有因
果关系等情，陈庆飞三人之请求，自属有理。"[1]

---

〔1〕　民事裁判书汇编，第 15 期，第 111 页。

本案判决所称积极行为，指作为而言，消极行为指不作为而言。本于土地所有人（共有人）的地位占有共有物，系属有权占有。所有权消灭后，继续占有拒不返还，系侵害他人的所有权。问题在于其侵害"行为"究为作为或不作为。法院认系消极行为，乃着眼于其不迁出土地。惟本权既已消灭，仍继续占有，宜认系以无权占有的积极行为侵害他人的所有权。

第三款　不作为

问题：甲、乙等人在乌来娃娃谷烤肉，见路人丙掉落深谷，稍加援手即可脱险，坐视不管，并拿相机拍照留念。试问甲、乙等人，对丙的死亡是否构成侵权"行为"，并说明其理由。[1]

一、道德与法律：好撒马利亚人

因"作为"而侵害他人权利时，得成立侵权行为。至于"不作为"，如邻宅失火，坐视不管；孩童落水，不加援手；登山者将掉入悬崖，不予警告；高血压者大吃肉，未加劝阻等，原则上并不构成侵权行为。何也？其乃基于个人主义思想，避免因此限制人的行为自由。又因果关系认定困难，亦属理由之一：孩童落水，旁观者众，谁要负责？再者，"作为"制造危险，使人受害，"不作为"仅系因不介入他人事物而使其受益，二者在法律上的评价，应有不同。法律须禁止因积极行为而侵害他人，但原则上不能强迫应帮助他人，而使危难相济的善行成为法律上的义务。

不作为所涉及道德与法律的关系，圣经路加福音 10 章 25 节关于好撒马利亚人（Good Samaritan）的记载最具启示性。有一个律

---

[1]　前日午后到乌来娃娃谷散步，天雨石滑，几掉落谷底，特设此例。

法师起来试探耶稣，说："夫子！我该做甚么才可以承受永生？"
耶稣对他说："律法上写的是甚么？你念的是怎么呢？"他回答说：
"你要尽心、尽性、尽力、尽意爱主——你的神；又要爱邻舍如同
自己。"耶稣说："你回答的是：你这样行，就必得永生。"那人要
显明自己有理，就对耶稣说："谁是我的邻舍？"耶稣回答："有
一个人从耶路撒冷下耶利哥去，落在强盗手中。他们剥去他的衣
裳，把他打个半死，就丢下他走了。偶然有一个祭司从这条路下
来，看见他就从那边过去了。又有一个利未人来到这个地方，看见
他，也照样从那边过去了。惟有一个撒马利亚人行路来到那里，看
见他就动了慈心，上前用油和酒倒在他的伤处，包裹好了，扶他骑
上自己的牲口，带到店里去照应他。第二天拿出二钱银子来，交给
店主，说：'你且照应他；此外所费用的，我回来必还你。'你想，
这三个人那一个是落在强盗手中的邻舍呢？"他说："是怜悯他
的。"耶稣说："你去照样行吧。"好撒马利亚人显现着对悲惨垂死
遭难者的怜悯，亲切和温暖的照顾，将崇高的道德标准表明到极
点。但从法律的观点言，我们一方面仍应宽容祭司及利未人的无
情；他方面应认为好撒马利亚人怜爱受伤的，乃个人道德的实践，
不应成为法律强制的对象。[1]

二、不作为之成立侵权"行为"

(一)作为义务的违反

不作为之成立侵权"行为"，须以作为义务的存在为前提，此有

---

[1] 好撒马利亚人的行为涉及法律与道德的分际，系英美侵权行为法热烈讨论的问
题，参阅 Ratcliffe (ed.) The Good Samaritan and the Law, 1966; J. G. Fleming , Law
of Torts, p. 146. 不作为义务的扩张系侵权行为法的一项重要发展趋势，参阅
Marschall S. Shapo, The Duty to Act: Tort Law, Power and Public Policy, 1977; Zim-
mermann, The Law of Obligations, 1043f.; Tony Honoré, Are Omissions Less Culpable,
in: Essays For Patrick Atiyah, 1991, p. 31. 关于不作为原则上不成立侵权行为的经
济分析，参阅 Posner, Economic Analysis of Law, 5th ed. 1998. p. 207.

基于契约,即因契约而负担作为义务而不作为,如保姆见婴儿吞食玩具而未予阻止;雇主见受雇人受伤,生命垂危,不送医救治。亦有基于法律:如1084条第2项规定,父母对于未成年子女,有保护及教养之权利义务。学说上尚有认为除契约或法律外,即依公序良俗而有作为义务者亦属之。[1] 须特别提出的是,基于侵权行为法旨在防范危险的原则,发生所谓的社会活动安全注意义务(Verkehrspflicht),[2] 而有从事一定作为的义务,其主要情形有三:(1)因自己行为致发生一定结果的危险,而负有防范义务,如驾车撞人,纵无过失亦应将伤者送医救治;挖掘水沟,应为加盖或采其他必要措施。(2)开启或维持某种交通或交往,如寺庙佛塔楼梯有缺陷,应为必要警告或照明;在自宅庭院举办选举造势酒会,应防范腐朽老树压伤宾客。(3)因从事一定营业或职业而承担防范危险的义务,

---

[1] 郑玉波,民法债编总论,第144页;孙森焱,民法债编总论,第156页。值得注意的是,1954年台上字第371号判例谓:"证人依法作证时,未为某项之陈述,致当事人未受有利之判决,与因消极之行为,致他人受有损害之侵权行为,难谓为相同。"孙森焱氏谓:"证人有据实陈述之义务,如与当事人之一方串通,不为真实之陈述,以致法院形成不实之心证,为不利于他方当事人之认定时,似不妨成立侵权行为。"(民法债编总论,第185页注3)。

[2] Verkehrspflicht 是德国侵权行为法上的重要概念,原指维持交通安全(Verkehrssicherungspflicht)而言,如房屋所有人就其所在地之石级任其坍圮或于交通之处,不设路灯,致他人因此受损害者,应负责任(参阅梅仲协,民法要义,第140页)。其后扩张及于其他社会交往活动,另称为 Verkehrspflicht,强调在社会生活上应负防范危害的义务,如何译成中文颇费斟酌。台湾地区第191条关于工作物所有人的责任系建立在此项义务之上,立法理由书上所谓的"交通安全",乃指 Verkehrssicherungspflicht 而言。Verkehrspflicht 的主要功能在于规范不作为的侵权行为,及所谓的间接侵害(mittelbare Schädigung),如商品具有缺陷伤害消费者的身体健康。易言之,即对第184条第1项前段(相当于德国民法第823条第1项)过失不法侵害他人权利的要件予以具体化。其在法的解释适用,仍待研究,将另撰文加以论述。参阅 v. Bar, Verkehrspflichte, 1980;Larenz/Canaris, Schuldrecht, II/2, S. 399f.;Kötz, Deliktsrecht, S. 94.林美惠,"论法上交易安全义务理论之建立",民法研究会第八次研讨会,法学丛刊,第168期,第124页。

如百货公司应采必要措施维护安全门不被阻塞。

（二）实例分析：应召女郎火灾丧生旅馆案件

关于不作为在何种情形，得构成侵权行为，1969年台上字第1064号判决，可供研究。本案上诉人因家贫以周女为娼，艰苦维生计，周女某晚在新台北饭店应召陪宿于7楼706号房，是晚竟发生火灾，走避无路，从7楼坠楼至4楼阳台，呼救无人，遂从4楼跳下重伤致死，该7楼服务生不遵服务规则，擅自入睡，起火时未挨房通知各房客逃生，电话总机值班未以电话通知发生火警，均有业务上过失，上诉人主张新台北饭店股份有限公司即其法定代理人应依第188条第1项规定，负连带赔偿责任，法院谓："按不作为应负责侵权行为责任者，以依法律或契约对于受损害人负有作为之义务者为限，原审以上诉人之女周某某是日系应房客之召前来陪宿之私娼，而非报明登记之住客，已为上诉人所自承，显与饭店无任何关系。该饭店服务生以及电话总机值班于起火之际，无论曾挨房扣门，及以电话通知7楼而接不通，纵令无此作为，对于周某某亦不负业务上之过失责任。"[1]

本件判决深具启示性。须说明的是，不作为之须负侵权行为责任者，不应限于依法律或契约对于受害人负有作为义务之人。如前所述，从事某种业务或职业者亦应承担一定作为的义务。经营旅馆饭店，开启来往交通，引起正当信赖，对于进出旅馆、利用其设施之人，包括住宿客人的访客，进入旅馆准备订约者及其他之人，应注意防范危险的发生，如清除楼梯的油渍，维护电梯的安全，照明通往停车场的通道，尤其是于火灾、地震或其他事故时的通知协助。此项防范危险义务，并应及于住宿旅客的来访妻儿、亲友，甚至应召女郎。不能认为KTV失火时，仅须通知与其有契约关系的客人，而不必告知其他宾客；医院失火时，仅须通知与医院有契约关系的病人，而不

〔1〕 侵权行为损害赔偿案例选辑，法务通讯社印行，1981年，第13页。

必告知陪伴的妻儿;百货公司失火时,仅须通知与其订有契约的顾客,而不必通知其他逛百货公司之人。

三、不作为的因果关系

不作为之成立侵权行为,亦须其与侵害他人权利之间有因果关系。申言之,倘若有所作为即得防止结果之发生,因其不作为乃致他人之权利受到侵害时,则不作为与权利受侵害之间有因果关系。1963 年度台上字第 2769 号判决谓:"上诉人接装之自备路灯,因年久失修,电线保养不善,发生漏电,并碰触电管处所设外灯线管,使电流外泄,致被上诉人所有黄牛一头触电倒毙。此种结果发生,在上诉人具有应注意并能注意而不注意之过失侵权行为,其间自有因果关系。虽上诉人以电管处或有过失为辩,但究难因此脱免上诉人本身应负之赔偿责任。"可资参照。[1]

第三节　侵害他人的权利

第一款　权利与纯粹经济上损失

问题:某工厂排泄废油污染某海域,该地区的渔夫难以出海

---

〔1〕 裁判类编,民事法(7),第 747 页,相关案例,参阅 1973 年台上字第 212 号判决:"惟查:纵打破伤风针,非绝对不发生破伤风症,为原审依据台湾省立××医院查复结果所认定,反之,不打破伤风针,非必发生破伤风症,此亦事理之必然,乃原审又谓:死者其后感染破伤风症,系如何感染,是否由于上诉人对死者之伤口未完全消毒所感染,抑由于接骨医郑×福另行敷用草药所感染,已无从究明,即两者皆有可能,是以不确定之原因而为发生确定结果(林×忠死亡)之认定,自属矛盾,又消极行为与结果间能有因果关系者,须(一)不作为人有防止结果发生之义务(依法令、契约或自己行为之结果而生之义务)(二)不作为与结果发生有相当因果关系。原审就此二点尚未究明,即认上诉人之不作为与林×忠死亡之结果,有消极的因果关系,殊嫌率断。"(侵权行为损害赔偿案例选辑,法务通讯社,第 16 页。)

捕鱼，所捕之鱼皆遭污染，不能出售；海鲜餐厅多告歇业；旅馆住客率大降，计程车生意锐减。试问被害人得否依第 184 条第 1 项前段或后段规定，向该工厂请求损害赔偿？[1]

第一项 权 利

第 184 条第 1 项前段规定在于保护权利。所谓权利指私权而言，不包括公法上权利在内。1973 年度第 1 次民事庭庭长会议决议谓："侵权行为以侵害私法上之权利为限，某甲因犯诈欺破产罪，使其应缴税捐机关之罚锾不能缴纳，系公法上权利受到损害，不能认系侵权行为，税捐机关不得提起附带民事诉讼，依侵权行为法则，请求损害赔偿。"[2]

私权指法律所赋予享受一定利益之法律上之力，包括人格权、身分权、物权及智慧财产权等。债权虽属私权，但是否为第 184 条第 1

---

[1] 此例参考美国法上著名的重要案件 Union Oil Co. v. Oppen，(501 F. 2d 558. 9th Cir. 1974)。Epstein (Torts, p. 605) 及 Posner (Tort Law, p. 458f.) 的注释及论辩，具高度的可读性，可供参考。

[2] 1993 年台上字第 1852 号判决谓："大学、独立学院教师应具有学术著作在知名学术刊物发表，或经出版公开发行，并经审查其著作合格者，始得升等。大学、独立学院及专科学校教师审查办法，由'教育部'分别定之，'教育人员任用条例'第 14 条第 2 项、第 4 项定有明文。又依'大学法'第 28 条规定，大学设教师评审委员会，评审有关教师升等事项。自'教育部'依上开'教育人员任用条例'第 14 条第 4 项规定，订颁之大学独立学院及'专科教师审查办法'第 7 条第 2 款前段规定，依本条例第 18 条（即教授应具有之资格规定）送审者，应缴交有关文件及著作，由学校教师评审委员会审核通过后报送本部，著作经送请学者专家 2 至 3 人评审后，提交学审会常会审议决定。是评审会审议上诉人教授升等资格事项，系属公权力之行使，不构成民法上之侵权行为。"可资参照（民事裁判书汇编，第 16 期，第 119 页。）

项所称权利，尚有争论。又应否创设"营业权"以扩大权利的保护范畴，亦值研究。所谓"侵害他人之权利"，指妨害权利的行使或享有。受保护之"他人"，包括自然人和法人，胎儿以将来非死产者为限，关于其个人利益之保护，视为既已出生（第7条），亦属之。法人兼括公法人和私法人，并应扩张及于非法人团体，皆得享有非专属于自然人的权利（如名誉权、物权等）而受保护。

第二项　纯粹经济上损失（纯粹财产上损害）

一、问题的提出

第184条第1项前段既在于保护权利，其因权利被侵害而生的经济上损失或财产上不利益，如人身被侵害而支出的医药费，减少的收入，物被毁损而减少的价值或修缮费用等，被害人亦得请求损害赔偿。与"权利"被侵害应予区别的是"纯粹经济上损失"（pure economic loss）或"纯粹财产上损害"（reines Vermogenschaden）。[1]鉴于此项区别的重要性，试举二例说明如下：

1. 甲在高速公路上驾车违规撞到乙车，乙人伤车毁时，系侵害乙的权利（人格权及所有权）。因车祸而肇致交通中断，丙等众多之人受困车阵不能上班，搭机出域观光，或延误交货所受的损失，则属纯粹的经济上损失。

2. 在工厂排泄废油事件，污染他人养殖的九孔，系侵害他人的权利。渔夫不能外出捕鱼，海鲜餐厅歇业，KTV生意锐减，计程车司机收入减少等，则属纯粹经济上损失。

纯粹经济上损失的保护是侵权行为法上最为困难的课题，涉及三个问题：（1）在利益衡量上，纯粹经济上损失不能与人身或所

---

[1] 纯粹经济上损失是英美法的用语，在比较法上广被使用，本书采之，其意义同于德国法上纯粹财产上损害，为行文方便，亦互用之。

有权同等并重。（2）如上述高速公路车祸及废油污染海域二例所示，纯粹经济上损失的范围，具有不确定性，即美国著名的法官 Cardozo 所谓："对不确定的人，于不确定期间，而负不确定数额的责任。"（Liability in an indeterminate amount for an indeterminate time to an indeterminate class）。[1]（3）纯粹经济上损失尚涉及侵权行为法与契约的规范机能。因此如何处理纯粹经济上损失因各国法律而不同，是比较法上热门的研究题目。[2]

二、故意侵害他人的纯粹财产上利益

就各国立法及判例学说加以观察，可以发现一个共同规范趋势，即对纯粹财产上利益的侵害出于故意时，应成立侵权行为。英美法上若干以故意为要件的侵权行为（intentional torts），多以纯粹经济上损失为其保护客体，如诈欺（deceit），胁迫（intimidation），干预契约关系（interferencewith contractual relations）等。[3] 德国民法第 826 条及台湾地区第 184 条第 1 项后段规定故意以背于善良风俗方法加损害于他人时，应负损害赔偿责任，则以概括的方式保护纯粹财产上利益。其以故意背于善良风俗为要件，不是在于惩罚，而是鉴于加害人明知而为之，责任范围可得预见，自不应免于

---

〔1〕 Ultramares Corporation v. Touche, 255 NY. 170, 174 N. E. 441 (1931). 关于本件判决的评释，参阅 Epstein, Torts, p. 1290.

〔2〕 参阅 F. H. Lawson/B. S. Markenisis, Tortious Liability for Unintentional Harm in the Common Law and the Civil Law, I, pp. 80 – 93; M. Furmstom, The Law of Tort, Policies and Trendsin Liability for Damage to Property and Economic Loss, 1986; Mertz, Der Schutz primärer Vermögensinteressen im niederländischen und deutschen Haftungsrecht, 1994; v. Bar, Negligence, Eigentumsverletzung und reiner Vermögenschaden, Rabels 256 (1992) 410. 关于纯粹经济上损失的经济分析，参阅 W. D. Bishop, Economic Loss, in Tort, (1982) 2, Oxford J. Legal Studies, pp. 1–13.

〔3〕 参阅 Street, Tort, Part III: Intentional Interference with Economic Interests, pp. 111– 168; Francis Trindade / Peter Cane, The Law of Torts in Australia, 2nd. Edition 1993, 列有专节讨论 "Intentional Infliction of Purely Economic Loss" (pp. 169–243)，可供参照。

赔偿责任。

三、因过失侵害他人的纯粹财产上利益

（一）问题的说明

关于过失侵害他人纯粹财产上利益得否成立侵权行为，在比较法实务上有四个基本类型：

1. 甲毁损乙所有之物，致丙受有纯粹财产上损失：例如甲挖掘地下道，毁损乙的电缆，致丙证券公司或丁工厂因停电不能营业（所谓的电缆案件）。

2. 甲制造某物，该物因具有缺陷而减少其价值或毁损灭失，致买受人受有纯粹财产上损失，例如甲购买乙制造的电视，因机件具有缺陷而发生爆破（商品自伤案件）。

3. 甲银行提供关于某乙的不实信用资料，致丙对乙贷款，未获清偿（所谓过失不实陈述案件，Negligent Misstatement 或 Misrepresentation，德国法上称为 Auskunftshaftung）。[1]

4. 甲律师受乙委托书立遗嘱，遗赠某物给丙，甲因疏于注意，遗嘱未符法定要件不生效力，致丙不能取得遗赠（遗嘱无效案件）。

如何处理此等案例，各国为合理控制侵权责任的不确定性，皆采审慎的政策，并采不同的法律技术加以规范，涉及甚广，在此难以详论，仅能述其概要。

（二）英美法

在英美法(尤其是英国法)，因其契约法采约因理论(consideration)，且不承认第三人利益契约，致其契约法的规范功能受到限制，[2]乃扩张过失侵权行为(negligence)，而以 duty of care (注意义

---

[1] 邱琦，"过失不当陈述之研究"，台大法律学研究所1991年度硕士论文。

[2] Werner Lorenz, *Reform des englischen Vertragsrechts: Verträge zugun sten Dritter und schadensrechtliche Drittbeziehungen*, JZ 1997, 105.

务)作为控制手段,特别强调此为政策问题,[1]基本上并采排除责任原则(exclusionary rule)。兹以英国法为例说明之。就前开案例言,英国法院在电缆案件一向否定被害人得就其纯粹经济上损失的损害赔偿请求权。[2]在商品自伤案件亦认商品制造人不负侵权责任。最具争论的是建筑基地不稳致房屋具有缺陷案例。早期英国判例认系侵害买受人的所有权,最近贵族院在著名的 Murphy v. Brentwood District Council(1991)判决[3]推翻以前见解,明白认定此属纯粹经济上损失,市政府对于建筑基地的检查纵有过失亦不成立侵权行为。值得注意的是,在 Negligent Misstatement 案件及遗嘱案件,英国法院均肯定注意义务的存在,认为得构成过失侵权行为,其主要理由系在前者当事人间存有一种信赖关系,而在后者,其被害人及损害可得预见。[4]

(三)德国法

德国民法第 823 条第 1 项规定因故意或过失,不法侵害他人之生命、身体、健康、自由、所有权及其他之权利,对他人负赔偿因此所生损害之义务。由此可知因过失不法侵害他人的"财产上利益",不生侵权责任。[5]为克服此项过于严格的规定,以合理保护纯粹财产利益,德国法院采取二种方法:一为在侵权行为法上将纯粹财产上损害予以权利化,扩大所有权的保护范畴,使之及于物的使用功能,或

---

[1] 过失侵权行为与纯粹经济上损失是英美法上的重要问题,简要的论述,参阅 Karen M. Hoog, Negligence and Economic Loss in England, Australia, Canada, and New Zealand, International and Comparative Law Quarterly 43(1994) 116.

[2] Spartan Steel & Alloys Ltd. v. Martin & Co. (Contractors) Ltd. (1973) 2QB 27.

[3] AC 378。此为英国侵权行为法近年来最重要的案件,引起热烈的讨论,参阅 Robin-Cooke, "An Impossible Distinction?" (1991) 107LQR46; R. O′Dair, "A House Built on Firm Foundation?" (1991) MLR 561; Hutchison/Zimmermann, Murphy's Law, ZVgLRWiss 94(1995)42.

[4] 相关案件及说明,参阅 Markesinis/ Deakin, Tort Law, pp.83-109.

[5] Larenz/ Canaris, Schuldrecht Ⅱ/2, S. 375. 405; Fikentscher, Schuldrecht, S.736.

创设所谓的营业权。[1]一为在适用契约法上具保护第三人作用的契约的理论,或创设新的契约关系。就前举四个基本案例类型言,在电缆案件德国实务亦否认被害人就纯粹财产上损害得依侵权行为规定请求损害赔偿。在商品自伤案件,德国联邦法院认为得构成对所有权侵害,引起争论。在过失不实陈述案件,德国判例学说皆认为得因当事人间的信赖而成立契约关系,而发生不完全给付的债务不履行责任。在遗嘱无效案件则适用第三人利益契约或具保护第三人作用契约。[2]德国法的特色在于兼采侵权行为法及契约法处理纯粹财产上利益的保护。

(四)台湾地区现行"民法"

在实务上尚未发现前述比较法上关于纯粹财产上利益损害的类型,学说上亦甚少讨论,如何处理,甚值深思研究。应予注意的是,法院为加强对纯粹财产利益的保护,亦有将之权利化,而适用第 184 条第 1 项前段规定的趋势,如认为银行职员故意高估信用,非法超贷,系不法侵害银行之金钱,与第 184 条第 1 项前段规定要件相符。[3]建商以其购买的磁砖施工于他人别墅,因磁砖具有瑕疵而脱落,必须重贴所受的损失,得依侵权行为规定向磁砖制造者请求损害赔偿。[4]比较法上的观察使我们认识到纯粹财产上利益的保护,已发展成为民法上的重要课题,如何调整传统的侵权行为及契约制度,重建民法的责任体系,是判例学说面临的艰巨任务,当另著专文详论之。

---

[1] BGHZ 29, 65; 66, 388.

[2] Werner Lorenz, Anwaltshaftung wegen Untätigkeit bei der Errichtung letzwilliger Verfügungen, JZ 1995, 317.

[3] 1988 年第 19 次民事庭会议决议。

[4] 1989 年台上字第 200 号判决,参阅拙著,"商品制造者责任与纯粹经济上损失",民法学说与判例研究,(8),第 233 页。

第二款　人　格　权

第一项　概　　说[1]

问题:某甲以偷摄任职某文教机构之乙女的泳装照片,作为由其发行色情杂志的封面女郎,至为畅销,乙为雇主解聘,精神痛苦。试问乙的何种权利遭受侵害? 何谓一般人格权与特别人格权? 乙得否向甲主张以下权利:(1)销毁杂志照片。(2)交付杂志畅销的利益。[2](3)支付使用此类照片通常应支付的对价。(4)赔偿被解雇的财产上损失。(5)支付精神痛苦的慰抚金? 就请求权基础分析之。

人格权的保护是侵权行为法的基本任务,就历史发展过程而言,首重生命、身体、健康、自由,再扩张及于名誉、隐私。台湾地区现行"民法"对人格权的保护设概括规定,甚为周全。所谓人格权,指一般人格权而言,即关于人的价值与尊严的权利,性质上是一种母权,衍生出个别人格权。第18条规定:"人格权受侵害时,得请求法院除去其侵害,有受侵害之虞时,得请求防止之。前项情形,以法律有特别规定者为限,得请求损害赔偿或慰抚金。"第184条是请求损害赔偿(财产上损害及非财产上损害)的基本规定。关于慰抚金(非财产上损害的金钱赔偿),第194条就不法侵害他人致死,第195条就侵害他人的身体、健康、名誉或自由,设有特别规定。第19条规定:

---

〔1〕　黄茂荣,"一般人格权及其保护",军法专刊,第45卷,第3期,第1页。

〔2〕　此项问题涉及人格权的财产权性质,参阅 Götting, Persönlichkeitsrechteals Vermögensrechte, 1995;拙著民法债编总论,不当得利,第156页。

"姓名权受侵害者,得请求法院除去其侵害,并得请求损害赔偿。"实务上认此亦属慰抚金请求权的特别规定。生命、身体、健康、名誉、自由、姓名系法定个别人格权;法律未规定而已具体化的个别人格权有肖像权、贞操权、隐私权等。值得注意的是,为加强对人格权的保护,债编修正修文第195条第1项规定:"不法侵害他人之身体、健康、名誉、自由、信用、隐私、贞操或不法侵害他他人格法益而情节重大者,被害人虽非财产上之损害,亦得请求赔偿相当之金额,其名誉被侵害者,并得请求回复名誉之适当处分。"

为便于观察,兹将民法上关于人格权保护的规定,图示如下(阿拉伯数字为"民法"条文):

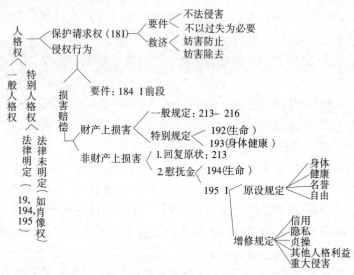

第二项　生　命　权

问题:路人甲闯红灯,被乙驾车违规超速撞到,住院2

天后死亡。甲遗有寡母、病妻、幼子,由弟出钱埋葬。试问:
甲之母、妻、子及其其弟得向乙主张何种权利,应否承担甲
的过失?

　　生命是自然人的存在基础,致人于死时,即侵害他人之生命权。
人之权利能力始于出生,终于死亡(第6条),被害人之生命因受侵
害而消灭,其为权利主体之能力,即已失去,损害赔偿请求权亦无由
成立,[1]故民法特别规定支出殡葬费[2]之人、扶养权利人均得向加
害人请求损害赔偿(第192条);被害人之父母、子女及配偶,虽非财
产上之损害,亦得请求赔偿相当之金额(第194条)。[3]第192条及
第194条系间接被害人得请求赔偿的特别规定,就理论言,此虽为其
固有之权利,然其权利乃基于侵权行为之规定而发生,自不能不负担
直接被害人之过失,倘直接被害人于损害之发生或扩大与有过失时,

---

〔1〕　1965年台上字第951号判例。参阅王祖宠,"侵害生命赔偿请求权之继承问题",法
　　　　学丛刊,第59期,第72页。

〔2〕　关于殡葬费用,参阅1995年台上字第1626号判决:"查死者家属依习俗,请法师为
　　　　死亡者诵经超度,目前已成为葬礼告别式中所常见,如近年发生之'千岛湖船难'、
　　　　'名古屋空难'皆见法师为亡者诵经祈福,甚至举行诵经法会,此项仪式既已为葬礼
　　　　所常见,已成社会习俗,其支出自为必要之殡葬费用。"(民事裁判书汇编,第20期,
　　　　第190页)。

〔3〕　关于本条的适用,有1995年台上字第2934号判决:"非财产上之损害赔偿请求权,
　　　　因与被害人之人身攸关,具有专属性,不适于让与或继承。第195条第2项规定,身
　　　　体、健康、名誉、自由被侵害而发生之非财产上损害赔偿请求权不得让与或继承,仅
　　　　属例示规定。同法第194条规定之非财产上损害赔偿请求权,亦应作同一解释。惟
　　　　第195条第2项但书规定:以金额赔偿之请求权已依契约承诺、或已起诉者,不在此
　　　　限。基于同一理由,此项但书规定,于第194条之情形,亦有其适用。本件原审并未
　　　　说明被上诉人高吴秋香等4人是否具备上述但书规定之情形,遽谓其被继承人高信
　　　　茂依第194条规定所得行使之非财产上损害赔偿请求权,得由高吴秋相等4人继承
　　　　而共同行使,就此部分为上诉人不利之判决,亦有可议。"法令月刊,第47期,第6
　　　　期,第46页。参阅拙著,"举重明轻,类推适用与衡平原则",民法学说与判例研究,
　　　　(8),第88页。

依公平之原则,亦应有第 217 条过失相抵规定之适用。[1]

须注意的是,被害人死亡前,因身体健康受侵害而生的财产上损害赔偿请求权,系属被害人遗产的范围。又被害人于死亡前就其身体健康被侵害而生的慰抚金请求权已依契约承诺或起诉者,亦得为继承的客体(第 195 条第 2 项)。[2]

第三项　身体权、健康权

> 问题: (1) 甲明知患有爱滋病, 强奸怀孕的乙女, 致胎儿丙亦受感染时, 乙或丙得向甲主张何种权利? 设乙女之夫亦受感染时, 得否向甲请求损害赔偿? (2) 甲预知其有不能生育之虞, 将其精子冷冻储存于乙医院, 乙医院的医师因过失致精子灭失。甲结婚后不能使用精子生育时, 得否主张其"身体"遭受侵害而向乙请求慰抚金?

一、身体权、健康权的侵害

身体权指以保持身体完全为内容的权利, 破坏身体完全, 即构成对身体权的侵害, 如打人耳光、割须断发、面唾他人、强行接吻。

健康权指为保持身体机能为内容的权利, 破坏身体机能, 即构成对健康权的侵害, 包括对肉体及精神的侵害。前者如便当不洁致学童中毒。后者如电话恐吓绑票, 致被害人神经衰弱。健康的反面为疾病, 有无侵害, 应依医学判断之。[3]

---

[1] 1984 年台再字第 182 号判例。
[2] 拙著,"侵害生命权之损害赔偿",民法学说与判例研究,(4),第 275 页。
[3] 在侵权行为法上"健康"概念的界定, 应有研究的价值, 详细的讨论, 参阅 Möller, Rechtsgüterschutz im Umwelt und Haftungsrecht, 1996.

身体与健康皆指身体安全而言，故二者常发生重叠。打人耳光，割须断发仅侵害身体。以电话为绑票恐吓引起神经衰弱，仅侵害健康。强奸妇女传染恶疾则同时构成对身体、健康的侵害。被害人遭遇车祸，自机车后座被弹起摔下，致受有复杂性右胫骨及肋骨骨折、硬脑膜上血肿及因脑挫伤两眼视神经萎缩，导致失明，亦属同时侵害他人的身体、健康。

不法侵害他人身体或健康者，除适用损害赔偿一般原则外，对于被害人因此丧失或减少劳动能力，或增加生活上之需要（如换装义肢），亦应负损害赔偿责任。此项损害赔偿，法院得依当事人之声请，定为支付定期金，但须命加害人提出担保（第193条）。

二、出生前的侵害

第7条规定："胎儿以将来非死产者为限，关于其个人利益之保护，视为既已出生。"就继承权言，第1166条规定："胎儿为继承人时，非保留其应继分，他继承人不得分割遗产。胎儿关于遗产之分割，以其母为代理人。"就侵权行为言，胎儿亦属第184条所称之"他人"。侵害事由究发生于受胎前或受胎后，均非所问。例如某妇女怀孕前在某医院输血感染恶疾，因怀孕而传染胎儿时，该胎儿于出生前亦得以身体或健康受侵害为理由，由其母为法定代理人，向医院请求损害赔偿。[1]

三、Shock Cases

Shock Cases（惊骇案件）是比较法上的热门问题，但在台湾地区实务上尚无类似案件。其典型情形为：甲因故意或过失不法侵害乙（死亡或重伤），丙目睹或耳闻其事，因受惊骇（shock）致精神崩溃、流产或心脏病发作。在此情形，丙的健康所受侵害虽属间接，但仍得成立侵权行为。问题在于应受保护之人的范围及其要件，例如应如何考量丙与乙的关系（父母、子女、配偶、未婚妻、

---

[1]　关于"对未出生者的保护"，参阅拙著，民法学说与判例研究，(4)，第241页。

路人)？应否区别乙究系死亡或受伤？须否斟酌被害人丙究系目睹
其事，或事后获知等因素而为不同的处理？在侵权行为法上此乃相
当因果关系的问题，俟于相关部分再为详论。

四、与身体分离部分在侵权行为法上的保护

身体的部分，如头发、牙齿、血液、器官等与身体分离时，即
成为物，并属动产，其所有权属于身体的主体者，但得因让与而归
属他人，或因抛弃而为无主物，由他人先占而取得之（第 802
条）。侵害此种与身体分离的部分，得构成对他人所有权的侵害。
值得注意的是，由于医学科技进步，产生特殊问题，兹各举德国法
及美国法上乙则相关案例加以说明：

（一）德国法上的储存精子灭失案件（Vernichtung von Sperma）

在 BGHZ 124, 52 乙案，[1] 某甲预见有不能生育的可能性，乃
将其精子冷冻储存某乙大学附属医院。其后甲结婚，欲取用精子
时，获知因乙医院过失致其储存的精子遭致灭失，乃向乙请求
25 000马克的慰抚金。下级和原审法院均否认甲的请求权，德国联
邦法院则肯定乙系侵害甲的身体。鉴于此类案例的特殊性，摘录其
基本论点如下：

依德国目前尚有争论，但多数有力的见解，身体的部分一旦与
身体分离，即成为物，由身体权转为对分离身体部分之物的所有
权。依此见解，关于原告精子的灭失，非属对身体的侵害，无德国
民法第 847 条的慰抚金请求权。惟此项观察过于狭隘。身体权乃法
律特别形成的部分人格权。德国民法第 823 条第 1 项的保护客体不
是物质，而是人格的存在及其自主决定领域，实质化于身体的状态
之上，并以人的身体作为人格的基础加以保护。鉴于现代医学科技

---

[1] 关于本件判决的评释，参阅 Schnorbus, Schmerzensgeld wegen schuldhafter
Vernichtung von Sperma, JuS 1994, 830; Rohe, JZ 1994, 465; Taupitz, Der delik-
tsrechtliche Schutz des menschlichen Köpers und seiner Teile, NJW1995, 745.

所提供的可能性，基于一般人格权而生之对身体法益的自主权更具有意义。科学的进步使身体的部分得与身体分离，其后再予接合，如用于自我移植的皮肤或骨骼部分，为受胎而割取的卵细胞及输血等。若身体部分的分割，依权利主体者的意思系为保持身体功能，或其后将再与身体结合时，则为保护权利主体者的自主决定权与身体本身，从法律规范目的言，应认为此项身体部分在其与身体分离期间，乃构成功能上的一体性。对此种分离身体部分的侵害，应认系对身体的侵害。在本件，精子的储存旨在生育繁殖，一方面与身体终局分离，他方面又将用于实践权利主体者生育的身体机能。是精子的储存实乃已丧失生育能力的代替，对于权利主体者身体的完整性及其所涉及之人的自主决定与自我实现，就其份量及内容言，实不亚于卵细胞之于妇女受孕生育的功能。侵害为受胎而分离的卵细胞，应认系侵害该妇女的身体，在本件，乙医院因过失致甲储存的的精子灭失，亦应认符合德国民法第 847 条的要件，原告得以身体权受侵害为理由请求慰抚金。此项侵害使原告丧失与其妻生育，同有子女的唯一机会，其情事堪称严重，原告请求赔偿 25 000 马克尚称适当。

（二）美国法上 Moore v. Regents of the University of California (1990) [1]

在 Moore v. Regents of the University of California (1990)乙案,原告 John Moore 因罹患血癌到加利福尼亚州大学(UCLA)医学中心接受治疗,主治医师 Golde 氏建议原告进行脾脏切除手术,以避免生命危险,原告同意并签署"脾脏切除手术同意书"。Golde 事先安排取

---

[1] 关于本件判决，参阅 Prosser, Wade and Schwartz, Torts, p. 82, 190。陈文吟，"探讨美国 Moore v. Regents of the University of California 对生化科技之影响"，智慧财产权与国际私法，曾陈明汝教授六秩诞辰祝寿论文集，1997，第 220 页。Taupitz, Wem Gebüht der Schatz im menschlichen Körper? AcP 191 (1991), 201.

得原告的部分脾脏组织,从事与治疗原告无关的研究工作,并未将此事实告知原告。手术后原告遵从 Golde 指示,多次回到 UCLA 接受追踪检查,Golde 每次均为其抽取血液、血清、骨髓等样本,确立了 T 淋巴细胞的细胞系,UCLA 据该细胞取得专利,并包括数种制造淋巴腺的方法,开发作为商业用途。Moore 在知悉 Golde 等人利用其体内细胞进行研究并取得专利,获利甚巨后,对 Golde、UCLA 及专利被授权人,以多项诉因提起诉讼。原审法院准许被告的异议。原告提起上诉,高等法院废弃原判决。最高法院重审该案,维持高等法院部分见解。加利福尼亚州最高法院分别就 conversion"强占"及"违反说明告知义务"(informed consent)二项争点作成判决:

1. 细胞所有权的归属及 conversion (强占)[1]。原告主张对自身的细胞拥有所有权,且该所有权不因细胞切除、与人体分离而消灭,因此有权决定切除后的细胞用途。被告未徵得其同意,擅自取用其细胞从事有经济利益的医学研究,显已构成 conversion (强占)。原告主张对因其细胞或细胞系列专利所衍生的一切成果,享有财产上的权益。conversion 侵权行为的成立须以原告对该标的物有所有权或占有权为要件。关于此点,加利福尼亚州最高法院否定原告的主张,其主要理由之一,系过去从未有司法案例认定患者对已切除的细胞等部分享有任何权利。倘若采肯定立场,将加诸医学研究人员过重的负担,于每次研究时,均须多方查证研究标的物的来源是否经合法同意取得,阻碍医学研究的发展。

2. 医生的告知义务。原告主张主治医师 Golde 氏未事先告知其切除细胞之经济价值及从事的研究工作,违反忠实义务暨取得同意前的告知义务。对于此点,加利福尼亚州最高法院提出三项原则:

---

[1] 关于 conversion 侵权行为 (tort),参阅 Salmond and Heuston, Law of Torts, p. 97f.; Prosser and Keeton, Torts, p. 86f. 比较法上深入的论述, Huber, Eigentumschutz durch Deliktsrecht, 62RabelsZ, 58 (1998).

（1）心智健全的成人有权利决定是否接受医疗。（2）患者有效的同意必须建立在有事先告知的前提下。（3）医生在取得患者的同意时，须尽忠实义务，告知所有足以影响患者决定的事实。根据此项原则，法院认为医生应将关乎患者健康事项一并告知，包括医生个人的研究或经济利益，因为此等事项可能影响医生个人的医疗诊断，医生未为此项告知时，应构成侵权行为，负损害赔偿责任。

上揭德国及美国法上二则案件的最大启示，在于医学科技对法律的影响及其产生的问题意识。在台湾地区法上，身体的部分一旦与身体分离，即成为物，并属动产，原则上应归属于身体的主体者，冷冻的精子如此，切除的细胞亦不例外，在法令限制内得由所有人处分之，[1]或为让与，或为抛弃（而由他人先占取得之）。在精子灭失案件，德国联邦法院认系侵害身体权，将"身体"扩大包括与身体分离，但仍将再为结合的部分，涉及传统的概念及"人"与"物"的区别，自有争议；但其强调权利主体者的自主决定得及于已分离的身体部分，则值深思。在 Moore v. Regents of the University of California 乙案，美国加利福尼亚州最高法院亦从病患自主权的观点，肯定医生的告知义务应扩张及于无营利的研究、有营利的研发暨专利取得等因医疗行为衍生的其他事项。此二者涉及科技伦理及法律，在此难以详论，所应强调的是，人格的自主决定在一定的要件下应延长存在于与身体分离的部分，而予以适当必要的保护。[2]

第四项　名　誉　权

问题：在某县县长选举竞选活动期间，甲候选人以传

---

〔1〕　参阅"医疗法"第47条，同法施行细则第43条；"人体器官移植条例"第73条，同法施行细则第9条。

〔2〕　参阅 Brobm, Humanbiotechnik, Eigentum und Menschenwürde, JuS 1998, 197.

单图画影射乙候选人与丙女同居生子，私德不修。实则乙与丙结婚，惟未办理登记，甲明知或因过失不知其事。试问：（1）甲是否侵害乙的名誉？（2）甲得否主张其行为合于现代政治竞选活动，而不具违法性？名誉保护与言论自由应如何加以调和？（3）乙得向甲主张何种权利？乙于诉讼中死亡，丙继承时，对乙请求回复名誉的适当处分，法院应如何判决？

一、1993 年台上字第 200 号判决：[1] 花心县长候选人

第 195 条将名誉列于身体、健康之后加以保护，并规定被害人得请求慰抚金及回复名誉适当处分，足见对名誉权的重视。名誉保护与言论自由关系密切，前者系个人的第二生命，后者为民主社会的基石，二者必须调和，期能兼顾。1993 年台上字第 200 号判决提出若干具有启示性的论点，属侵害名誉的典型案例，特以之作为讨论的基础。[2]

在本件，某甲与某乙同为某县县长候选人，因双方竞争激烈，某甲亲自署名，印发竞选传单，说明某乙已有配偶仍与丙女同居，以文字及图画记载"花心博士，秘辛大公开，只见新人笑，不见旧人哭，惊人内幕……"等语，攻击某乙。事实上某乙已与元配离婚，相隔 2 年始与丙女结婚，因居住日本，未向台湾地区户政机关办理结婚登记。乙主张甲不法侵害其名誉，请求损害赔偿。乙于诉讼中死亡，由其妻丙及子女承继其法律关系。原审及终审法院判决原告胜诉，并提出如下二点法律见解：

---

[1] 民事裁判书汇编，第 11 期，第 90 页。
[2] 关于名誉权的保护，参阅法治斌，"论美国妨害名誉法制之宪法意义"，政大法学评论，第 33 期，第 82 页；杨敦和，"论妨害名誉之民事责任"，辅仁法学，第 3 期，第 127 页；律师杂志，第 221 期（1998. 2 月号）第 12 页以下关于名誉权的当月主题相关论文。

1. 某甲未经查证，即印发不实之竞选传单，指摘某乙为花心博士，只见新人笑，不见旧人哭，影射其有婚外情，纵某乙为县长候选人，其私德并非与公益无关，惟某甲就足以毁损某乙名誉之事散布于众，对于发生侵害某乙名誉之结果，不能谓非具有故意，复不能证明其所诽谤之事为真实，即难认有免责之事由存在。被害人得依第 195 条规定请求某甲赔偿非财产上之损害。某甲抗辩对某乙操守之质疑，合于现代政治竞选实情，与一般单纯攻讦他人隐私之行为有关，即不必负损害赔偿责任等词，非有理由。

2. 按名誉权为人格权之一种，因人格权被侵害所生非财产上损害赔偿请求权，因与被害人之人身攸关，具有专属性，性质上，其债权不适于让与或继承。倘上开请求权应以金额赔偿，而已依契约承诺或已起诉者，因其债之关系已变更为单纯的金额给付，依第 195 条第 2 项但书规定，固得让与或继承。惟非以金额为赔偿之请求权，则纵经承诺或已起诉，因其性质仍属人格权，不在得让与或继承之列。请求被告在报纸刊登道歉启事，既与请求金额给付之赔偿无关，纵经某乙生前起诉请求，尚不得依继承或侵权行为之法律关系请求被告刊登道歉启事。

二、侵害名誉的民事责任与刑事责任

本件被上诉人因诽谤罪被判处罚金确定在案。"刑法"第 310 条第 1 项规定："意图散布于众，而指摘或传述足以毁损他人名誉之事者，为诽谤罪，处 1 年以下有期徒刑、拘役或 500 元以下罚金。"同条第 3 项规定："对于所毁谤之事，能证明其为真实者，不罚，但涉于私德而与公共利益无关者，不在此限。"刑法诽谤罪的成立，须行为人主观上有诽谤故意与散布于众之不法意图。[1] 民法上侵害名誉兼括故意或过失，本件被上诉人具有故意，得同时成

---

[1] 林山田，刑法各罪论，1995，第 613 页以下。

立侵害名誉的民事责任与刑事责任。[1] 须注意的是，"刑法"第310条规定系"民法"第184条第2项所称"保护他人之法律"。又"刑法"第310条第3项及第311条所定不罚情形，亦构成侵权行为的违法阻却事由。

三、名誉的侵害与违法阻却

（一）名誉的侵害

1. 名誉的意义。在本件，法院认定某甲侵害某乙的名誉。名誉系人在社会上评价，通常指其人格在社会生活上所受的尊重。人之受社会上评价，尚包括经济生活上的可信赖性或给付能力，关于此种经济上信用的保护，德国民法第824条设有规定："违反真实而主张或传播其事实，足以危害他人信用，对他人营业或生计造成其他不利益时，纵不知其非系真实，但应知之者，对所生损害，亦应负赔偿责任。通知有欠真实，为通知人所不知，而通知人或受领人，就通知有正当利益者，不负损害赔偿责任。"台湾地区未设明文，惟实务肯定法人的商誉权。名誉与信用常难区别，互有关连，信用受损，名誉亦通常随之受到妨害。为期兼括，第195条第1项所称名誉应作广义解释，包括信用在内。

2. 侵害名誉及影射。侵害名誉，指以言语、文字、漫画或其他方法贬损他人在社会上的评价，使其受到他人憎恶、蔑视、侮辱、嘲笑、不齿与其来往；不以广布社会为必要，但须有第三人知悉其事。若在密室当面辱骂，无人知悉时，尚不足当之。对名誉权的侵害包括故意与过失，前者如诬指入学考试舞弊，收受红包回扣，[2] 诈欺取得票款；后者如误指某妇女曾为娼妓，某名家贩售膺画。是否构成侵害名誉，不以被害人主观感受为准，应就社会一般人的评价，客观判断之。

---

〔1〕 史尚宽，"论名誉权侵害与诽谤罪"，军法专刊，第2卷，第4期。

〔2〕 1996年台上字第1042号判决（民事裁判书汇编，第24期，第81页）。

名誉的侵害，亦得以影射为之。影射（innuendo），指以间接方法，借着字里行间的意义使他人名誉受到贬损。在本件，被上诉人竞选传单记载"花心博士"，"秘辛大公开"，"只见新人笑，不见旧人哭"等标题文字及图画，系影射的典型。其他情形如指称某素享清誉的人士经常出入某三温暖，而该三温暖为众所皆知之同性恋者的聚会所。在英国有名的 Tolley v. Fry 之案，[1] 被告巧克力公司在其广告中出现某业余高尔夫名家推杆动作，其口袋中露出巧克力，法院认为此属影射原告出售其业余地位而为广告，应构成诽谤。

3. 名誉权的主体及被害人的确定。名誉权的主体，除自然人外，尚包括法人。第 26 条规定："法人于法令限制内，有享受权利、负担义务之能力，但专属于自然人之权利义务，不在此限。"名誉权非专属于自然人，法人亦得享有之。1973 年台上字第 2806 号判例谓："公司系依法组织之法人，其名誉遭受侵害，无精神上痛苦之可言，登报道歉已足回复其名誉，自无依第 195 条第 1 项规定请求精神慰藉金之余地。"[2]

原告须系名誉被侵害之人，指名骂人时，该被骂之人即为被害人。在本件，虽未指名被害人，但依其竞选传单内容，可资确定。所谓团体诽谤（group defamation），[3] 为避免责任泛滥及不当限制言论自由，其被害人如何认定，不无困难。例如指称律师皆讼棍，医师皆庸医，政府官员皆贪吏，和尚多不守清规时，被害人难以认定。惟若其范围较小，依其内容可合理认定系指该团体中之特定人时，则被害人可得确定，如诬指某村的律师为讼棍，而该村的律师仅某甲 1 人；诬指某离岛医师为庸医，而该离岛医生仅乙、丙 2

---

〔1〕　[1931] A. C. 333; J. G. Fleming, The Law of Torts, p. 605.

〔2〕　林永颂，"法人名誉遭受侵害，可否请求非财产上之损害赔偿"，万国法律，第 51 期，第 7 页。

〔3〕　关于 group defamation, J. G. Fleming, The Law of Torts, p. 535.

人；诬指某县政府科室官员贪污，而该科室官员为丁、戊、庚3人；诬指某山寺庙和尚，皆不守清规，该山仅有某庙，住有和尚4人。

4. **违法阻却事由**。本件发生于县长竞选期间，事属政治活动，关乎言论自由。法院判决理由谓：纵某乙为县长候选人，其私德并非与公益无关。惟某甲就足以毁损名誉之事，散布于众，对于侵害某乙名誉之结果，难谓非具有故意，复不能证明其所诽谤之事实为真实，即难认有免责之事由存在。所谓免责之事由，指违法阻却事由，上开判决理由所指的乃"刑法"第310条第3项规定。又依"刑法"第311条规定："以善意发表言论，而有下列情形之一者，不罚：（1）因自卫、自辩或保护合法之利益者。（2）公务员因职务而报告者。（3）对于可受公评之事，而为适当之评论者。（4）对于政府之会议或法院或公众集会之记事，而为适当之载述者。"上开刑法规定旨在折衷保护名誉及言论自由。名誉系属开放概念，其侵害是否构成不法，应依利益权衡加以判断，基于法律秩序的统一性，上开刑法规定亦应列入，就个案加以认定。本件乃涉及公职竞选，候选人私德与公益有关，固得受善意的适当评论，但不能故意散布不真实之事实贬损他人名誉，法院见解，自值赞同。

四、救济方法

（一）保护请求权

名誉权既属人格权之一种，受侵害时，被害人得请求除去其侵害，有受侵害之虞时，得请求防止之。故在本件，被害人得请求加害人收回其诋毁名誉的竞选传单，并禁止其印刷传播。

（二）损害赔偿请求权

1. **慰抚金**。名誉受侵害时，被害人得请求财产上的损害赔偿。例如诬指某护士患有爱滋病，被害人得请求被解雇的损失；食品公司被诬指用死猪肉制造贡丸，得以商誉受侵害请求赔偿减损的营业收入。虽非财产上损害，被害人（自然人）亦得请求赔偿相当之金额（慰抚金）。在本件，原审斟酌被害人艰辛获得之学术与社会地位，认以 150 元为相当，系属高额赔偿。此项慰抚金请求权业已起诉，得为继承（第 195 条第 2 项）。

2. 回复名誉之适当处分。第 195 条第 1 项规定，其名誉被侵害者，并得请求为回复名誉之适当处分，如登报道歉启事。[1] 原审及终审法院均认为此项请求权系非以金额为赔偿的请求权，因与人身攸关，具有专属性，纵经承认或已起诉，因其性质仍属人格权，不得让与或继承。惟必须特别指出的是，登报道歉启事系回复名誉的适当处分，对于保护名誉权至属重要。依上揭实务上见解，此项救济方法却最受限制，被害人于诉讼中死亡时，其名誉即难依适当处分予以回复。鉴于此项请求权的专属性已因起诉而解除，其内容不以金额为赔偿标的，但性质上仍属债权，应从宽解释，得由其继承人行使之，期能适当回复被害人的名誉，维护人之尊严。[2]

第五项　自　由　权

问题：（1）商店主人怀疑某顾客窃取物品而加以留置，加以检查时，如何认定其构成对自由的侵害？侵害自由是否包括诈欺？（2）公职人员竞选期间，甲登台为某候选人助选，乙切断电源，迫甲中断演讲时，是否构成侵害甲的言论"自由"，而有第 195 条的适用？

---

[1] 几代通着（庄柏林译），"对侵害名誉者命道歉启事之判决"，法学丛刊，第 15 期，第 98 页。

[2] 关于人之尊严，大法官释字第 372 号解释谓："维护人格尊严与人身安全，为保障人民自由之基本理念"，应使之扩散于私法的解释适用。此涉及基本人权第三人效力理论，参阅拙著，"基本权利与私法"，大法官"释宪"50 周年论文集，1998 年，第 53 页。

不自由，毋宁死，古有名言。自由是受基本法所保障的基本人权（第8条、第10条以下）。侵害他人自由，在刑法上构成犯罪（"刑法"第296条以下）。第17条规定："自由不得抛弃。自由之限制，以不背于公共秩序或善良风俗者为限。"第195条明定自由为一种人格上的权利。此种受侵权行为法保护的自由，除行动的自由外，是否尚包括所谓"精神的自由"在内，尚有争议，[1]分述如下：

一、身体行动自由

身体行动自由指身体的行动受不法的拘束或妨碍而言。侵害行动自由的情形，如拘禁立法委员于狗笼，使其不能离去；夺去入浴妇女的衣服，使其无法行动；强迫女友夜游，使其欲罢不能；计程车司机不让乘客下车，使其受困车内；置人于小舟漂流汪洋，使其难以脱身。侵害的方式得为直接强制（强奸妇女），或未使用强制力而以间接方法（如诬告他人致遭逮捕）。身体行动自由的剥夺，以无合理的方法可以离去为要件，如房门被锁，但可由窗户逃出时，尚不构成侵害自由；惟由高楼窗户逃出，有受伤或死亡之虞时，不能要求被害人冒此危险，乃属当然。侵害自由，多出于故意，出于过失的亦可成立，如百货公司提早打烊，因疏于注意而将顾客锁在地下室。至于因车祸而受困于车阵，动弹不得时，因得即时离车而去，并不构成对行动自由的侵害。

侵害他人行动自由须否以被害人知其自由被拘束或妨碍为要

---

〔1〕 德国通说对民法第823条第1项所称自由（Freiheit）作狭义解释，指身体行动自由（Körperliche Bewegungsfreiheit），即离开特定地点的可能性，相当于英美法上的 False Imprisonment（不法监禁，限于故意）。关于德国法，参阅 Esser / Weyers, Schuldrecht, Bd II, Besonderer Teil, S. 459; Fikentscher, Schuldrecht, S. 731; Larenz / Canaris, Schuldrecht, II/2, S. 385. 不同见解，Eckert, Der Begriff Freiheit im Recht der unerlaubte Handlung, JuS 1994, 625. 关于英国法，参阅 Winfield and Jolowicz, Tort, pp. 63-75; 美国法，Epstein, Cases and Materials on Torts, pp. 1007-1018.

件？关于此点，应采否定说，故对睡眠者锁其门窗不使觉醒外出；将精神病患囚禁于山洞，均属侵害他人的自由。

商店主人留置有窃盗嫌疑的顾客，甚属常见，为兼顾人身自由及所有权的保护，应认为商店主人有正当理由相信某顾客窃盗物品时，得以合理的方式，在合理的时间限制其行动，而为合理的检查。受怀疑的顾客通常会接受检查，惟究系出于同意，抑或受不合理的强制拘束而构成侵害自由，应就个案认定之，自不待言。[1]

二、精神的自由

台湾地区学说对"自由"有采广义解释，认为除身体自由外，尚包括精神的自由，至其范围，有认为指诈欺、胁迫等而言；[2]有认为妨害信教自由、言论自由、投票自由、契约订立自由均足成立侵害自由权。[3]在实务方面，1978年度第13次民庭庭推总会议决定事项："1974年度第2次民庭庭推总会议议案（二）之决议所谓：'因受诈欺而为之买卖，在经依法撤销前，并非无效之法律行为，出卖人交付货物而获有请求给付价金之债权，如其财产总额并未因此减少，即无受损害之可言，即不能主张买受人成立侵权行为而对之请求损害赔偿…。'旨在阐明侵权行为以实际受有损害为其成立要件。非谓类此事件，在经依法撤销前，当事人纵已受有实际损害，亦不得依侵权行为法则请求损害赔偿。"其所谓依侵权行为法则，究系适用第184条第1项前段，认为诈欺亦构成侵害自由，抑或适用同条第1项后段，未臻明确。值得注意的是，1992年度台上字第200号判决略谓："惟查所谓侵害他人之自由，并不以剥

---

[1] 美国法上的案例甚多，参阅 Epstein, Cases and Materials on Torts, p. 1007（1012），尤其是关于 Coblyn v. Kennedy's Inc.（359 Mass. 319, 268 N. E. 2d 860（1971）案件的评论。

[2] 郑玉波，民法债编总论，第149页。

[3] 史尚宽，债法总论，第143页；孙森焱，民法债编总论，第169页。

夺他人之行动或限制其行动自由为限，即以强暴、胁迫之方法，影响他人之意思决定，或对其身心加以威胁，使生危害，亦包括在内。故于凌晨持枪于理发厅准备绑架女理发师，经报警及时赶到未能得逞时，被害人亦得以自由被侵害而请求慰抚金。"[1]

据上开关于绑架未遂案件的判决可知，扩张解释侵害他人之自由的主要目的，在于使被害人就其精神上的损害亦得请求慰抚金，旨在强化对人格权的保护。此在民法将慰抚金请求权限定于若干列举的人格利益受侵害的情形，具有意义。惟过分扩大自由的概念及于所谓信教自由、投票自由、言论自由等，使侵害他人之自由成为一个概括条款，其保护范畴难以认定，亦值商榷。依修正草案第195条第1项规定："不法侵害他人之身体、健康、名誉、自由、信用、隐私、贞操或不法侵害其他人格法益而情节重大者，被害人虽非财产上之损害，亦得请求赔偿相当之金额。"此之所谓其他人格法益系指一般人格权而言，"意思决定自由"可纳入其他人格权，俾作较具弹性适当的保护。

第六项　姓　名　权

问题：试说明第 19 条的规范意义。请求损害赔偿，须否以加害人有故意或过失为要件？本条是否为关于慰抚金的特别规定？

一、姓名权的意义

姓名权系使用自己姓名的权利。人的姓名旨在区别人己，彰显

---

〔1〕 民事裁判书汇编，第 10 期，第 85 页。关于本件判决的评释，詹森林："自由权之侵害与非财产上之损害赔偿—1992 年台上字第 2462 号民事判决之研究（上）（下）"，万国法律，第 69 期第 2 页，1993 年 6 月；第 70 期第 8 页，1993 年 8 月。

个别性及同一性，并具有定名分、止纠纷的秩序规范功能。诚如歌德所云，姓名系个人最美好、最有力的代表。德国民法虽未以明文承认一般人格权，但对姓名权特设规定。[1] 台湾地区第 19 条规定："姓名权受侵害者，得请求法院除去其侵害，并得请求损害赔偿。"亦明定姓名权为人格权之一种。

姓名就其狭义而言，指"姓名条例"第 1 条规定以户籍登记的姓名（"姓名条例"第 1 条），是为强制姓名。[2] 惟第 19 条姓名权的保护客体应作广义的解释，包括由个人自己选定并得随时变更的字、别号、艺名、笔名、简称等在内。关于姓名条例的姓名的更改，大法官释字第 399 号谓："姓名权为人格权之一种，人之姓名为其人格之表现，故如何命名为人民之自由，应为'宪法'第 22 条所保障。'姓名条例'第 6 条第 1 项第 6 款规定命名文字字义粗俗不雅或有特殊原因经主管机关认定者，得申请改名。是有无申请改名之特殊原因，由主管机关于受理个别案件时，就具体事实认定之。姓名文字与读音会意有不可分之关系，读音会意不雅，自属上开法条所称得申请改名之特殊原因之一。"此项解释肯定第 22 条所谓"其他自由及权利"包括人格权，并强调人之姓名为其人格之表现，具有意义。

"民法"第 19 条系规定自然人的姓名权，惟应扩张其保护范

---

[1] 德国民法第 12 条规定："有权使用某一姓名者，因他人无权使用或妨害该姓名之使用权，致受有损害时，得请求除去之。有妨害使用之虞时，得请求防止侵害。"
[2] 关于姓名的取得、变更、丧失，参阅第 1000 条、1059 条及姓名条例（制定于 1954 年，共 10 条，阅读之）

畴而类推适用于法人（社团及财团）、非法人团体及商号。[1]"公司法"（第18条），[2]"商业登记法"（第28条）、"商标法"（第37条第11款）有特别规定时，应优先适用之。[3]

二、姓名权的侵害

姓名权的侵害，指侵害他人使用姓名的权利，其主要情形有：

1. 干涉他人自己决定姓名：如强迫名歌星变更其艺名。

2. 盗用他人姓名：即擅以他人名义而为某种活动，如自称为某人之子而推销物品；擅以他人姓名为推荐自己的书，或为自己的书作序。

3. 冒用他人姓名：此类侵害颇为常见，如夫的情妇与夫同宿旅馆，而于名簿填写妻名，应认系对妻姓名权的侵害。[4] 1982年度台上字第1313号判决谓："'妇友'与'妇一友'，一为二字，一为三字，但能使人误认，其系属类似之名称，要堪认定。妇友公

---

〔1〕 参照1931年上字第2401号判例："1已经注册之商号，如有他人冒用或故用类似之商号，为不正之竞争者，该号商人得禁止其使用。2所谓商号之类似者，原指具有普通知识之商品，购买人施以普通所用之注意，犹有误认之虞者而言。"又须注意的是，实务上认为独资之商号性质上与人之姓名权同属人格权，乃从属于人格之权利，系属专属权，不得为强制执行之标的（1993年秘台厅民二字第02537号函，民事法令释示汇编，1994年6月，第806页）。

〔2〕 关于公司名称专用权，司法业务研究会第3期，作有研讨意见，可资参阅（民事法律问题研究（2），第105页以下）。

〔3〕 行政法院1986年判字第337号判决谓："法人或商号团体之名称，须系依法律登记者，始有受保护之权利可言，其非依法律或法律授权制定之行政命令所为登记之英文名称，应不包括在内。按'商标法'第37条第1项第11款前段规定，商标图样有他人之肖像、法人及其他团体或全国著名之商号名称或姓名，未得其承诺者，不得申请注册，其立法意旨，乃在保护他人之肖像权、姓名权、著名之商号权、法人及其他团体之名称权。此项法人或商号团体之名称，须系依法律登记者，始有受保护之权利可言。其非依法律或法律授权制定之行政命令所为登记之英文名称，应不包括在内。"（行政法院裁判要旨汇编，第6辑，第631页），可资参照。

〔4〕 史尚宽，债法总论，第149页。

司依'公司法'第18条规定，请求'妇一友'公司不得使用'妇一友'之名称，即非无据。"盗用或冒用他人姓名是否构成侵害，应以"混淆危险"为判断标准，其无混用误认危险的，如数人合法取得同一姓名，原则上固不构成姓名权的侵害，但有混淆误认之虞（如与某闻人同姓同名之人，为他人之书作序或题字等），而故意未作必要的表示时，仍得构成对他人姓名权的侵害。[1]

4. 对他人姓名权的不当使用：如以他人的姓名称呼家中饲养的宠物；以某名女人的姓名作为应召站名称；将他人的姓名为不当的发音（如江居士读为或写为将去死）。

三、被害人的救济方法

第19条规定，姓名权受侵害者，得请求法院除去其侵害，并得请求损害赔偿。立法理由书谓："姓名权者，因区别人己而存人格权之一也。"姓名权既属人格权的一种，应适用第18条第1项规定："人格权受侵害时，得请求法院除去其侵害；有受侵害之虞时，得请求防止。"此种不作为请求权，以客观上违法侵害姓名权为已足，加害人有无故意或过失，则非所问。至侵害除去的方法，因侵害态样而不同，在妨害他人使用姓名的情形，姓名权人得请求勿加干涉，任自己自由使用；在盗用、冒用、或不当使用的情形，

---

〔1〕 关于侵害姓名权，实务上有二则案例，可供参照：（1）1981年法律字第10934号函释："查第19条规定之姓名权受侵害，系指冒用他人姓名或不当使用他人姓名而言。私人著作引用他人真实姓名，似非侵害姓名权，且与'宪法'第23条及'民法'第148条无涉。"行政解释汇编，第1册（1992年）第73页。（2）1992年台上字第931号判决："依'出版法'第4条第6项规定，出版品所登载广告，以委托登载人为著作人；如委托登载人不明者，以发行人为著作人。本件如其调查之途已穷，而仍无法查明委托登载人为何人，依上开规定，似应以被上诉人之发行人杨选堂为著作人。果尔，上诉人主张被上诉人应负侵犯其姓名权之责任，而得请求被上诉人刊登本件确定判决（当事人、案由、主文及理由栏）及道歉启事，以除去其侵害，是否毫无足取，即有研求余地。"（民事裁判书汇编，第8期，第100页）。

得请求中止之，如取下冒名行医的招牌、销毁行骗的名片等。

第19条所谓姓名权受侵害时，得请求损害赔偿，适用上尚有争议。与第18条第2项对照之，其所谓损害赔偿，似指财产上损害赔偿。惟人格权受侵害时，本得依第184条第1项前段及第213条规定请求财产上的损害赔偿，第19条的规定不具实质意义。1961年度台上字第1114号判例谓："受精神之损害得请求赔偿者，法律皆有特别规定，如第18条、第19条、第194条、第195条、第979条、第999条等是…。"肯定姓名权受侵害者，亦得请求慰抚金，似将所谓损害赔偿解释为非财产损害赔偿。此项判例在结论上固值赞同，但于第19条的文义及体系究有未合，修正草案第195条第1项未将姓名权列入，实值商榷。被害人依第19条规定请求损害赔偿时，学说上有强调姓名权的侵害人应负担无过失损害赔偿责任。[1] 本书则认仍须以故意或过失为要件，其理由有二：（1）第19条非属独立的请求权基础，侵害姓名权的成立侵权行为仍应具备第184条的要件。（2）生命、身体、健康、自由、名誉等人格权的重要性不亚于姓名权，前者的侵害既须以加害人的故意或过失为要件，后者若采无过失责任，人格权益的保护将失其平衡。

第七项 信 用 权

问题：试说明名誉与信用的关系及区别。信用权被侵害时，被害人得否请求慰抚金？是否因自然人或法人而有不同？

一、信用权的意义

信用权指以经济活动上的可靠性及支付能力为内容的权利，又

---

[1] 史尚宽，民法总论，第68页；洪逊欣，中国民法总则，第103页。

称为经济上信誉权。其与名誉权的区别在于前者系经济上的评价，后者为社会上的评价。二者有时难以明确区分，侵害他人信用的，得构成对名誉的侵害，如不实散布某人赌博负债累累，业已潜逃出境。惟信用权与名誉权的保护范畴究属不同，信用的侵害，不必同时为名誉的侵害，如传播某公司在东南亚某国家的工厂遭内战焚毁，不能继续生产。

台湾地区就名誉权设有规定，关于信用权则无明文，[1] 为使被害人得获赔偿，实务上曾扩张解释名誉权使之包括信用权。[2] 但侵害内容不及于人格上评价的贬损时，难谓构成对名誉权的侵害。为强化对信用权的保护，债编修正第 195 条第 1 项特增列信用，明定其为人格权之一种，使被害人就非财产上损害亦得请求赔偿相当之金额。[3]

二、信用权的侵害

侵害信用权，一般认系指主张或散布不真实的事实，致他人在经济活动上的可靠性或支付能力受到负面的评价。[4] 侵害行为除故意外，尚包括过失，如轻信他人之言，未经查证而为散布。所谓

---

〔1〕 "刑法"第 27 章设有妨害名誉及信用罪，参阅林山田，刑法各罪论，1995 年 9 月初版，第 613 页。

〔2〕 1953 年台上字第 1324 号判决："上诉人既有伪造各该被上诉人之商品专用商标或包装情事，自系不法侵害被害人之商品信誉权，而信誉权为名誉权之一种，依第 195 条第 1 项之规定，纵非财产上之损害，亦得请求赔偿相当之金额。"裁判类编（民事），第 2 册，第 781 页。

〔3〕 德国民法第 824 条规定："违背真实，主张或流布足以危害他人信用或引起其他职业或生计上之损失事实，如其非真实为其所知或应知者，对于该他人应赔偿因此所生之损害。通知人不知其非真实而通知者，如通知人或受通知人，就其通知有正当之利益时，通知人不负赔偿责任。"此项规定虽在保护信用，但并未承认信用权系属一种人格权，其所谓损害赔偿，指财产上损害赔偿，被害人无慰抚金请求权。关于本条的解释适用，参阅 Larenz / Canaris, Schuldrecht Bd. Ⅱ/2, S. 463f.

〔4〕 史尚宽，债法总论，第 147 页。

他人包括自然人及法人，惟必须针对特定人，间接被害人不包括在内，以免因难以预见责任危险而妨害资讯流通。其所主张或散布的须为不真实的事实，如某股商因股票亏损，业已宣告破产；某银行正受挤兑，即将倒闭；某食品公司的牛肉乾混用马肉；某市场摊位的香肠系使用罹患口蹄疫的猪肉等。所主张或传播事实的不真实，应由被害人负举证责任。

三、被害人的救济方法

债编修正第 195 条第 1 项明定信用权为人格权的一种，立法目的在使被害人得就非财产上损害请求慰抚金。信用权系以人在经济上的评价为保护利益，有无精神上痛苦，应就个案审慎认定之。值得注意的是，1973 年台上字第 2806 号判例谓："公司系依法组织之法人，其名誉遭受损害，无精神上痛苦之可言，登报道歉已足回复其名誉，自无依第 195 条第 1 项规定请求精神慰藉金之余地。"准此见解，公司的信用权遭受侵害，既无精神上痛苦可言，亦无请求慰抚金的余地。

第八项　贞操权[1]

贞操权指以性的尊严及自主为内容的权利，男女皆有之，但以女子为重要。台湾地区对贞操未设规定，[2] 实务上常认定侵害贞操亦构成对身体、名誉或自由的侵害，而适用第 195 条规定，使被

---

[1]　马维麟，"'贞操权'观念在现代社会中的重新审视"，月旦法学杂志，第 11 期，第 65 页。贞操权的用语，是否妥当，尚有商榷余地，似可称为性的尊严（？）

[2]　德国民法第 825 条规定："因诈欺胁迫或滥用服从关系使妇女允许为婚姻外之性交者，应负赔偿因此所生损害之义务。"被害人依德国民法第 847 条第 2 项规定得请求慰抚金。关于德国民法第 825 条的解释适用，参阅 Palandt/ Thomas，§825.

害人就非财产上损害亦得请求相当金额的赔偿。[1]惟在此情形，身体、名誉或自由的侵害，系贞操被侵害的结果，乃第二次所引起的现象，[2]为保护性的人格价值，债编修正第 195 条第 1 项特明定贞操系人格权之一种。此种贞操权与夫妻互负的贞操义务不同。违反夫妻互负的贞操义务，构成离婚或别居的理由，[3]并得成立侵权行为，但非属对"贞操权"的侵害。

侵害贞操的主要情形有：（1）强奸妇女；对于妇女乘其心神丧失或其相类之情形，使其不能抗拒；或对于因亲属、监护、教养、救济、公务或业务关系，服从自己监督之人，利用权势而奸淫之；或以诈术使妇女误信为自己配偶而听从其奸淫等（参阅"刑法"第 221 条、第 225 条、第 228 条、第 229 条）。（2）因诈欺（如以将来结婚为饵）或胁迫（如解雇或告发其犯罪），迫使妇女允为性交。

贞操权的侵害，在其违反性的自主，故得依被害人出于本意的允诺而阻却违法。未满 16 岁者所为的允诺无效（参照"刑法"第227 条），仍构成对贞操权的侵害。[4] 16 岁以上的未成年人有识

---

[1]　参阅 1951 年度台上字第 1508 号判决（裁判类编，（民事 1），第 809 页；1957 年度台上字第 1877 号判决，裁判类编（民事 4），第 653 页）。

[2]　史尚宽，债法总论，第 144 页。

[3]　大法官会议释字第 147 号："夫纳妾，违反夫妻互负之贞操义务，在是项行为终止以前，妻主张不履行同居义务，即有第 1001 条但书规定之正当理由；至所谓正当理由，不以与同法第 1052 条所定之离婚原因一致为必要。本院院字第 770 号解释（二）所谓妻请求别居，即系指此项情事而言，非谓提起别居之诉，应予补充解释"。并参阅 1981 年度台上字第 4116 号判决："男女双方之贞操义务，固于订婚后始发生，但庄哲雄于尚未解决渠与黄美玉间之同居关系前，即与李美慧订婚，于性之纯洁及人格、名誉难谓毫无关系，衡之婚约之伦理性、公平性，李美慧主张有足以构成解除婚约之重大事由，因而声明解除婚约，于法洵无不合。"民刑事裁判选辑，第 2 卷，第 4 期，第 230 页。

[4]　实务上侵害贞操多属此种类型，参阅 1951 年度台上字第 1508 号判决；1957 年度台上字第 1877 号判决；1964 年度台上字第 540 号判决。裁判类编，民事法（8），第 64 页。

别能力时，得单独为允诺，不必得法定代理人的同意。法定代理人
之代理不及于性之自主，其允许不能阻却违法性，自不待言。[1]

贞操权既以性的尊严及自主为内容，与传统所谓"贞操"的
意义自有不同，故强奸"娼妓"亦得构成对"贞操"的侵害，至
于被害人已否结婚，是否为处女，更非所问，乃属当然。

第九项 隐 私 权

问题：（1）试说明隐私权的概念及功能，及其与名
誉权的区别。（2）某甲为妓女，曾因犯罪被起诉，但无
罪获释后，改过迁善，从事公益事业，备受敬重。十余年
后，某乙探知其事，使用甲之原名，拍制电影。试就此案
例说明如何调和公众"知之权利"与"隐私权"的冲突。

一、美国法上的 right to privacy

在人格权的个别化过程中，最值得重视的是，债编修正第 195
条第 1 项明定隐私为一种特别人格权。隐私的权利化更进一步扩大
了人格保护的领域，一方面是因为个人人格的自觉，一方面亦由于
科技及大众传播的发展增加了侵害人格尊严的可能性及严重性，有

---

[1] 司法业务研究会第 1 期曾提出乙则法律问题：甲男与乙女为儿时玩伴，隔数年后
两人同在外地就学中相遇，忆儿时情意浓，念旧谊恋情生，终至双双坠入情网，
发生奸淫情事，惜乙女之法定代理人以双方贫富悬殊，不同意其女与甲男来往，
并以未成年之乙女法定代理人身分代理乙女以身体受侵害为由起诉请求甲男给付
慰抚金，有无理由？研讨结论认为；"如乙女系未满 16 岁之未成年人，依第 980
条及'刑法'第 227 条第 1 项规定之意旨观之，乙女之发育未健全，尚难认有同
意性交之能力，而对贞操之侵害，在主观上有以不当性交之认识为已足，在刑法
上既构成妨害风化罪，在民法上则应构成侵权行为。甲之奸淫行为即属对乙女之
身体侵害，故得请求给付慰抚金。反之，如乙女当时已满 16 岁，则应不构成侵权
行为。"（民事法律问题研究（1），第 215 页）

特别加以规范的必要性。关于一个新的权利，最为困难的是如何界定其概念及保护范围。如所周知，隐私（privacy）之作为一种法律概念及权利，乃美国法的产物，"行销"各地，广被继受，台湾地区法亦深受其影响，因此探究美国法上 privacy 的演进，[1] 对于法律的解释适用应具有实益。

1890 年 Samuel D. Warren 氏因不满其家居生活及女儿婚礼被 Boston Papers 详细的报导，侵犯其私生活的平安，乃与其哈佛大学法学院同班同学，曾为律师合夥人的 Louis D. Brandies 氏（其后担任美国最高法院法官）共同在哈佛法律评论上发表 "The Right to Privacy" 乙文，徵引普通法的案例，主张应承认受侵权行为法保护的隐私权，而以不受他人干扰为主要内容。[2] 本文发表于 1890 年，惟直至 20 世纪初始受重视，于 20 年代以后逐渐为各州法院所接受，产生了许多冠以隐私权，但不具共同特征的判决，造成了混乱与争议。1960 年 Prosser 教授在其著名的论文 "Privacy" 中，[3] 对相关案例从事类型分析，归纳为以下四种，认定系属四个不同侵权行为，并纳入由其所主编的美国侵权行为法整编（Restatement of

----

〔1〕 美国法上的资料，参阅 Turkington, Trubow and Allen, Privacy：Cases and Materials, 1992.

〔2〕 The Right to Privacy, 4 Harv. L. Rev. 193. 美国法学家公认此为对美国侵权行为法理论及实务发展最具影响力，最具典范的法学论文。本论文虽以英国普通法的案例为论证的基础，但英国法迄今仍未承认侵害隐私是一个独立的侵权行为。参阅 Winfield, Privacy（1931）47 LQR 23；关于最近发展趋势，Markesinis and Deakin, Tort Law, pp. 605-638.

〔3〕 48 Cal. L. Rev. 383（1960）.

Torts, Second),[1] 而成为通说：[2]

1. 侵扰原告的独居、独自性或私人事务（Intrusion upon the plaintiff's seclusion or solitude, or into his private affairs）：其主要案例如侵入他人家宅、旅馆房间；非法搜索随身行李或购物袋；窃听电话；偷录私人谈话；窥视银行帐户等。

2. 公开揭露使原告难堪的私人事务（public disclosure of embarrassing facts about the plaintiff）。其主要案例如将原告借钱不还之事实，到处张贴海报，使全镇居民知悉；将原告曾为妓女并为谋杀案嫌疑犯的事实，拍成电影。

3. 公开某事故，致原告遭公众误解（publicity which places theplaintiff in a false light in the public eye）：其主要案例如以原告名义，发表低劣的作品；误将原告列入刑事犯罪前科记录。

4. 被告为自己利益未经原告同意，而使用原告的姓名或特征（Appropriation for the defendant's advantage of the plaintiff's name or likeness），此一类型最早出现，其典型案例为拍摄他人照片作为广告。

美国法上隐私权原属侵权行为法的问题，但逐渐提升到宪法基本权利的层次，并以美国宪法增补条文第14条规定的自由及（实体）正当法律程序为依据，用以规范使用避孕药、堕胎、个人生活相关资料的管制等重大争议问题。

---

[1] §652A-652L，参照"司法院"及政大法律研究所合译，美国法律整编，侵权行为法，1986年。

[2] Epstein, Cases and Materials on Torts, Chapter 17, (p. 1197f.)；Franklin and Rabin, Tort Law and Alternatives, The Law of Torts, pp. 601f. 参阅林建中，"隐私权概念初探—从美国法之观点切入"，宪政时代，第23卷，第1期，第53页以下。美国学者对 Prosser 教授所提出四分类的批评，参阅 Bloustein, Privacy as an Aspect of Human Dignity : An Answer to Dean Prosser, 39 N. Y. U. L. Rev. 34 (1967)；W. A. Parent, A New Definition of Privacy for the Law , 2 Law and Philosophy 305 (1983)；Robert C. Post, The Social Foundations of Privacy, Community and Self in the Common Law Tort, 77 Cal. L. Rev. No. 5. 957 (1989).

无论是在侵权行为法或在宪法层次，美国法上的隐私权，均由个案累积而发展，为探讨其本质，界定其概念内容，判例学说曾提出各种理论。[1]独处说认为隐私权是一种保留个人独处不受干扰的权利（the right to let alone）。私密关系自治说认为隐私权的本旨在于保障个人私密关系（intimacy），不受侵害。一般人格权说认为隐私权系在维护人性尊严。资料保留权说认为隐私权在于保护个人相关资讯，而不及于其他与个人无关的利益或领域，此说目的在于使隐私权的概念明确化。由上述可知，美国法上隐私权具有多层面的复杂性及不明确性，涉及宪法及侵权行为法，实难以单一的理论作全面整体的说明。

二、隐私权与"宪法"

基本法规定各种基本人权，但对隐私权未设明文。值得提出的是大法官释字第293号解释谓："'银行法'第48条第2项规定银行对于顾客之存款、放款或汇款等有关资料，除其他法律或主管机关另有规定者外，应保守秘密。"旨在保障银行之一般客户财产上之秘密及防止客户与银行往来资料之任意公开，以维护人民之隐私权，惟公营银行之预算、决算依法应受议会之审议，议会因审议上之必要，就公营银行依规定已属逾期放款中，除收回无望或已报呆帐部分，仍依现行规定处理外，其余部分，有相当理由足认其放款显有不当者，经议会之决议，在银行不透露个别客户姓名及议会不公开有关资料之条件下，要求银行提供该项资料时，为兼顾议会对公营银行之监督，仍应予以提供。[2]

此项解释具有几个重要意义：（1）肯定隐私权是"宪法"上

---

〔1〕　参阅林建中，"隐私权概念初探—从美国法之观点切入"，宪政时代，第23卷，第1期，第59页以下；朱柏松，"隐私权概念之衍变及其损害防止立法之动向"，法学丛刊，第134期，第89页。

〔2〕　参阅美国金融隐私法，财团法人金融徵信中心，Lerche, Bankgeheimnis–Verfassungsrechtliche Rechtsgrundlagen, ZHR 149 (1985), 165.

的权利，属该法第 22 条人民之其他自由及权利，应受法律之保障。
（2）隐私权的保护，并非绝对，为防止妨碍他人自由，避免紧急
危难，维持社会秩序或增进公共利益之必要，得以法律限制之
（"宪法"第 23 条）。现行法律规定应保守秘密的，除上开银行法
以外，尚有"医师法"第 23 条、"所得税法"第 119 条、"乡镇市
调解条例"第 16 条第 2 项等，均涉及人民隐私权，而受"宪法"
的规范。

值得提出的是 1982 律字第 9168 号函释："第 18 条规定之人格
权，系指凡存于权利人自身上之权利，例如生命、身体、自由、名
誉、秘密等权皆属之。其中所谓"秘密权"（即隐私权）者，系就
私生活或工商业所不欲人知之事实有不被他人得知之权利。来函所
述情形，护照乃旅客出入域及在域外持以证明身份之证明文件，旅
客于出入域及办理结汇时均须交付有关人员查验，从而，其上所记
载之护照号码、核发日期、持照人姓名、出生年月日、身份等项，
对'海关'而言，似无隐秘性，将之提供于'海关'，即非不法侵
害持照人之权利，似无违反第 18 条对人格权之保护规定。"此项
函释的重要意义在于认为隐私权是民法上的人格权。人格权乃
"宪法"第 22 条所称其他的自由或权利（参照大法官释字第 293
号）。

三、隐私权在侵权行为法上的保护

民法对于隐私权原未设规定，[1] 惟学说承认所谓的秘密权，
指私生活上或工商业上所不欲人知的事实，有不被他人得知的权
利。[2] 实务上认为秘密权即属隐私权，有乙则法律问题，可供参

---

[1] 依第 184 条第 2 项规定，违反保护他人法律者，应负损害赔偿责任并推定有过失。
刑法关于妨害秘密罪的规定（"刑法"第 315 条至第 319 条，阅读之），系属保护
他人法律。

[2] 史尚宽，债法总论，第 148 页。

考：甲男与乙男素有嫌隙，探悉乙男与丙女感情颇笃，某夜瞥见乙丙，俩相偕进入某旅店房间，竟秘将两人之幽会情节，予以录影后，频对丙女透露上情，丙女不堪其扰，精神痛苦不已，请求甲男赔偿其非财产上损失，有无理由？第一厅研究意见认为："按民法虽未就秘密权（亦称隐私权）设有特别规定，惟秘密权亦属人格权之一种。秘密权旨在保护个人之私生活为其内容，侵害秘密权，固常伴随名誉权亦并受侵害，惟前者重在私生活之不欲人知；后者重在社会评价之低落，两者仍有区别。本题甲男之行为系故意以背于善良风俗之方法加损害于丙女，丙女依第 184 条第 1 项后段规定，请求甲男赔偿其非财产上损失，应予准许。"[1]此项法律见解具有三点意义：（1）认定隐私权与秘密权系属同义。（2）区别隐私权与名誉权的不同。（3）肯定被害人得依第 184 条第 1 项后段规定请求赔偿其非财产上损失。以第 184 条第 1 项后段作为隐私权被侵害时得请求慰抚金的依据，固在加强保护人格权，惟此本非属得为请求权的特别规定，方法论上有待商榷。债编修正第 195 条第 1 项增列隐私权，为慰抚金提供了一个明确的请求权基础，实具意义。又隐私权既为人格权的一种，故在上开法律问题，被害人亦得依第 18 条第 1 项规定请求加害人销毁录影带，以除去其侵害，自不待言。

　　隐私权是人格权分化过程中，"新生的"一种人格权，是一个发展形成中，有待类型化的概念，指个人独处不受干扰，私密不受侵害的权利。如何界定其保护范畴，实属不易，可说是一个法学方法上的问题，一方面须与名誉权、姓名权、肖像权等加以区别，他方面亦须与"其他人格法益"有所间隔。关于隐私权的侵害，Prossor 教授曾提出四种态样，前已论及。在 False light in the public eye 类型中的典型案例，如以年轻貌美女士的照片作为香菸广告；

----

〔1〕 民事法律专题研究（1），第 225 页。

在 appropriation 类型中的典型案例，如以他人姓名发表低俗的诗词，属侵害肖像权或姓名权，不必纳入隐私权的保护范畴。可供参考的是 Intrusion 及 public disclose private life 二个类型，分述如下：

1. 侵入私人独处生活领域：如未经同意对他人谈话录音；窃听电话；在他人房间装设电眼；对他人幽会加以录影；窃视少妇入浴；长期深夜电话干扰他人等。此等侵害行为均具违法性。至于商店或银行装设闭路电视，对顾客加以录影，不具违法性，因此项行为乃在维护所有权，诚实的顾客不因此而受影响，有助于吓阻犯罪，澄清真象。秘密监视他人，如夫自己或雇人跟踪其妻，查探行止，其侵害行为是否具有违法性，则应就个案衡量监视的事由（单纯嫉妒或有正当理由怀疑其妻与人通奸）及被监视的行为而认定之。[1]

2. 公开揭露个人秘密：如擅行出版他人日记；公布他人病历或病史；离婚之夫传播其妻所告知的私事。然而最具伤害性（有时最可憎恶的）的是，媒体报导个人不名誉的陈年旧事。此常涉及隐私权的保护与社会公众"知之权利"的冲突，最难处理。兹就美国法及德国法各举乙例加以说明：

在美国法上 Melvin v. Reid 乙案，[2] 原告更名前曾为娼妓，因谋杀罪嫌而被起诉，但无罪获释。原告改过迁善而嫁入上流社会，获得许多不知其往事人士的友谊。数年后被告将原告的往事拍成电影。原告因被讥笑及遭朋友舍弃，受尽痛苦，而诉请损害赔偿。美国加利福尼亚州最高法院判决原告胜诉，认为在原告从良多年之后，被告拍制电影，并仍使用其名，衡诸任何伦理道德标准，均难谓正当，直接侵害了美国宪法所保障追求幸福之不可侵犯的权利。

---

〔1〕 Larenz/Canaris, Schuldrecht Ⅱ / 2, S. 506.

〔2〕 Melvin v. Reid, 112 Cal. App. 285, 297 P. 91 (1931)；参阅 Epstein, Cases and Materials on Torts p. 1231.

在德国宪法法院 BVerfGE 35，302（犯罪纪录片案件）乙案，声请人曾参与抢劫德国某地弹药库，导致警卫数人死亡，其后被捕，被判处徒刑，正在服刑中。某德国电视公司认为此项犯罪案件具有社会教育意义，拍成纪录影片，探讨作案的过程、罪犯的背景、包括声请人的同性恋倾向。此纪录片显示声请人的相貌，数度提到姓名。声请人即将刑满获释，要求禁止电视公司播放。地方法院和高等法院皆驳回此项禁播的请求，其主要理由为声请人已成为公众人物。德国联邦宪法法院废弃此项判决，以联邦基本法第 2 条第 1 项与第 1 条第 2 项作为依据，命令电视公司停止播放。在其长达数页的判决中，德国联邦宪法法院再三强调人的尊严是宪法体系的核心，人格权为宪法的基石，是一种基本权利。言论自由亦属宪法所保障，某种言论是否侵害人格权，应衡量人格权被侵害的严重性及播放犯罪纪录影集所要达成的目的，就个案审慎地加以衡量。在本案，犯罪事实发生于 20 年前，声请人行将获释，重入社会，开始新的生活，其不受干扰的权利应优先于言论自由而受保护。

四、电脑处理个人资料保护法

个人资料与人格发展具有密切关系，资讯自主已成为隐私权的主要保护范畴，而个人资料的收集与利用多借助电脑。为规范电脑处理个人资料，以避免人格权受侵害，并促进个人资料之合理使用，1995 年 8 月 11 日公布施行"电脑处理个人资料保护法"（以下简称为本法，阅读之），共 6 章，45 条，简介如下：

本法所称个人资料，指自然人之姓名、出生年月日、身份证统一编号、特征、指纹、婚姻、家庭、教育、职业、健康、病历、财务情况、社会活动及其他足资识别该个人之资料。电脑处理系指使用电脑或自动化机器为资料之输入、储存、编辑、更正、检索、删除、输出、传递或其他处理（参照本法第 3 条）。在规范体系，本法区分公务机关之资料处理及非公务机关之资料处理（关于公务机关及非公务机关参阅本法第 3 条第 6、7 款），分别就处理个人资料的限制，为特定目的之利用，个人档案的公告、答覆查询阅览，正确性的维护等相关问题，详设规定，并附有罚则，值得特别提出的是本法第4条规定，当事人（个人资料之本人）就其个人资料得依本法规定行使之下列权利不得预先抛弃或以特约限制之：（1）查询及请求阅览。（2）请求制给复制本。(3) 请求补充或更正。(4) 请求停止电脑处理及利用。(5) 请求删除。关于当事人行使本条所定之权利的救济方法，本法第31条以下设有规定，敬请参照。

关于违反本法规定的损害赔偿，本法分别公务机关及非公务机关设有其规定：

1. 公务机关的无过失赔偿责任：第27条规定："公务机关违反本法规定，致当事人权益受损害者，应负损害赔偿责任。但损害因天灾、事变或其他不可抗力所致者，不在此限。被害人虽非财产上之损害，亦得请求赔偿相当之金额；其名誉被侵害者，并得请求为回复名誉之适当处分。前二项损害赔偿总额，以每人每一事件新台币2万元以上10万元以下计算。但能证明其所受之损害额高于该金额者，不在此限。基于同一原因事实应对当事人负损害赔偿责任者，其合计最高总额以新台币2 000万元为限。第2项请求权，不得让与或继承。但以金额赔偿之请求权已依契约承诺或已起诉者，不在此限。"由此规定可知，公务机关，系负具有一定免责事由的无过失责任。损害赔偿请求权，自请求权人知有损害及赔偿义务人时起，因2年间不行使而消灭；自损害发生时起，逾5年者，亦同（本法第29条）。损害赔偿，除依本法规定外，公务机关适用"国家赔偿法"之规定（本法第30条）。

2. 非公务机关的推定过失责任：本法第28条规定："非公务机关违反本法规定，致当事人权益受损害者，应负损害赔偿责任。但能证明其无故意或过失者，不在此限。依前项规定请求赔偿者，适用前条第2项至第5项之规定。"关于此项损害赔偿请求权的消灭时效，亦适用本法第29条。损害赔偿，除依本法规定外，非公务机关适用"民法"之规定（本法第30条）。

第十项　其他人格权

依债编修正第195条第1项规定，不法侵害身体、健康、名誉、自由、信用、隐私、贞操以外之"其他人格法益而其情节重大者"，被害人就非财产上损害，亦得请求相当金额的赔偿。所谓情节重大，系针对"其他人格法益"受侵害而设的要件，视行为人的故意或过失的程度及所受侵害是否严重而定，避免被害人因轻微事件，动辄请求，趋于浮滥。

所谓其他人格法益，指一般人格权中未经明定为特别人格权（人格利益）的部分，此一概括部分将随着人格自觉、社会进步、侵害的增加而扩大其保护范畴，兹举其重要的，分述如下：

一、著作人格权

著作人格权，指基于著作人就其著作有公开发表、署名及保持著作完整的权利。"著作权法"于1998年修正时设专节详加规定（第15条至第21条），并于第85条明定："侵害著作人格权者，负损害赔偿责任，虽非财产上之损害，亦得请求赔偿相当金额。前项侵害，被害人并得请求表示著作人之姓名或名称、更正内容或为其他回复名誉之适当处分。"此属特别规定，不以侵害情节重大为要件。

二、肖像权

肖像权指以自己肖像的利益为内容的权利，肖像为个人形象及个性的表现，属重要的人格法益之一种，惟第195条第1项（现行规定及修正条文）未予明定。肖像权系个人对其肖像是否公开的自主权利，从而未经他人同意，就其肖像为摄影、写生、非以幽默为目的之漫画陈列、复制，或以肖像作营业广告的，均构成对肖像权的侵害。[1] 至于毁损照片或铜像则系侵害他人所有权。基于人群共处相互容忍的必要，及社会知之利益，肖像权的保护应受限制，阻却违法，[2]如拍摄公众人物（如领导人、议员、运动家、刑事被告等）、参与游行集会，仪式或意外灾变重大事故之人的照片，[3] 或拍摄风景、建筑、街道，而以人物为其点缀。

三、对声音语言的人格利益

声音语言系个人的重要特征，与姓名、肖像同，应属其他人格利益。姓名权最早被肯定，肖像权于照相机发明后，始受重视，声音语言则于因窃听器、录音机的广泛使用而益增其保护的需要，而被承认为一种特别人格权（Das Recht zum gesprochenen Wort），[4]

---

[1] 德国铁血宰相俾斯麦（Bismarck）逝世后，有 2 名记者潜入屋内，拍摄尸体照片，引起诉讼，德国帝国法院判决 RGZ 45, 170（1899）禁止被告使用照片，并应销毁之，因当时尚无关于一般人格权及肖像权的规定，判决理由受到批评。为解决此一因照片摄影发明后的问题，德国乃于 1907 年制定关于绘画及肖像上著作权之法律（Gesetz betreffend das Urheberrecht am Werk des Bildendenkunste und Photographie），于其第 22 条及第 23 条对肖像权（Das Recht am eingenen Bild）的保护及其违法阻却事由详设规定。肖像权的保护，是德国理论及实务重要问题，参阅 Helle, Besondere Persönlichkeitsrechte im Privatrecht, 1991, S. 45-225. Dasch, Die Einwilligung zum Eingriff in das Rechtam eigenen Bild, 1990.

[2] 肖像权既为人格权的一种，对于现在不法的侵害，自得主张正当防卫，台湾彰化法院检察署 1986 年 1 月份法律座谈会研讨结论认为："对于现在不法之侵害，而出于防卫自己或他人权利之行为，不罚，'刑法'第 23 条定有明文。又肖像权为权利之一种。甲之工程废水纵使有阻塞乙之排水道，但当时并非在工作中，乙不得拍照甲之本人，甲为防卫其肖像权，出言阻止乙之拍照，系为防卫其权利，合于正当防卫之要件，甲应不成立恐吓罪责。"（1986）检（二）字第 672 号函，（检）刑事法律问题汇编，续第 3 辑，第 8 页、第 277 页。

[3] 关于肖像权的保护及其界限，日本实务上案例甚多，昭和 36 年 1 月 23 日大阪地方法院判决认为，未经本人之承诺，拍摄参加集体示威运动者面部相片之行为，因有侵害宪法保障个人尊严之虞，故系违宪，日本国宪法判例译本，第 3 集，第 298 页。

[4] 参阅 Helle, Besondere Persönlichkeitsrechte im Privatrecht, 1991, S. 229-334；Hubmann, Das Persönlichkeitsrecht, 1967, S. 309f.

以肯定个人对其声音语言的自主权利。其被侵害的主要形态有三：
（1）对他人声音语言为录音，使本来瞬息即逝的因而物体化
（Verdinglicht），而被保存或使用。秘密录音得同时构成对隐私的
侵害。公开性的演讲、上课、评论及谈话等，除本人或主办者明示
或默示同意者外，亦不得擅自录音或使用。（2）窃听他人电话或
谈话。（3）模仿他人声音而用之于营业广告等。

四、意思决定自由

自主决定系人格权的主要内容，包括意思决定自由在内。学说
及实务上有认应扩大"自由"的概念及于意思自由决定。此在第
195条修正前，自有所据。在本条修正之后，应可将意思决定自由
纳入"其他人格法益"，俾作合理的解释适用。其侵害意思自由决
定的，如某色情周刊记者伪称其为某妇女基金会杂志的主编，而访
谈某遭强暴的妇女；胁迫分手的女友不得与某人结婚等。又为阻止
某人信仰某宗教，于其祷告或诵经之际，以色情音乐或噪音加以干
扰，均可认系妨害他人意思决定自由而侵害人格权，情节重大者，
被害人就其精神痛苦，依债编修正第195条第1项规定亦得请求相
当金额的赔偿。

第十一项 Wrongful Conception、Wrongful Birth 及 Wrongful Life

问题：妇女某甲怀孕，因恐胎儿患有传染病，经乙
医生检查，因过失未验出胎儿丙有唐氏症，而未适时实施
人工流产，致生下患有重病之丙。试问：（1）甲得否向
乙请求抚育丙的费用及慰抚金，分就契约责任及侵权责任
说明之。（2）丙得否以其生而残障，精神痛苦，而向乙
请求损害赔偿。（3）试就此例说明人之生命价值与损害
赔偿。

一、问题的提出

关于人格权的保护，最后要提出讨论的是因医学科技发展及社会伦理观念变迁而产生的 Wrongful Conception、Wrongful Birth 及 Wrongful Life 的问题。Wrongful Conception（Wrongful Pregnancy）的典型案例，如甲妇女为避孕而实施结扎，因乙医生手术疏误致结扎失败，甲妇乃怀胎生子丙。Wrongful Birth 的典型案例，如甲妇女怀孕，恐胎儿患有疾病，由乙医生诊察，乙医生检查失误告以胎儿健康，致未堕胎而生下患有残疾的婴孩丙。在此二种情形，甲妇得否对乙医生请求损害赔偿？所谓 Wrongful Life 指于上述情形出生的丙得否向医生请求损害赔偿。[1] 此已成比较法的热门研究课题，[2] 台湾地区实务上亦有关于 Wrongful Birth 的案件，兹以之作为讨论的基础。

（一）案例事实

在台湾士林法院 1995 年度重诉字第 147 号民事判决[3]乙案，本件原告朱秀兰怀孕，因系高龄产妇，恐生下唐氏症等有身心障碍的儿童，乃到被告医院产检，因被告医院从事羊水分析及判读具有

---

[1] 关于 Wrongful Conception、Wrongful Birth 及 Wrongful Life 的概念及其区别，参阅 Prosser, Wade and Schwartz, Torts, p. 426, 434; Markesinis / Deakin, Tort Law, p. 253; Deutsch, Unerwünschte Empfängnis, unerwünschte Geburt und unerwünschte Leben vergleichen mit Wrongful Conception, Wrongful Birth und Wrongful Life des anglo-amerikanischen Rechts, MDR, 1984, 793.

[2] 关于美国法及英国法，参阅前注资料。关于德国法参阅 Picker, Schaden-sersatz für das unerwünschte Kind（Wrongful Birth）AcP 195, 484; Picker, Schadensersatz für das unerwünschte eigene Leben（Wrong ful Life）, 1995。关于德国法与美国法的比较 Markesinis, A Comparative Introduction to the German Law of Torts, pp. 142-165. 中文资料，Barry R. Frron 着，高凤仙译，"The Causes of Wrongful Life Suit（不当生命之诉因）"，法学丛刊，第 121 期，第 89 页。

[3] 本件判决书由沈美贞律师提供，谨表谢意。

过失，未验出胎儿染色体异常，患有唐氏症，并告此是男孩，胎儿正常，致未实施人工流产，且一再安胎，产下患有唐氏症候群、无肛症、动脉导管闭锁不全之重度残障男孩。原告朱秀兰及其夫（同为原告）乃以财产上及非财产上受有重大损害向被告医院请求损害赔偿。

（二）法院见解

1. 契约责任及赔偿范围。台湾士林法院认定被告医院与原告朱秀兰间成立医疗契约，应依第535条后段规定，负善良管理人的注意义务，被告医院应就其医生的过失与自己过失负同一责任，而依不完全给付债务不履行规定，负损害赔偿责任，其项目为（包括原告朱秀兰及唐氏症儿）医疗费用，对唐氏症儿的人力照顾费用及特殊教育费用。值得注意的是，法院认为原告不得请求其所生患有唐氏症男婴的50年生活费用，其主要理由为依民法的规定，父母有支付未成年子女生活费之义务，又原告对其子基于出生而产生之亲属法上特别照顾义务，亦无法单独抽离，而由被告一方负担，否则将破坏其对子女的成长及伦理感情。

关于非财产上损害部分，法院判决理由认为："民法有关非财产上之损害赔偿系以第195条为请求权之基础，惟此系以被害人之身体、健康、名誉、自由遭侵害之侵权行为为前提，本件原告朱秀兰系基于医疗契约而请求被告给付不完全给付之损害赔偿，自无从请求非财产上之损害赔偿。"

2. 侵权行为。原告另主张被告医院检验室人员，未本其专业知识、技能尽责检验，致原告夫妻误信其错误之检验结果而产下唐氏儿，系侵害原告朱秀兰之"堕胎自由权"及"生育决定权"，依第184条、第185条规定，该二人为共同侵权行为人，应连带对原告夫妻负损害赔偿责任，被告医院为检验人员之雇用人，依第188条第1项规定，应与受雇之检验人员连带负损害赔偿责任。台湾士林法院否认此项侵权行为损害赔偿请求权。其理由有三：

1）侵权行为之被害客体应为权利或利益，所谓权利系指既存法律体系所明认之权利，利益则指规律社会生活之公序良俗及保护个人法益之法规所包括之一切法益。自由权不惟为"宪法"所保障，同时亦属私权，而自由权之保障系指自己之身体及精神上自由活动不受他人之干涉而言，是否包含"堕胎自由权"或"生育决定权"则容有疑义，迩来女权意识高张，或有谓妇女享有"子宫权"，而有关此之立法例，各国亦有不同，确系具争议性之问题，"子宫权"是否包含在"自由权"中，除应探讨现行法律之相关规定外，并应考虑历史文化背景，及伦理价值观念，以期符合人民之法律感情。

2）原告朱秀兰主张其"堕胎自由权"及"生育决定权"系因其怀有唐氏儿依"优生保健法"第9条第4款规定得选择实施合法之人工流产，享有合法堕胎之自由权及生育决定权，然"刑法"第288条有关堕胎罪之规定，所保护之客体乃是母体内成长之胎儿，故堕胎罪所保护之法益乃胎儿之生命，使其在母体内得以自然成长，直至成熟时而出生为人。胎儿系生命体，为一种具有人格之重要法益，怀胎妇女本人对于是否让胎儿留存其体内而生存之问题，涉及生命价值，人性尊严，有无所谓"自我决定权"，从宗教、道德、伦理、优生学之观点而言，或人言人殊，惟依现行之刑法规定，妇女堕胎即属犯罪，应无"堕胎自由权"及"生育决定权"。换言之，刑法认定堕胎罪之保护客体主要是在于胎儿，而非怀胎妇女之身体与健康。至于与"优生保健法"第9条规定之要件相符之人工流产行为，即属依法令之行为，而可阻却违法，非据此而谓该规定系赋予妇女有"堕胎自由权"或"决定生育自由权"，是原告朱秀兰主张被告侵害其"堕胎自由权"及"生育自我决定权"，在现行法律基础之下尚属乏据。

3）原告主张被告系共同侵权行为，除须有权利或法益遭侵害外，尚须有损害之发生，然基于亲子关系间生理及伦理上的连系，婴儿不论是否为父母所计划出生，其出生均无法视为"损害"，且基于出生而产生的亲属法上特别扶养照顾义务，亦不得单独抽取出来，而主张其对子女支付扶养费系一种"损害"；由此观点切入，亦难认原告朱秀兰因被告告知错误之检验结果，未及时堕胎，生下唐氏儿，而认该唐氏儿之出生对原告朱秀兰而言系有损害。

二、分析讨论

（一）Wrongful Birth

上揭唐氏儿判决是 Wrongful Birth 的典型案例。关于请求权基础，台湾士林法院一方面肯定被告医院应负不完全给付债务不履行责任；他方面以堕胎自由权及生育自我决定权非属第184条第1项前段所称权利，而否定被告应负侵权责任，均值赞同。至于损害赔偿范围，法院认定应包括医疗费用、人力照顾费用、特殊教育费用，亦值赞同。有争论的是唐氏儿的生活费用，即一般扶养费用，是否亦属得请求赔偿的损害。关于此点台湾士林法院采否定说，其理由有二：（1）基于亲子关系间生理及伦理上的连系，婴儿不论是否为父母所计划而生，其出生均无法视为损害。（2）基于出生而产生的亲属法上特殊扶养照顾义务，亦不得单独抽取出来，而主张对其子女之付出系一损害。兹分述如下：

1. 婴儿出生：价值实现抑或损害事故？[1] 所谓婴儿的出生，不论是否为父母所计画，均不能视为损害，其理由不仅是基于亲子关系间生理及伦理上的连系，更在于肯定婴儿的出生系一种价值的实现；认扶养费是一种损害，将侵害人的尊严。反对此项见解者则认为婴儿的人格尊严与肯定婴儿出生系发生扶养费的损害事故，系

---

[1] 参阅德国联邦宪法法院最近判决（BverfGE 88, 203 = JZ 1998, 学说上的检讨，Giesen, Schadensbegriff und Menschenwürde, JZ 1994, 286; Engelhard, Kind als Schaden, VersR, 1988, 540, Deutsch, Das Kind oder Sein Unterhalt als Schaden, VersR. 1995, 609; JZ 1998, 317.

属二事，不能混为一谈。又使父母得向被告医院请求赔偿对唐氏儿的扶养费，不但无害于人的价值与尊严，且有助于父母尽其对子女的照顾义务。

2. 亲属法上特殊扶养义务的不得单独抽离性？所谓亲属法上的特殊扶养义务不得单独抽离，旨在排除将此项特殊照顾义务转由第三人负担。惟将扶养义务的发生视为一种损害，使第三人负赔偿责任，并不影响父母对子女的特殊照顾义务，仅是使其有得向第三人请求赔偿的可能性而已。1973年台上字第2693号判例谓："因被强奸所生子女而支出之扶养费，为侵权行为所生之财产上损害，被害人得依第184条规定请求赔偿损害。"可资参照。

基上所述，在 Wrongful Birth 的案例上，关于一般扶养费用得否请求损害赔偿，容有不同的观点，各国实务见解亦不尽一致。[1]其所涉及的是实为法律逻辑或概念以外更深层的法律政策和社会价值的考虑。为适当限制医生的责任，鉴于养育子女费用及从子女获得利益（包括亲情及欢乐）之难于计算，并为维护家庭生活圆满，尊重子女的尊严，不将子女之出生视为损害，转嫁于第三人负担扶养费用，而否定扶养费赔偿请求权，亦难谓无相当理由。

（二）Wrongful Conception

在 Wrongful Conception 案件，例如因医生结扎失败，使原告怀孕生子时，原告得依不完全给付债务不履行规定向医生或医院请求

---

[1] 各国实务判决，美国法，参阅 Burke v. Rivo（406, Mass. 764, 551 N. E. 2d. 1, 1990），Vicarro v. Milunski（406 Mass. 777, 551 N. E. 2d. 8, 1990），对此二判决的评释，Franklin/Rabin, Tort Law and Alternatives, p. 245f.。英国法，参阅 Rance v. Mid-Dawns H. A.（1991）1. All E. R. 801，关于其评论，Markesinis/Deakin, Tort Law, p. 254。德国法，BGHZ 86, 240，关于其评论，Deutsch, JZ 1983, 447；Bverf-GE 88, 203＝JZ 1998, 203, Stürner, JZ1998, 317。诸此判决的事实多属类似，综合研读之，有助于了解问题的争点及其解决途径，尤其是认识各国法院的判决风格，是一个值得重视的判例比较研究方法，限于篇幅，在此难以详述。

损害赔偿（如医疗费用等），其法律关系同于 Wrongful Birth。在此情形原告得否请求赔偿扶养费用，亦有争论。在前揭士林法院唐氏儿案件，出生的婴儿患有残疾，在 Wrongful Conception 的情形，出生的婴儿通常身体健康，惟其出生非出于父母的计画，系所谓的 unwanted child（医学上译为不期待儿），其情状虽有不同，但关于一般扶养费得否请求，应采同一原则，不应因婴儿出生的差异及家庭计画的原因（经济或医疗），而为不同的处理。若认前揭士林法院关于唐氏儿的判决结论尚属可采，则在 Wrongful Conception，亦应否定原告得向具有过失的医生或医院，请求赔偿扶养费用。

就侵权行为言，在 Wrongful Conception 亦应认"生育自我决定权"或"家庭计画权"非属第 184 条第 1 项前段所称的权利。值得注意的是，在德国实务有认为因过失结扎失败，致怀孕生子，系侵害原告的身体，被害人得以此为理由请求非财产上损害的金钱赔偿（德国民法第 847 条），[1] 此项见解，可供参考。

（三）Wrongful Life

在前揭台湾士林法院判决乙案，值得讨论的是唐氏儿得否以身患残障而依侵权行为规定向被告医院请求财产上或非财产上损害赔偿？此乃所谓 Wrongful Life 问题。原则上应采否定说，[2] 其主要理由为：（1）婴儿自怀胎受孕自始即患残障，其残障非因医生过失所引起，侵权行为法的任务在于保护人身的完整，不受侵害，不在于防止残障者的出生。（2）生命纵有残障，其价值仍胜于无，不能因此低估生命价值，认其属应予赔偿的损害。（3）生命与其不存在之间的损害难以计算。（4）若肯定父母得依 Wrongful Birth

---

〔1〕 BGH, VersR 80, 558, 详细的讨论，参阅 Schiemann, Schmerzensgeld für Fehlgeschlgende Sterilization, JuS 1980, 709.

〔2〕 各国实务同此见解的如美国的 Viccaro v. Milunski（406 Mass. 777, 551, N. E. 2d. 8, 1990）；英国的 McKay v. Essex Area Health Authority（1982, QB 1166）；德国的 BGHZ 86, 240。

向被告医院请求赔偿人力照顾费用及特殊教育费用等，残障婴儿亦因此而获保障。诚然在父母死亡时，残障的婴儿将因其本身无损害赔偿请求权而难免遭受不利益，但此种情形于父母明知怀有残障胎儿而不为人工流产，或已逾越法定人工流产期间时亦会发生。此种人生不幸境遇，不能责由何人承担，而应由社会于其可能范围内负起照顾的责任。[1]

第三款　身　份　权

问题：（1）甲与乙之妻丙通奸时，乙就其精神上的痛苦，得否对甲或丙请求慰抚金？（2）甲妇在乙医院生产男婴，因乙医院看顾疏忽被他人抱走时，甲就其精神上的痛苦，得否对乙医院请求慰抚金？试从法学方法论的观点分析法院的见解。

第一项　身份权的意义及其侵害

身份权，指基于特定身份而发生的权利，其主要的有亲权、配偶权及继承权，均属第184条第1项前段所称的权利，侵害之者，应成立侵权行为而负损害赔偿责任。兹分述之：

1. 亲权，指父母对于未成年子女有保护及教养的权利（第1084条以下）。如甲带其幼子乙逛百货公司，丙擅行抱走乙时，系

---

〔1〕 此类案件乃医学科技进步而引起法律与道德的邻界问题，涉及广泛社会政策的考虑，参阅 Peter, Rethinking Wrongful Life: Bridging the Boundary between Tort and Family Law, 67 Tulane L. Rev. 397 (1992); Kelly, The Rightful Position in Wrongful Life Actions, 42 Hastings L. J. 505 (1991).

侵害甲对乙的亲权，甲得请求丙交还其子，并赔偿为寻找其子所支出的悬赏广告费用。配偶离婚后，母对未成年子女有单独监护权，而父扣留其子时，亦属侵害母的亲权，母得请求雇用私家侦探寻找其子的费用。[1]

2. 配偶权，指配偶之间因婚姻而互负诚实义务的权利。甲男与乙之妻丙通奸时，甲与丙系共同侵害乙的"配偶权"，乙得请求赔偿调查通奸事实的费用；在通奸生子的情形，乙并得请求赔偿提起否认婚生子女之诉（第1063条第2项）、离婚、及对该子女生产及扶养所支出的费用。[2] 在一方配偶将通奸者带入家中同居而破坏婚姻生活的圆满及幸福时，他方配偶得请求相奸者搬离其家，以除去其侵害。[3]

3. 继承权，指继承人包括的继承被继承人财产上权利义务的地位，[4] 兼具身份权与财产权的两方面性格。继承权的侵害因非继承人的第三人僭称为继承人而发生，如兄于父之继承开始时，即已自命为唯一继承人，而行使遗产上的权利时，即侵害弟的继承权。（参照1940年上字第1504号判例）

---

[1] 本例参照德国联邦法院1990年4月30日判决（BGHZ 110, 168），肯定父母对未成年子女的照顾，是一种绝对权，在父母与子女间产生互负义务的内部作用，对第三人言，则具有绝对的外部效力。雇用私家侦探寻找受监护人系因监护权被侵害而生之损害，其费用是否合理或必要，应就个案加以认定。

[2] 详细参阅拙著：民法学说与判例研究，(1)，第374页；孙森焱，民法债编总论，第194页（注41）。

[3] 在德国民法上婚姻关系得否成立一种受侵权行为法保护的绝对权，虽有争论，惟实务上肯定"配偶对空间客体婚姻领域"的权利（Das Recht eines Ehegatten am raumlich - gegenständlichen Eheberich），使一方配偶得请求他方配偶不得将其相奸者带入婚姻居所（BGHZ 361 34, 80）。

[4] 关于继承权的意义，史尚宽，继承法论，第84页。

第二项 侵害身份权与非财产上损害赔偿 (慰抚金)

身份权被侵害时，被害人就财产上损害，得请求损害赔偿，已如前述。问题在于被害人就非财产上损害，得否请求相当金额的赔偿（慰抚金）。此为民法上长期重大争议问题，法律见解历经变迁，在法律政策及法学方法上具有启示性，特详为说明。

一、法院见解的变迁

(一) 亲权 (监护权) 被侵害：于法无据

亲权或监护权被侵害时，法院否定被害人的慰抚金请求权。1961 年台上字第 1114 号判例谓："受精神之损害得请求赔偿者，法律皆有特别规定，如第 18 条、第 19 条、第 194 条、第 195 条、第 979 条、第 999 条等是。未成年子女被人诱奸，其父母除能证明因此受有实质损害，可依第 216 条请求赔偿外，其以监督权被侵害为词，请求给付慰藉金，于法究非有据。"

(二) 配偶权被侵害 (干扰婚姻关系)：以第 184 条第 1 项后段为请求权基础

在干扰婚姻关系通奸案件，实务上肯定被害人的慰抚金请求权，惟数十年来一直在寻找其法律依据。分二项言之：

1. 以第 184 条第 1 项后段为请求权基础。1952 年台上字第 278 号判例谓："'民法'亲属编施行前之所谓夫权，已为现行法所不采，故与有夫之妇通奸者，除应负刑事责任外，固无所谓侵害他人之夫权。惟社会一般观念，如明知为有夫之妇而与之通奸，不得谓非有以违背善良风俗之方法，加损害于他人之故意，苟其夫确因此受有财产上或非财产上之损害，依第 184 条第 1 项后段，自仍得请求赔偿。"本件判例否认所谓"夫权"，而以第 184 条第 1 项后段为请求慰抚金的依据。

值得注意的是，1966 年台上字第 2053 号判例谓："第 184 条第 1 项前段规定，以权利之侵害为侵权行为要件之一，故有谓非侵害既存法律体系所明认之权利，不构成侵权行为。惟同法条后段规定，故意以背于善良风俗之方法加害于他人者，亦同。则侵权行为系指违法以及不当加损害于他人之行为而言，至于侵害系何权利，要非所问。而所谓违法以及不当，不仅限于侵害法律明定之权利，即违反保护个人法益之法规，或广泛悖反规律社会生活之根本原理的公序良俗者，亦同。通奸之足以破坏夫妻间之共同生活而非法之所许，此从公序良俗之观点可得断言，不问所侵害系何权利，对于配偶之他方应构成共同侵权行为。婚姻系以夫妻之共同生活为其目的，配偶应互相协力保持其共同生活之圆满安全及幸福，而夫妻互守诚实，系为确保其共同生活之圆满安全及幸福之必要条件，故应解为配偶因婚姻契约而互负诚实之义务，配偶之一方行为不诚实，破坏共同生活之圆满安全及幸福者，即为违反因婚姻契约之义务而侵害他方之权利。"本件判例肯定在配偶间因婚姻而成立一种以互负诚实义务为内容的权利，受侵权行为法的保护；并认为配偶之他方应与通奸者构成共同侵权行为，被害之一方配偶亦得向配偶之他方请求损害赔偿，离婚与否，在所不问。此项见解固值赞同。惟其结论仍以第 184 条第 1 项后段作为慰抚金的请求权基础，则值商榷。其理由有二：

1) 第 184 条第 1 项后段与前段同在规定一般侵权行为，二者均非属慰抚金的特别规定，若后段规定得作为慰抚金请求权基础，则同项前段规定亦应做同样解释，从而凡权利（包括财产权）被侵害时，被害人均得请求慰抚金矣，其与民法规定不符，甚为显然。

2) 若以第 184 条第 1 项后段作为慰抚金的请求权基础，则凡因故意以背于善良风俗方法"加损害于他人者"，被害人皆得请求慰抚金；其范围至广。或谓得将之限于通奸的情形，此在解释上难以自圆其说。他方面须以"故意背于善良风俗"为要件，过于狭隘，作为一种法律原则，亦非妥适。

2. 第 195 条规定的适用或类推适用。为使婚姻受干扰被害人的慰抚金请求权有法律上的依据，法院曾肯定通奸系侵害自由，认为第 195 条第 1 项属例示规定，故得适用或类推适用第 195 条第 1 项规定，但未成为判例。又学说上有主张婚姻具有人格关系，通奸同时侵害他方配偶的人格权，得解为构成对名誉权的侵害，而适用第 195 条第 1 项规定，[1] 但亦为法院所不采。

（三）身份权被侵害：第 195 条的类推适用

1. 1996 年度台上字第 2957 号判决（抱走他人婴儿案件）。[2] 如前所述，亲权或监护权被侵害时，法院原认为现行法上无被害人得请求慰抚金的规定；反之，在配偶权被侵害的情形，则肯定被害人得依第 184 条第 1 项后段规定请求慰抚金。在法益权衡上，法院显然认婚姻较亲子关系为重要，应受较周全的保护。值得特别提出的是，法院在最近乙则重要判决采取一项突破性的见解，推翻了传统见解。

在 1996 年台上字第 2957 号判决，被上诉人在上诉人所开设之妇产科医院产下一婴，因上诉人雇用的看护疏于注意，致被不知名者将该婴儿抱走，仍未寻获。被上诉人失子心碎，精神痛苦，乃向上诉人请求赔偿慰抚金及刊登寻子悬赏广告的费用。原审判决上诉人胜诉，关于慰抚金部分，原审谓按以故意或过失不法行为致他人受精神系统之痛苦，亦属健康权之侵害，被害人得依第 195 条规定请求之。法院则认为："按身份权与人格权同为人身权之一种，性质上均属非财产法益。人之身份权如被不法侵害，而受有精神上之痛苦，应与人格权受侵害同视，被害人自非不得请求赔偿非财产上之损害。故父母基于

〔1〕　参阅拙著："干扰婚姻关系之侵权责任"，民法学说与判例研究，（1），第 369 页。通奸系对人格的侵害，系瑞士的通说及德国的有力学说，参阅 Böhmer, AcP 155 (1956), 201；Coing, JZ 1952, 689.

〔2〕　民事裁判书汇编，第 26 期，第 139 页。

与未成年子女间之亲密身份关系，因受他人故意或过失不法之侵害，而导致骨肉分离者，其情节自属重大，苟因此确受有财产上或非财产上之损害，即非不得依第184条第1项前段，并类推适用同法第195条第1项之规定，向加害人请求赔偿。"

2. 分析检讨。本件判决具有二项突破性的见解：（1）肯定身份权被侵害，情节重大者，被害人就非财产上损害亦得请求赔偿慰抚金。（2）在方法上系类推适用第195条第1项规定，作为请求权基础。此项判决变更了法院二个重要判例：在侵害亲权（监护权）的情形，变更了1961年度台上字第1114号判例关于不得请求慰抚金的见解，在干扰婚姻关系的情形，得以第195条第1项规定的"类推适用"取代第184条第1项后段（1952年度台上字第278号判例），作为请求慰抚金的法律基础。

本件判决藉着第195条规定的"类推适用"，肯定身份权被侵害时，被害人受有精神上痛苦时亦得请求慰抚金，固具创意，应予提出的有三点：（1）本件判决在方法论上有待商榷：第195条并未规定"人格权"受侵害时，被害人得请求慰抚金，此项前提的确立其重要性远超过对身份权的类推适用，应有说明的必要。（2）身份权与人格权同为人身权之一种，性质上均属非财产法益，此乃权利体系上的分类，不足作为类推适用的规范基础，盖人格权被侵害之人得请求慰抚金，并非以"非财产法益"受侵害为立法理由（ratio legis），而是在于保护人格利益，因此本件判决应以亲子关系具有人格利益作为其类推适用的法律理由。（3）本件判决是否为"最高法院"最近见解？抑仅为某庭的观点。若为前者，因涉及慰抚金制度的重大变革，应为明确表示，使下级法院有所遵循。若属后者，为促进法律适用的安定，自有作成统一法律见解的必要。

二、民法修正

1996年台上字第2957号判决具有突破性的意义，已如上述，然则"最高法院"为何突然推翻数十年来坚持不变的法律见解？

经查系受修正草案第 195 条规定的影响，迳将修正草案作为判决理由，经由判决，提前实践了修正草案的立法意旨。

修正草案第 195 条规定："不法侵害他人之身体、健康、名誉、自由、信用、隐私、贞操，或不法侵害其他人格利益而情节重大者，被害人虽非财产上之损害，亦得请求赔偿相当之金额，其名誉被侵害者，并得请求回复名誉之适当处分。前项请求权，不得让与或继承。但以金额赔偿之请求权已依契约承诺，或已起诉者，不在此限。前 2 项规定，于不法侵害他人基于父母或配偶关系之身份法益而情节重大者，准用之。"立法理由谓："身份法益与人格法益同属非财产法益。本条第 1 项仅规定被害人得请求人格法益被侵害时非财产上之损害赔偿。至于身份法益被侵害，可否请求非财产上之损害赔偿？则付阙如，有欠周延，宜予增订。惟对身份法益之保障亦不宜太过宽泛。鉴于父母或配偶与本人之关系最为亲密，基于此种亲密关系所生之身份法益被侵害时，其所受精神上之痛苦最深，故明定'不法侵害他人基于父母或配偶关系之身份法益而情节重大者'，始受保障。例如未成年子女被人掳掠时，父母监护权被侵害所受精神上之痛苦。又如配偶之一方被强奸，他方身份法益被侵害所致精神上之痛苦等是，爰增订第三项准用规定，以期周延。"关于此项修正，应说明者有四点：

1. 修正债编第 195 条第 3 项旨在加强保护身份权，固值赞同。惟以身份权与人格权同属非财产权作为理由，不具充分的说服力，前已论及。慰抚金请求权之应由人格权被侵害扩张及于身份权，非因其同属非财产权，而是因为身份权亦具有人格关系上的利益，此为关于人格权规定得"准用"于身份权的内在依据。[1]

---

[1] 关于身份权的人格关系，参阅 Böhmer, AcP 155, 201；Coing, JZ1952, 689. 日本学者多将婚姻侵害或家庭侵害列入人格的诸利益的侵害，几代通，不法行为法，第 85 页以下；前田达明，不法行为法，第 86 页，第 104 页。

2. 修正债编第 195 条第 3 项增订规定，非立法者凭空创设，而是有其学说上的渊源。第 18 条第 2 项规定，人格权受侵害者，以法律有特别规定者为限，得请求慰抚金。通说认为所谓特别规定指第 19 条、第 194 条、第 195 条、第 979 条及第 999 条等规定（参照 1961 年度台上字第 1114 号判例）。惟学者有认为第 194 条规定不法侵害他人致死者，被害人之父母、子女及配偶亦得请求相当金额的赔偿（慰抚金），亦可解为系对身分权的侵害。[1] 又有强调第 979 条、第 999 及第 1056 条第 2 项系以特定之身份为前提，非第 18 条第 2 项所指的特别规定，而是类推适用第 18 条第 2 项规定，从而主张在现行"民法"有"身份权受侵害者，除有法律特别规定外，不得请求慰抚金"的一般原则，并认为上开 1961 年度台上字第 1114 号判例认监护权之侵害无给付慰抚金的特别规定，乃第 18 条第 2 项规定的类推适用。[2] 此等见解自有所据，但通说见解仍值赞同，第 194 条、第 979 条、第 999 条及第 1056 条等规定虽以一定身份为前提，但所以赋予慰抚金请求权，系因其人格关系被侵害，仍可认为系第 18 条第 2 项所称的特别规定。

3. 债编修正第 195 条第 3 项规定，其所谓基于父母关系的身份法益，指亲权（监护权）而言，立法理由书以未成年子女被掳掠时，父母监护权被侵害所受精神痛苦为例加以说明。有疑问的是，父母被绑架时，未成年子女得否以"子女权"受侵害请求非财产上损害的金钱赔偿？所谓基于婚姻关系的身份法益，指配偶权

---

[1] 郑玉波，民法债编总论，第 190 页；孙森焱，民法债编总论，第 171 页。
[2] 参阅孙森焱，民法债编总论，第 172 页。

而言，立法理由书以配偶之一方被强奸为例。[1]立法理由书虽未举实务上最具争议的通奸案例，解释上应肯定之。

4. 此项增订规定在实体法，及方法论上具有重大意义。在实体法上，就亲权（监护权）言，废弃了1961年度台上字第1114号判例；就配偶权言，废弃了以第184条第1项后段作为请求慰抚金的依据（1952年台上字第278号判例），而以"准用"新修正第195条第1项规定为其请求权基础。法院的判例变更匪易，法院造法因欠缺共识而难以突破，仅能借助立法修正而废除实务见解，而创设较为合理明确的法律原则。

第四款　物　权

第一项　所　有　权

问题：下列情形是否构成侵害他人的"所有权"：

(1) 甲银行职员乙与顾客丙勾结，故意高估信用，致甲对丙贷款，债权未获清偿。(2) 甲向乙建商购屋，数月后该屋因房屋设计不当及水土设施不佳遭台风毁损。(3) 甲向乙购买丙制造的电视机，该电视机因电路管线缺陷，发生爆炸而灭失。试就上揭3例说明所有权与纯粹经济上损失的区别。

---

[1] 司法业务研究会第1期提出乙则法律问题：某甲之妻，观剧后步行返家途中，某丙强行推入停放路旁轿车，载往郊外僻静之处，使之不能抗拒予以奸污，某甲亦请求某丙赔偿其非财产损害，法院应如何处理。研究意见："按强奸行为甚于通奸，本件某丙如明知乙为有夫之妇而加以强奸，不得谓非有以背于善良风俗之方法加损害于他人之故意，某甲就因此所受非财产上之损害，依第184条第1项后段，请求某丙赔偿，自属有理。"

一、所有权的意义及其侵害

所有权者，指全面支配某物，在法令限制范围内得为占有，自由使用、收益、处分的权利（第765条）。凡侵害所有权的权能者，即构成对所有权的侵害，其主要形态如下：

1. 无权占有他人之物：如占用他人土地摆设地摊。停车于他人的车位。盗窃他人之物，窃赃之牙保或寄藏。[1] 擅自扣留他人所有的身份证。租赁关系终了后，承租人无正当理由不返还租赁物时，亦应负侵权责任，而与第455条规定的债务不履行责任发生请求权竞合。

2. 物之实体的侵害：如毁损他人的汽车，或对他人的汽车轮胎放气。污损他人的名画；在他人的墙壁贴广告；开掘山坡地，使邻地的地基动摇；水土保持不良，致大量泥土堆积邻宅；工厂废水污染养鱼池；擅以他人的水泥修补自己房屋，使水泥所有权因添附成为重要不动产成分而消灭（第811条）等。

3. 侵害所有权的归属（或所有人的法律地位）：如无权处分他人之物，受让人因善意而取得其所有权（或其他物权），例如甲寄某件古董于乙处，乙擅以之作为己有，让售于丙，丙因而善意受让

---

[1] 1975年台上字第1364号判例谓："盗赃牙保，系在他人犯罪完成后所为之行为，性质上难认为与该他人共同侵害被害人之权利，牙保之人与实施窃盗之人固不构成共同侵权行为。惟盗赃之牙保既足使被害人难于追回原物，因而发生损害，仍难谓非对于被害人为另一侵权行为，倘被害人因而受有损害，尚非不得依一般侵权行为之法则，请求牙保之人赔偿其损害。"关于盗赃之寄藏，参照1976年度台上字第838号判例。

而取得该物所有权（第 801 条、第 948 条）。[1] 于此情形，乙系侵害甲的所有权，应负侵权责任，此外尚构成债务不履行责任及返还不当得利的义务。在善意取得情形，丙纵有过失，依法律保护善意受让人的意旨，应不构成侵权行为。在上举之例，如丙为恶意，经甲承认乙的无权处分，使其发生效力，而由丙取得古董所有权时，乙侵害甲的所有权，不因此而受影响。[2] 又无权利人声请拍卖或扣押他人之物，虽经由官署为之，亦构成对所有权的侵害。

4. 应有部分的侵害：共有，乃多数人共同享受一所有权，故各共有人本其所有权的作用，对于共有物之全部均有使用收益权，此使用收益权应按其应有部分而行使，不得损及他共有人之利益，若有侵害，则与侵害他人之所有权同，被侵害之他共有人，自得依侵权行为之规定，而行使其损害赔偿请求权。[3]

二、侵害所有权或纯粹经济上损失

值得特别提出讨论的是，侵害所有权与纯粹经济上损失的界定问题。为了保护被害人，实务上常扩张所有权的概念，使其涵盖纯粹经济上损失，此涉及到契约责任与侵权责任的规范范畴，分述如下：

1. 非法超额贷款与侵害银行的金钱。1988 年度第 19 次民事庭

---

[1] 值得注意的是信托行为上的物权关系，1995 年台上字第 265 号判决谓："信托行为之受托人在法律上为所有人，其就受托财产所为之一切处分行为完全有效。纵令其处分违反信托之内部约定，信托人亦仅得请求赔偿因违反约定所受之损害，在受托人未将受托财产移转返还信托人以前，不能谓该财产为信托人所有。是受托人违反信托之内部约定，而处分受托财产，仅对信托人负契约责任而发生债务不履行问题，尚无侵权行为可言。"（民事裁判书汇编，第 19 期，第 13 页）

[2] 1934 年上字第 2510 号判例谓："无权利人就权利标的物为处分时，如其行为合于侵权行为成立要件，虽其处分已经有权利人之承认而生效力，亦不得谓有权利人之承认，当然含有免除处分人赔偿责任之意思表示。"

[3] 参照 1962 年台上字第 3495 号判例，1992 年台上字第 1818 号判决（民事裁判书汇编，第 9 期，第 355 页）。

会议，院长提议：A银行徵信科员甲违背职务，故意勾结无资力之乙高估其信用而非法超贷巨款，致A银行受损害（经对乙实行强制执行而无效果），A银行是否得本侵权行为法则，诉请甲为损害赔偿。决议认为："判例究采法条竞合说或请求权竞合说，尚未尽一致。惟就提案意旨言，甲对A银行除负债务不履行责任外，因不法侵害A银行之金钱，致放款债权未获清偿而受损害，与第184条第1项前段所定侵权行为之要件相符。A银行自亦得本于侵权行为之法则请求损害赔偿。"

本件决议旨在肯定侵权责任与契约责任的竞合，在民法发展上，具有重要意义。所谓不法侵害A银行之金钱，究系侵害第184条第1项前段所谓何种"权利"，法院未明确表示，可能的解释是不法侵害银行的"金钱所有权"。所谓金钱所有权，指货币所有权而言。货币系为物，属于动产，其被侵害主要情形有：（1）抢夺、窃盗他人货币。（2）使货币灭失，如烧毁他人货币。（3）无权处分他人货币，致被善意取得。第801条及第948条，对于动产所有权的取得，设有善意受让制度，依第951条规定，金钱或无记名证券，纵属盗赃或遗失物，仍不得向善意占有人，请求回复，故善意受让制度对金钱亦适用之。在本件决议，银行因其职员高估顾客信用，而贷与巨款，系银行依自己的意思，移转货币所有权于顾客，不能认为系货币所有权被侵害，其情形犹如银行因职员低估银行所有的某笔土地价值而出售，致受损失时，不能认为该职员系不法侵害银行的土地所有权。实则，在本件，银行系因贷款于不具信用的顾客而受纯粹财产上不利益（纯粹经济上损失）。就侵权行为言，得适用第184条第1项后段（故意以背于善良风俗之方法加损害于他人）；就契约言，银行得依不完全给付的债务不履行规定，向其职员（受雇人）请求损害赔偿。[1]

2. 物的瑕疵：侵害所有权？或纯粹经济上损失？甲出卖乙制造之某物给丙，丙受让其所有权后，发现该物因具有瑕疵，致其减少价值，不堪使用或灭失时，甲对丙应负物之瑕疵担保责任（第354条以下）。问题在于丙得否主张"所有权受侵害"，依侵权行为规定向乙（制造者）请求损害赔偿？

关于此点，原则上应采否定说。买卖标的物自始存有瑕疵，不能认系所有权受侵害。此项原则，于承揽亦适用之，例如甲为乙承揽建造某屋，因施工不当致发生严重漏水或倾斜，乙亦不能主张甲侵害其所有权而请求赔偿其修缮费用。[2] 易言之，在此等情形，非属所有权被侵害，而是发生纯粹经济上损失，属契约责任的范畴。[3]

3. 德国法上所谓 Weiterfresserschäden 与所有权侵害。买卖标的物自始具有瑕疵，交付之后，物之本身因此项瑕疵而毁损灭失时，系物之瑕疵担保责任问题，原为德国的通说。[4] 惟德国联邦法院在 1976 年 11 月 24 日一项重要判决（BGHZ 67, 359）改变此项见解。在本件，K 向 B 购买其制造的游泳池清洁器，因开关转换

---

[1]　拙著："银行徵信科员评估信用不实，致银行因超额贷款受有损害的民事责任"，民法学说与判例研究，(8)，第 275 页。

[2]　关于承揽工作物瑕疵的侵权行为，参阅 Derleder, Deliktshaftung für Werkmängel, AcP 195（1995），137.

[3]　关于建筑物瑕疵的侵权责任，英国法上的发展具有启示性。在有名的 Anns v. Merton London Borough Council（A. C. 728, 1977）案件，某建设公司建造公寓，因地基缺陷，造成墙壁发生剥裂，地板倾斜，买受人认市政主管机关疏于检查，乃诉请赔偿其所支出的修缮费用。英国贵族院（House of Lords）判决原告败诉，认此属实体物之损害（material physical damage）。此项见解，甚受批评，其后英国法院逐渐修正见解，造成分歧。贵族院在 Murphy v. Brentwood District Council（1991, IAC 378）乙案废弃 Anns 的判例，认定此非对所有权的侵害，而系纯粹经济上损失。参阅 Markesinis and Deakin, Tort Law, p. 79f.

[4]　RG JW 1905, 367；BGHZ 39, 366.

器具有缺陷，致该清洁器因电线过热而毁损。由于物之瑕疵担保请求权已罹于时效，[1]被害人乃主张所有权受侵害，依德国民法第823 条第 1 项规定请求损害赔偿。在此着名 Schwimmerschalter Entscheidung（游泳池清洁器开关案件），德国联邦法院肯定此属所有权受侵害，认为该移转所有权之物并非自始全部具有瑕疵，系功能上可界限的部分（开关转换器）具有瑕疵，延伸扩大及于其他原无瑕疵的部分，导致整个游泳池清洁器受有损害，应构成对受让人所有权的侵害。此种由物之部分瑕疵延伸扩大侵害其他部分的损害，德国判例学说上称为 Weiterfresserschäden。（继续侵蚀性损害）[2]

本件判决甚受学者批评，[3]但德国联邦法院迄今仍维持其见解。在 BGH NJW 1978, 224 判决乙案（后轮胎案件），K 自 B 购买其制造的跑车，轮胎因具有瑕疵而爆破，致跑车受损时，德国联邦法院亦肯定跑车所有权受侵害。在因瓦斯管设计不当，致汽车自动加速，导致汽车毁损的情形，亦采相同见解（BGHZ 86, 256, 瓦斯管案件）。在此二件判决，德国联邦法院提出了所谓的损害素材同一（Stoffgleichheit）说，认为买卖之物因其部分具有瑕疵而致损害，若其所生损害与"瑕疵无价值"（angelunwert），非属相同时，除物之

---

[1] 德国民法第477 条第1 项规定："解除契约或减少价金之请求权，及基于欠缺所保证品质之损害赔偿请求权，除出卖人恶意不告知其瑕疵外，在动产自交付后 6 个月间，在不动产自交付后 1 年间不行使而罹于时效。时效之期间得以契约延长之。"

[2] 参照郭丽珍，瑕疵损害、瑕疵结果损害与继续侵蚀性损害，成功大学法律学研究所法学丛书（6），1999。本书论述德国法上判例学说甚为深入精细。参阅 Bälz, Zum Strukturwandel des Systems zivilrechtlicher Haftung; Mängelschaden, Mangelfolgeschaden und Weiterfressender Schaden—eine Aufgabe für den Gesetzgeber? 1991.

[3] Lieb JZ 1977, 432.

瑕疵担保责任外，尚构成对所有权的侵害，而成立侵权责任。[1]

德国联邦法院关于 Weiterfresserschaden 案件所创设的见解，旨在保护买受人，尤其是使产品的消费者得向与其无契约关系的制造者，依侵权行为规定请求损害赔偿，自有其立法政策上的考虑。问题的关键在于如何区别物的瑕疵与所有权侵害，如何认定何者系受物之瑕疵担保责任制度所保护的"使用及等价利益"（Nutzungs-Aequivalenzinteresse），何者系属侵权责任范畴之所有人对"物的完整利益"（Integritatsinteresse）。德国联邦法院曾前后提出了"功能上可限定"及损害素材同一的判断标准，惟其区别功能备受学者质疑；而在学者之间亦见解歧异，迄并无定论。[2]值得注意的是1989 年的德国产品责任法第 1 条明定商品责任仅适用于该具有缺陷商品以外之物，不包括该商品本身在内。

德国法上关于 Weiterfresserschaden 的发展，虽具启示性，但鉴于难以区别物的瑕疵与所有权侵害，并涉及契约责任与侵权责任的规范功能，在台湾地区法上仍应维持传统见解，认为出卖之物自始存有瑕疵，于交付后因此项瑕疵导致该物毁损灭失时，尚不构成对买受人所有权的侵害，乃属物之瑕疵担保责任问题。为加强保护被害人，第 365 条关于买受人因物有瑕疵，而得解除契约或请求减少

---

[1] 德国联邦法院相关判决，除 BGHZ 67, 359（Schwimmschalter），BGHNJW 1978, 2241（Hinterreifen），BGHZ 86, 256（Gaszug）外，尚有 BGH NJW 1983, 812（Hebebühnen），BGH NJW 1985, 2420（Kompressor）。v. Westphalen（Hrsg.）Produkthaftungshandbuch, Bd. I. 1989, § 21.

[2] Weiterfresserschaeden 是德国民法上甚为重要的争论问题，相关论文甚多，教科书上简要说明，参阅 Kötz, Deliktsrecht, S. 28f.（附有资料文献 S. 30）; Fuchs, Deliktsrecht, S. 18. 最近的专题研究，Christian Katzenmeiner," Vertragliche und deliktische Haftung in ihrem Zusammenspiel : dargestellt am Problem der weiterfressenden Mängel", 1993. 参阅拙著："商品制造者责任与纯粹经济上损失"，民法学说与判例研究，（8），第 233 页。

价金的期间，债编修正已作必要的调整，可供参照。[1]

4. 所有权的功能妨害与纯粹经济上损失。所有权受侵权行为法所保护的，除物之占有、实体及权利归属外，尚包括物得依其目的而被使用，此种使用功能的妨害亦足构成对所有权侵害，例如擅行停车于他人车库之前，致所有人不能使用其车库；[2]严重扰乱依一定次序排列的资料、文件或文库，致所有人必须支付费用重新检查、整理、分类。[3] 至于拍摄他人房屋（尤其是古迹建筑）既未侵害物的实体或功能，自无侵害所有权可言。[4] 又经营私娼馆或应召站，致邻居房价滑落时，亦不构成所有权侵害，仅属纯粹经济上损失，均不得依第184条第1项前段规定请求损害赔偿。[5]

值得提出讨论的是，因第三人的过失行为致能源供应中断或交通阻塞，使所有人不能依物之目的而为使用时，如何认定其究属所有权侵害抑为纯粹经济上损失，系侵权行为法上颇具争论的问题，

---

[1] 第365条规定："买受人因物有瑕疵，而得解除契约或请求减少价金者，其解除权或请求权，于物之交付后6个月间，不行使而消灭。"债编修正改为："买受人因物有瑕疵，而得解除契约或请求减少价金者，其解除权或请求权，于买受人依第356条规定为通知后6个月间不行使或自物交付时起经过5年而消灭。前项关于6个月期间之规定，于出卖人故意不告知瑕疵者，不适用之。"在德国，亦有学者主张应以合理解释或修正德国民法第477条关于物之瑕疵担保责任时效规定，以处理物之瑕疵担保与侵权行为责任竞合的问题，Walter, Kaufrecht, 1987, S. 238.

[2] 此为德国通说，AG Heidelberg, NJW 1977, 1541; AG Karlsrule, NJW, 1977, 1926; Dörner, Zivilrechtliche Folgen des Parkens vor Grundstückszufahrten, JuS 1978, 666 ; Larenz / Canaris, Schuldrecht, Ⅱ/2, S. 390. 于此情形，被害人得请求加害人赔偿因不能使用其车库所受损害，或赔偿拖吊该违规停车所支出的费用。

[3] BGHZ 76, 216.

[4] BGH NJW 1989, 2251; Larenz / Canaris, Schuldrecht Ⅱ / 2, S. 391.

[5] 禁止色情行业的警察法规，旨在维持社会善良风俗，非属第184条第2项所称保护他人法律。是否构成"故意以背于善良风俗之方法加损害于他人（第184条第1项后段）"，应就个案认定之。相关问题，参阅拙著："捣毁私娼馆、正当防卫与损害赔偿"，民法学说与判例研究，(8)，第221页。

德国法上案例甚多，介绍如下：

1）电缆毁损案件。在电缆毁损案件（BGHZ 41，123），甲挖掘地道，因疏失毁损乙的电缆，丙养鸡场因电力供应中断，致孵卵器上的蛋孵出畸形的小鸡，就此部分，德国联邦法院认系侵害乙的所有权。至于丙因停电不能使用孵卵器孵鸡而受的不利益，则属纯粹财产上损害，不得请求损害赔偿。

2）水道阻塞船舶受困案件。在著名的水道阻塞案件（Fleetfall，BGHZ 55，153），被告因过失，致发生河堤崩溃，水道阻塞长达 1 年不能通航。原告所有的 A 船受困于水道之内，不能履行其与水道旁磨粉厂所订的运送契约。另 3 条船（简称 B 船）则在水道之外，不能运货至磨粉厂。原告请求被告赔偿不能使用 A 船及 B 船所受损。德国联邦法院区别"受困于水道之内的 A 船"与"被排除于水道之外，不能进入目的地的 B 船"，而为不同的处理。关于 A 船，德国联邦法院肯定所有权被侵害，判决理由认为对某物所有权的侵害，不限于实体，因事实上作用于某物，致妨害所有人对物之使用权能的，亦属之，A 船因水道被阻塞而受困，必须搁置于磨粉厂装卸站，其作为一种交通工具的使用功能，实际上既被剥夺，应构成对所有权的侵害。关于 B 船，德国联邦法院则否认所有权侵害，判决理由认为水道阻塞并未影响 B 船作为运输工具的功能，其自然的利用并未遭剥夺。诚然在水道阻塞期间，原告不能将该 B 船行驶到磨粉厂的装卸站，但此仍不足构成对该船所有权的侵害，仅系使原告如其他经营航运者一样，在其对公用水道的使用受到阻碍而已。

3）储油库爆炸案件。在 BGH NJW 1977，2264 乙案，被告因过失致其经营的储油库发生爆炸，为避免灾害，警察命令原告搬离其营业场所 2 个小时，其后为净空救火通路，又封锁交通 5 个小时。原告以在此 7 个小时期间不能送货营业，受有损害，请求赔偿。问题争点在于原告是否有所有权受到侵害。德国联邦法院区别二种情形加以处理：（1）在搬离营业场所的 2 个小时期间，物的实体虽未遭毁损，但原告被排除于使用其物，仍构成对所有权的侵害，应由原审认定其所受损失。（2）在封锁道路交通的 5 个小时，原告不能派车送货，因不能利用公共道路致遭致金钱上损失，应自己承担，不得请求赔偿。

上揭德国联邦法院判决相当程度地凸显德国法学的思考方法，即为界限所有权侵害与纯粹财产上损害，乃致力于区别案例，探寻合理的解决途径。[1] 此涉及侵权行为法上的利益衡量，在判断标准方面，应考虑功能妨害客观上是否严重影响物的客观市场价值，及适当限制加害人责任的必要。准此以言，毁损他人电缆，致第三人之物的实体因电力供应中断而受侵害时，如孵卵器孵出畸形小鸡，冰箱内生鱼肉腐败，养殖的鲤鱼死亡时，应认系构成对所有权的侵害。至于机器、电脑、电梯等不能使用的不利益，则属纯粹经济上损失，盖停电时间通常不长，遭致金钱上损失之人众多，责任范围诚难控制。在电话、瓦斯等中断的情形，亦应依此原则处理之。[2] 在水道阻塞案件，德国联邦法院的见解应值赞同：[3] A 船长期受困于水道之内，物的使用功能尽被剥夺，市场价值大减，应认定其所有权被侵害。关于 B 船，则应采否定说，盖其受阻于水道之外，仍可自由行动，其作为运输工具的功能并未因此而受妨

---

[1] 区别案例（Differenzierung, Distinction）是一种基本法学思考方法，旨在实现正义，但过分细微的区别常造成法律适用的不安定，此在所有权侵害与纯粹经济上损失，最易引起争论。建筑房屋因基地施工不当引起房屋龟裂，有危害之虞时，究是否属所有权侵害，抑为纯粹经济上损失，其区别是否可能，自 Murphy v. Brentwood District Council（1991 1. AC 378）后，已在英国法上引起空前的辩论，前已论及。参阅 Sir Robin Cooke, An Impossible Distinction（1991）107 LQR 46; O' Dais, A House Build on Firm Foundations?（1991）54 MLR 561.

[2] 拙著："挖断电缆的民事责任：纯粹经济上损失"，民法学说与判例研究，（7），第 97 页（附有比较法上的参考资料）。

[3] Larenz / Canaris, Schuldrecht Ⅱ/2, S. 388.

害。在储油库爆炸案件，德国联邦法院区别搬离营业场所 2 个小时及其后封锁交通的 5 个小时而为不同的处理，引起争议。[1] 依吾人见解在前 2 小时内，虽未搬迁房屋但不能营业者有之，车辆受困动弹不得者有之，不能使用其物则一，以搬迁与否作为区别标准，容有商榷余地，何况时间甚短，市场价值殆未受影响，认系纯粹经济上损失似较合理。综合言之，在现代社会生活，物的使用多赖电力、电话、瓦斯、公共道路或水道及各种网路。此等公共设施固属物之使用的外在条件，惟不能因此认为个人享有此等公共设施不受妨害致影响其物使用的权利。其因加害人的行为使外在条件丧失，致物不能依其目的而被使用时，在何种情形得构成所有权侵害，应斟酌时间长短、物之市场价值、被害人范围、可预见性等因素，就个案认定之。[2]

第二项　其他物权、占有、期待权

一、所有权以外的其他物权及准物权

所有权以外的其他物权（用益物权及担保物权）及准物权，皆得为侵权行为的客体，分述如下：

（一）用益物权

用益物权，指使用、收益他人土地的权利，包括地上权、永佃权、地役权及典。侵害各该权利使用收益的内容时，即应成立侵权行为，如无权占有或侵夺设定用益物权的土地、破坏工作物或竹木（侵害地上权）；污染土地致不能耕作（侵害永佃权）；水土保

〔1〕 赞成学者，Larenz / Canaris, Schuldrecht Ⅱ / 2, S. 390；反对者 Kötz, Deliktsrecht, S. 26（Rn. 60）；Medicus, Bürgerliches Recht, S. 446（Rn. 613）.

〔2〕 Zeuner, Störungen des Verhältnisse zwischen Sache und Umwelt als Eigentumsverletzung, Festschrift für Flume, 1978, Bd. Ⅰ S. 775.

持不良，冲毁供役地的通路（侵害地役权）；毁损典物（侵害典权）等。

（二）担保物权

担保物权，指以物之交换价值为内容的物权，包括抵押权、质权及留置权，其侵害情形较为复杂，分三种情形加以说明：[1]

1. 担保物权的消灭：如违法涂销抵押权的登记；质权人因第三人的不法行为丧失其质物的占有，致其动产质权依第898条规定而归于消灭。

2. 妨害担保物权实行：如以不当手段妨害拍卖抵押物，致其价值减少，不足清偿债务。

3. 担保物的毁损灭失：债务人自己（或担保物受让人或物上保证人），毁损担保物（尤其是抵押物）时，应对担保权人（尤其是抵押权人）负侵权行为损害赔偿责任。须注意的是，担保物毁损的剩余价额尚较被担保的债权额为多时，则不得请求赔偿。剩余价额不足清偿债权时，纵债务人尚拥有其他财产，抵押权人在实施抵押权前，仍得向加害人请求损害赔偿。[2]

在第三人毁损灭失担保物时，担保权人对担保物所有人因一部灭失或全部灭失得受之赔偿金，得为物上代位（第881条但书、第899条）。[3]在此情形，担保权人得否向第三人依侵权行为规定请求损害赔偿？学说上有认为担保物权人得依物上代位的方式获得救济，亦得直接向毁灭该标的物的第三人（加害人）请求损害赔

---

[1] 以下说明，参照郑玉波，民法债编总论，第150页；孙森焱，民法债编总论，第162页；加藤一郎，不法行为，第110页；几代通，不法行为法，第75页；前田达明，不法行为法，第79页。

[2] 关于此点，参阅郑玉波，民法债编总论，第155页。

[3] 参阅1970年度台上字第313号判例。

偿（竞合说）。[1] 亦有认为竞合说会导致法律关系复杂，发生加害人双重给付的危险，并违反物上代位的本旨，乃强调应采所谓物上代位单一性理论，即抵押权人仅得依物上代位而获救济，不发生侵权行为损害赔偿请求权。[2] 比较言之，应以后说较值赞同。

（三）准物权

准物权，指依特别法成立的物权，例如矿业权、渔业权、水权等。[3] 侵害矿业权的，如越矿区开采他人之矿。侵害渔业权的，如采捕他人专用渔业权一定水域内的动、植物。侵害水权的，如以化学药物或不洁之物污染享有水权的地面水或地下水。此等准物权视同物权，受侵害时，应准用关于不动产物权（尤其是用益物权）受侵害的规定加以救济。

二、占有

问题：在下列情形，被害人得否主张"占有"被侵害而请求损害赔偿：（1）甲出租某屋给乙，租约终止后，乙拒不返还，甲强力取回该屋。（2）甲有货车被乙所盗用，丙复自乙盗用该车。（3）甲承租乙的摊位，丙无权占用之。

占有指对物有事实上管领力，系一种事实，而非权利。[4] 侵

---

[1] 郑玉波，民法债编总论，第151页。孙森焱，民法债编总论，第162页谓："抵押权人亦得依民法第881条但书行使物上代位权，因而对该赔偿金成立权利（债权）质权。其效力较诸抵押被侵害所生损害赔偿债权并无减损，自无行使损害赔偿请求权之实益。"是否采相同见解，不得确知。

[2] 刘得宽，"论抵押权之物上代位性"，民法诸问题与新展望，第355页（366）。

[3] 参阅"矿业法"第11条、"渔业法"第15条、"水利法"第15条（阅读之）关于水利法，史尚宽，债法总论第131页以下论述甚详，请参考之。此等特别法应值重视，有加强研究的必要。

[4] 关于占有的基本问题，参阅拙著，民法物权（2）：占有。

害占有时，有无适用第 184 条第 1 项"前段"余地，[1] 学者见解不同，[2] 兹举二例说明之：（1）甲出租某屋与乙，租约终止后，乙拒不返屋，甲强力迫乙搬迁；（2）乙窃取某甲之车使用，其后又为丙所侵夺。在此二种情形，乙得否以占有被侵害，依第 184 条第 1 项前段规定请求损害赔偿？对此问题应采否定说。第 960 条以下对占有固设有保护规定，惟此仅属消极的排除权能，无权占有人亦享有之。在积极方面，占有人对占有物并无使用收益的权能，与所有权或其他物权（尤其是用益物权）之具有一定的支配归属内容不同。因此须占有人基于某种权利而享有积极的权能时，其占有始能强化为第 184 条第 1 项前段所称的权利。[3] 所谓某种权利，指租赁、买受人受领标的物但迄未受其所有权，及其他得作为占有基础的契约（债权）而言。[4] 另外一种理论构成系认为受保护的客体不是占有本身，而是得为占有的债权（obligatorisches Recht zum Besitz）。[5] 上开二说理论构造虽有不同，但基本上均认为占有系事实，债权仅具相对性，二者的结合始使占有成为受保护的权利。

在实务上，在对有物权基础的占有加以侵害时，多以该物权（如所有权或质权）作为被侵害的权利。[6] 在有债权基础的占有

---

[1] 关于第 184 条第 2 项（违反保护他人之法律）的适用，参阅本书第 300 页。

[2] 采肯定说者有史尚宽，债法总论，第 130 页；孙森焱，民法债编总论，第 160 页，采否定说者有郑玉波，民法债编总论，第 150 页，第 154 页。综合深入的论述，参阅苏永钦："侵害占有的侵权责任"，民法经济法论文集（1），第 143 页。

[3] 在比较法上具有启示性的是，日本民法明定占有为一种权利（第 180 条），但学说上仍认为无本权或主张本权惟不能立证的单纯占有，除日本民法第 189 条规定（善意之占有人，取得由占有物所生之慈息）的可能性外，就占有权自体的侵害无主张不法行为赔偿请求权余地（几代通，不法行为法，第 66 页）。

[4] 较详细的讨论，参阅拙著："侵害占有之侵权责任与损害赔偿"，民法学说与判例研究，(3)，第 223 页；民法物权（2）：占有，第 257 页。Medicus, Besitzschutz durch Ansprüche auf Schadensersatz, AcP 165, 117.

[5] Larenz / Canaris, Schuldrecht II / 2, S. 396.

[6] 参阅 1964 年度台上字第 1610 号判决。

被侵害的情形，有以"占有"作为被侵害的权利，此系对有权占有的保护。亦有迳以该债权（如租赁权）作为被侵害的权利，[1]此可解为系对"得为占有之债权"的侵害。诸此见解，均有其理论上依据，可值赞同。关于"占有"本身被侵害，1982年度台上字第3748号判决谓："占有固为事实，并非权利，但究属财产之法益，第960条至第962条且设有保护规定，侵害之，即属违反法律保护他人之规定，侵权行为之违法性非不具备，自应成立侵权行为。至占有人对该占有物有无所有权即非所问。"[2]在此判决，似认"占有本身"非属第184条第1项前段的"权利"，而适用第184条第2项，此项见解可资赞同。

三、期待权

期待权，指取得某种权利的先行地位，受法律保护而具有权利性质。期待权（尤其是物上期待权）亦属第184条第1项前段所称权利，兹举实务上最重要的附条件买卖（保留所有权买卖）买受人的期待权为例加以说明。[3]

甲向乙购买汽车，约定价金100万，分期付款，在价金全部清偿前，乙保留所有权（参照"动产担保交易法"第26条）。在此情形，甲与乙间的买卖契约完全有效，移转所有权的物权行为附停止条件，在条件成就前，乙仍为该车所有人，甲则取得具有物权性质的期待权。在价金完全清偿前（如支付至第6期），若该车被丙毁损、窃盗或无权处分而由受让人善意取得其所有权时，则谁

---

[1] 参阅1968年度台上字第558号判决。

[2] 关于本件判决的评释，参阅苏永钦："侵害占有的侵权责任"，民法经济法论文集（1），第143页。

[3] 关于期待权及买受人期待权的基本问题，参阅拙著："附条件买卖买受人之期待权"，民法学说与判例研究，（1）第228页，民法总则，第321页；刘得宽，"分期付款买卖之法律上效力—以所有权保留买卖为中心"，民法诸问题与新展望，第1页以下。

（甲或乙）得向丙请求损害赔偿，或丙应向谁（甲或乙）为给付?[1]

此项问题涉及保留所有权人（出卖人）与期待权人（买受人）的利益，而有不同见解：有认为应依价金支付的比例，由保留所有权人及期待权人分别向加害人请求损害赔偿；有认为期待权人得请求全部损害赔偿，因其仍应对保留所有权人的出卖人支付价金。此二种解决方法皆有其理论上的依据，惟前者未完全顾及期待权人仍负有支付价金的义务，后者于期待权人不履行支付价金义务时，不利于保留所有权人。为兼顾双方当事人利益，较合乎事理的解决方法系类推适用第293条关于不可分债权的规定，使保留所有权人及期待权人仅得为其全体请求给付，而加害人亦仅得向其全体为给付。[2]

第五款　智慧财产权

问题：试综合比较说明侵害商标权、专利权、著作权及电路布局权的要件及法律效果。

智慧财产权（智能财产权、知识产权、智慧权），指以智能创作为内容的权利，包括著作权、专利权、商标专用权及电路布局权。此四者均系享有一定利益的排他权，属第184条第1项前段所称权利。关于此等权利的取得、变动及消灭，尤其是保护标的及要件，著作权法、专利法、商标法及积体电路电路布局保护法设有规

---

[1]　保留所有权人、期待权人与第三人的关系尚涉及与不当得利及占有回复请求权的竞合，在此难以评述，简要的说明，参阅 Mueller = Laube, Die Konkurrenz zwiechen Eigentuemer und Anwartschaftsberechtigtem um die Drittschutzansprüche, JuS 1993, 529.

[2]　参照 Baur / Stürner, Sachenrecht, 16 Aufl. 1992, S. 658；拙著："附条件买卖买受人之期待权"，民法学说与判例研究，(1)，第228页。

定，为民法的特别法，未规定者，适用民法之规定。[1] 智慧财产权随着社会变迁、经济成长及科技进步，成为极为专门的法律领域，非本书所能详述，兹简要加以说明：

著作权指因著作完成所生之著作人格权及著作财产权。著作人格权指以著作人对于自己著作所有的人格、精神利益为内容的权利（"著作权法"第 15 条以下）。侵害著作人格权的，如购买名家裸体艺术作品作为地下脱衣舞场的广告看版。著作财产权，指以著作物之财产上利益为内容的权利，包括重制、公开口述等九种权利（"著作权法"第 22 条以下），侵害著作财产权最常见的是抄袭，即剽窃他人著作当作自己的创作。[2]

专利法规定发明、新型及新式样三种专利权，对发明专利权详设规定，而准用于其他二者。发明专利权指以专有制造、贩卖、使用或进口其发明为内容的权利（参阅第 56 条）。专利保护范围是申请专利的核心问题。1994 年 1 月 21 日新修正公布"专利法"第 56 条第 3 项规定："发明专利权范围，以说明书所载之申请专利范围为准。必要时，得审酌说明书及图式。"对专利的侵害亦应以此为判断基准。关于侵害类型，专利法未设规定，有待于参酌各判例学说，建立诸如直接侵害、诱引侵害或补助侵害（帮助侵害）的

---

[1] 例如关于损害赔偿请求权的消灭时效，"专利法"第 88 条第 3 项设有规定，相当于第 197 条第 1 项，惟其他法律未设规定，应适用第 197 条。关于第 197 条第 2 项规定的适用，参阅蔡明诚，发明专利法研究（台大法学丛书 103），第 237 页。蔡氏著作致力于结合特别法与民法，在方法论上具有意义。

[2] 关于著作权的专门著作，参阅萧雄淋，新著作权法逐条释义（1）（2）（3），1993，1996；罗明通，著作权论，1997；谢铭洋等著，著作权法解读，1992；施文高，比较著作权法制，1993。

侵害类型，以利法律适用。[1]

　　商标权指以商品、服务、证明、团体标章、物品标记之专用为内容的权利，以广告成果为保护标的，以特别显著性为其保护要件。关于商标专用权的侵害，系以有无混同之虞作为判断标准。1960 年台上字第 2627 号判例谓："上诉人曾经申请注册之'可利痛'商标，其名称中'利痛'二字，与业经核准被上诉人公司注册之第 6448 号'散利痛'商标名称主要部分'利痛'二字既属相同，而其英文商标 Coridon 与 Saridon 后 5 个字母完全相同，字型亦相若，此二商标极相近似，其'龙头图'形商标与'虎头图'形商标之布局形状亦属相似，尤其装盒图样文字排列构造均相仿效，如将两造所用之商标在异地隔离观察，均有足以引起混同误认之虞，自在不应准许之列。"此项原则于商标专用权的侵害亦应适用之。有无混淆之虞，应就商品整个销售管道及实际市场运作情形加以认定。一般人施以普通注意，即可辨识二者的异同，不构成混淆，自不待言。[2] 真假商品的消费者及市场，泾渭分明，或两公司的产品并存使用多年，早已在消费者心目中建立其品牌形象及市场地位时，则难认有混同误认之虞。[3]

---

[1]　参阅黄文仪，申请专利范围与专利侵害判断，1994；蔡明诚，发明专利法研究，第 175 页以下。实务上重要案例参阅 1985 年台上字第 972 号判决："专利权受侵害时，专利权人得请求赔偿损害，为'专利法'第 81 条所明定。原判决既认定被上诉人赖某为被上诉人中日塑胶有限公司及第一审共同被告中伟工业股份有限公司之负责人，以各该公司名义仿照上诉人已取得专利之"免刀塑胶带"，亦即有侵害上诉人专利权之行为。依一般经验法则，此仿造专利品之行为，不唯侵害专利权人之商誉，更因而减少专利权人在同一时地贩卖专利品获利之机会。原判决竟谓不能因此认为上诉人受有损害。其立论殊有可议，亦与一般经验法则有违。"（民刑事裁判选辑，第 6 卷，第 1 期，第 396 页）。

[2]　参阅 1932 年上字第 1073 号判例。

[3]　最近实务上相关判决及比较法上的观察，参阅赵晋枚，"中美商标法之比较研究"，收于智慧财产权与国际私法：曾陈明汝教授六秩诞辰祝寿论文集，1997，第 551 页（593）。

1995 年制定的积体电路电路布局保护法规定"电路布局权",此为最近权利化的智慧财产。电路布局指积体电路上之电子元件及接续此元件之导线的平面或立体设计，此项权利应具备的要件有二：（1）由于创作人之智慧努力而非抄袭之设计。（2）在创作时就积体电路产业及电路布局设计者而言，非属平凡普通或习知者（第 16 条）。电路布局非经登记，不得主张本法保护（第 15 条），未经电路布局人同意，而复制电路布局之一部或全部；或为商业目的的输入、散布电路布局或含该电路布局之积体电路，即构成对其权利的侵害（第 17 条）。

关于侵害智慧财产权的救济，基于智慧财产权的共通性，各相关法律设有若干共同规定：[1]（1）不作为请求权，即权利人对于侵害其权利者，得请求排除之，有侵害之虞者，得请求防止之。此种请求权以加害行为具有违法性为要件，不以故意或过失为必要。（2）侵权行为的成立，均以故意或过失为要件，采过失责任主义。[2] 数人共同不法侵害者，连带负损害赔偿责任。（3）关于损害赔偿的请求设有多种方式，得依第 216 条规定请求所受损害；或依侵害人因侵权行为所得利益。（4）侵害行为如属故意，法院得依情节酌定一定范围的赔偿额。（5）被害人得请求加害人负担费用将判决书内容全部或一部登载于新闻纸、杂志。

第六款　社员权

社员权，指基于社员地位所生各种权利的总体，包括参与社团

---

[1]　参阅"著作权法"第 84 条至第 90 条；"积体电路电路布局保护法"第 29 条至 34
　　条；"专利法"第 88 条至 96 条；"商标法"第 61 条、第 66 条至第 71 条。务请细
　　阅上开条文，确实比较其异同，并探究其理由、要件，简要说明参阅蔡明诚，发
　　明专利法研究，第 19 页（第 30 页），此涉及各种权利的发生、性质及保护。

[2]　关于举证责任，参阅蔡明诚，发明专利法研究，第 232 页。

营运的共益权及利益分配等的私益权。社员权亦属第 184 条第 1 项前段所称"权利"。[1]问题在于如何认定社员权的保护范围。侵害社员权的主要情形，如无正当理由开除社员；非法拍卖他人的股份，致剥夺其社员的地位；以藏匿开会通知等方式妨害社员权的行使。至于毁损社团财产，减少其价值，则不构成对社员权的侵害，盖此项财产既不为个别社员所有，非属社员权的归属内容，不在其保护范围。[2]

第七款　债　　权

问题：第 184 条第 1 项前段所称权利是否包括债权？在下列情形，债权人得否主张债务人或第三人侵害其债权，应负侵权责任：（1）债务人给付迟延。（2）第三人毁损买卖标的物致债务人给付不能。（3）丙明知甲出卖某屋给乙，仍以高价自甲购买该屋，受让其所有权。

债权，指基于债之关系一方当事人（债权人）得向他方当事人（债务人）请求给付的权利。所谓债之关系，包括契约、无因管理、不当得利及侵权行为等。关于侵害债权是否构成侵权行为，主要是针对契约而言。兹分债务不履行及侵害他人债权二种情形加以说明。

一、债务不履行

债务不履行指未依债的本旨而为债务的履行，如给付不能、给

---

〔1〕　史尚宽，债编总论，第 154 页；郑玉波，民法债编总论，第 153 页。

〔2〕　参阅 Larenz / Canaris, Schuldrecht Ⅱ / 2, S. 394; Karsten Schmidt, Die Mitgliedschaft als Grundlage von Schadensersatzansprüchen; Reuter, Die Mitgieldschaft als sonstiges Recht im Sinne des § 823 IBGB, Festschrift für Lange, S. 707; Habersack, Die Mitglied-schaft-subjektives und sonstiges Recht, 1996.

付迟延或不完全给付。债务不履行得否构成侵权行为？对此问题，实务上有二则判例，可资参照。1954年度台上字第639号判例谓："给付迟延与侵权行为，性质上虽属相同，但因债务人之迟延行为侵害债权，在民法上既有特别规定，自无关于侵权行为规定之适用。"又1954年度台上字第752号判例谓："侵权行为，即不法侵害他人权利之行为，属于所谓违法行为之一种。债务不履行，为债务人侵害债权之行为，性质上虽亦属侵权行为，但法律另有关于债务不履行之规定。故关于侵权行为之规定，于债务不履行不适用之。"

此二则判例的结论，应值赞同，若债务不履行皆得成立侵权行为，民法关于债务不履行的规定将失其规范功能。法院所以认债务不履行为侵权行为的特别法，系以"债权"属184条第1项前段所称"权利"为前提。本书则认为此项权利原则上并不包括债权在内（详见下文），故债务不履行本身（如上开判例所指的给付迟延），并不构成对债权的侵害，原无关于侵权行为规定的适用。惟债务不履行（尤其是不完全给付）侵害债权人的人格权或财产权时，则应成立侵权行为，而与契约责任发生竞合关系。

二、侵害他人债权

（一）第184条第1项前段所称权利是否包括债权？

第三人侵害债权时，在何种情形构成侵权行为，其关键问题在于第184条第1项前段所称权利是否包括债权。关于此点，原则上应采否定说，其理由有二：

1. 债权系属相对权，存在于当事人间，债权人对于给付标的物或债务人的给付行为并无支配力；更重要的是，债权不具所谓典型的社会公开性，第三人难以知悉，同一个债务人的债权人有时甚多，加害人的责任将无限的扩大，不合社会生活上损害合理分配原则。此并涉及债务人的意思自由及社会经济生活的竞争，应作限制的解释。

2. 第184条第1项后段规定，故意以背于善良风俗之方法加损害于他人者，应负赔偿责任，此可作为侵害债权的规范基础，运用灵活，足以发挥保护债权的效能。[1]

（二）类型分析

1. 因第三人行为致债务人不能履行对债权人的给付义务。第三人的行为致债务人不能履行对债权人的给付义务，如甲侵害乙出卖于丙的标的物，致给付不能。于此情形，1983年度台上字第599号判决谓："买卖标的物经第三人侵害之结果，出卖人依第225条第1项之规定免给付义务者，买受人非不得依侵权行为之法则，迳向该第三人请求赔偿所受损害。"[2] 所谓"侵权行为之法则"若指第184条第1项前段，则难赞同。其理由有二：（1）合理限制侵权责任的必要，如甲撞毁乙运送买卖标的物的货车，而其买受人之人数众多时，甲实难负担赔偿每一个买受人因其债权被侵害所生的损害。（2）在给付不能的情形，买受人得免对待给付义务（第266条），或得主张代偿请求权（第225条第2项），在契约法上有适当的救济方法。准上所述，甲驾车撞伤乙歌星无论出于故意或过失，亦不问债权是否因而消灭，[3] 就乙的债权人（歌厅、演唱会

〔1〕 关于本项规定的适用，参见本书第291页。须注意的是，台湾地区学者有采日本判例学说以解释民法规定。日本民法第709条以侵害权利为不法行为的成立要件，并无相当于第184条第1项后段规定，乃一方面扩张权利概念使之包括债权，自属必要，他方面又依"相关关系理论"，就各个侵害类型认定其主观要件及违法性，参阅几代　通，不法行为法，第68页以下；前田达明，不法行为法，第81页以下。比较法上深入的专论，吉田邦彦，债权侵害论再考，有斐阁，1991。参阅 Whittaker, Privity of Contract and the Law of Tort: the French Experience, Oxford Journal of Legal Studies Vol. 15, No3. (1995), p. 327.

〔2〕 民刑事裁判选辑，第4卷，第1期，第55页。关于本判决的评释，参阅拙著："侵害他人债权之侵权责任"，民法学说与判例研究，（5），第209页。

〔3〕 孙森焱民法债编总论（第164条）采不同见解，认为应分别第三人之行为侵害债权之标的给付是否致债务人免给付义务，而判断侵权责任成立要件。

主办机构、经理人、唱片行等）因其给付目的未获实现所受的不利益，甲均不负赔偿责任。甲之行为须系出于故意以背于善良风俗方法加损害于乙之债权人时，始依第 184 条第 1 项后段负赔偿责任。[1]

2. 二重买卖。甲出卖某屋于乙，并交付该屋于乙，其后丙再向甲买该屋，并受让其所有权。在此情形，不论丙是否知悉甲乙间的买卖契约，均无第 184 条第 1 项前段的适用，其主要理由系基于经济的自由竞争，发挥物之效用。须注意的是，在上开情形，丙既已因登记而取得其所有权，自得向乙主张所有物返还请求权。至于丙是否故意以背于善良风俗之方法加损害于乙，应就个案认定之。[2]

3. 诱使债务人违约。诱使债务人违约（干扰他人契约关系）系侵害他人债权的重要类型，例如甲使乙终止其与丙的雇佣契约或不与丙续约。[3] 如前所述，"债权"非属第 184 条第 1 项前段所称"权利"，故其侵害行为纵出于"故意"，仍无本段规定的适用，

---

[1] 1969 年台上字第 1504 号判决谓："按债权具不可侵性，依故意或过失侵害他人之债权者，固应负侵权行为上之责任，但此以第三人之行为对债权之存续或其法律上效力有直接影响者为限。例如第三人以侵害他人之债权之意思，毁灭其特定之标的物件时，或故意对债务人之身体加予拘束使其不能为债权标的之特定给付时等是。"（裁判选辑（民事法）第 11 册，第 264 页）。此项判决要旨结论上可资赞同，但如何适用第 184 条第 1 项规定，未臻明确。

[2] 关于"二重买卖"，参阅拙著，民法学说与判例研究，(4)，第 253 页。

[3] 在英美法上无债权的概念，但有干扰契约关系（inteference with contractual relations, 或 Inducement of Breach of contract）的侵权行为（Tort），系以故意（intention）为要件，确立于 Lumley v. Gye 案（1853, 118E. R. 749）。本件原告在伦敦经营 Queen's Theater，与有名女歌剧家 Johnna Wagen 订有某季节演唱契约，被告诱使 Wagen 氏违约而为其演出。法院肯定此种恶意干扰契约关系不法侵权行为。关于其后发展，参阅 Winfield and Jolowicz, Tort, 1996, p. 517（英国法）；J. G. Fleming, The Law of Torts 1992, p. 688（澳洲法）；Prosser/Keeton, Torts, 1984, p. 978（美国法）。

尚须系"背于善良风俗"加损害于债权人，始有同条后段规定的适用。医生劝告受雇于矿场的病患中止工作，父母迫使子女脱离特殊行业，均不符此要件。出高价使人违约跳槽亦然。盖此涉及劳动市场经济的自由竞争，且被害人（债权人）得依契约法获得救济。惟若高价唆使某科学家离职，旨在破坏其雇主的重要研究计划，或为报私怨唆使房东终止租赁契约，逼使承租人搬家，则构成故意以背于善良风俗方法加损害于他人。

4. 债权归属之侵害。关于侵害他人债权，原则上应不适用第184条第1项前段规定，已详上述。学者有主张侵害债权归属时，应例外地认为系侵害第184条第1项前段所称的"权利"。例如甲对乙有价金债权，让与于丙，乙于接获债权让与通知前，仍向甲为给付，甲受领之，致丙之债权因而消灭（第297条第1项）。于此情形，丙得否依第184条第1项前段规定向甲请求损害赔偿？对此问题，台湾地区学者均持肯定说。[1] 德国通说采否定的见解，坚持债权系相对权的立场，强调债权与其归属不能分离，并认在上举之例，若甲具有过失时，亦应负侵权责任，显将稀释民法保护债务人之目的，何况丙得本于原因关系向甲主张不当得利请求权，无认侵害债权归属的必要。[2] 少数有力说则认为债权作为一种财产客体，归属于债权人，具有一定归属内容及排他功能，应受保护，惟被侵害的不是债权的归属，而是债权本身。[3] 此项见解可供参考。

[1]　史尚宽，债法总论，第136页；郑玉波，民法债编总论，第152页；孙森焱，民法债编总论，第164页。其构成侵害债权归属的，尚包括非债权人而以债权准占有人（第310条）或收据之持有人（第309条第2项）之方式受领清偿，致债权因而消灭。

[2]　Medicus, Bürgerliches Recht, S. 442（Nr. 610).

[3]　Larenz / Canaris, Schuldrecht Ⅱ/2, S. 397.

第八款　营业权：商业经济利益的权利化

一、问题的提出与比较法上的观察

第 184 条第 1 项前段所称权利包括人格权、身份权、物权及准物权、智慧财产权等，已如上述。此外，尚有各种经济、商业或劳动关系上的利益，其种类甚多，范围较广，价值体系上次于人身或物权，如何加以合理必要的保护，是各国侵权行为法上的重要课题，分就英美法及德国法说明之。

1. 英美法上的 Economic Torts。英美法上所谓的 Economic Torts，由其名称可知在于保护经济利益，并有多数个别的侵权行为，包括 false deceit, passing off, injurious falsehood, conspiracy, inducing breach of contract, intimidation 等。[1] 此等侵权行为均以故意（intention）或恶意（malice）为要件，[2] 属于所谓的故意侵权行为，各有不同的内容，虽历经数百年的演进，仍未能形成一个以经济利益为客体的概括权利。其所以不能建立一个概括性的权利，主要系因经济利益的多样性，难以确立一个统一原则；其所以皆以故意为要件，则在维护自由竞争。[3]

2. 德国法上的营业权。为强化对经济利益（纯粹财产上利益）的保护，德国判例创设了一种所谓"对已设立及实施企业经营的

---

[1] 限于篇幅，以英国法为重点，参阅 J. G. Fleming, Law of Torts, p. 684 ; Markesinis/Deakin, Tort Law, p. 375 ; Street, Torts, p. 111.; Winfield and Jolowicz, Tort, p. 517, Heydon, Economic Torts, 2nd ed. 1978。

[2] Carty, Intentional Violation of Economic Interest, C. L. J. 104 (1988), p. 250, 274 : "The established economic torts are torts of intention"。最近重要相关著作, Peter Cane, Tort Law and Economic Interests, 1991.

[3] Street, Torts, p. 115："残酷的说，法律经常预备着保护人身或所有权不受侵害，但犹豫于照顾你的金钱及其他经济利益。"

权利" (Das Recht am eingerichtenenund ausgebüten Gewerbebetrieb, 简称 Das Recht amGewerbebetrieb，暂译为营业权)。[1] 营业权在德国法上历经百年的发展，肇始于 1904 年德国帝国法院一则判决 (RGZ54，24)。在本件，被告据其在登记簿上的商标，要求原告中止仿冒其商标。原告停止生产使用此项商标的纺织品后，发现被告的商标于声请时已属众所周知，不具商标能力，乃向被告请求赔偿因停止生产所受的损害。在此情形，被告所侵害的不是权利，而是财产上利益，无德国民法 823 条第 1 项规定的适用。又被告并非出于故意以背于善良风俗方法加损害于原告，亦不符德国民法第826 条的要件。为克服此种侵权责任体系上的限制，德国帝国法院特创设所谓营业权，认为就已设立及实施的营业，应承认存有一种得被侵害的权利。此所涉及的不仅是企业经营者的意思活动，此项意思业已获得客体的实体化，得作为承认营业权的坚实基础。第二次大战后，德国联邦法院继续维持此见解，肯定营业权是德国民法第 823 条第 1 项所称的权利。

德国实务创设的营业权，属于所谓的"框架权" (Rahmen-recht)，具概括条款的性质，即因故意或过失不法侵害他人商事企业活动时，应就所生损害负赔偿责任。其保护客体包括企业活动的整个范畴，但不及于构成企业经营的财产及其成员。关于营业权的侵害行为要件及保护范畴，德国联邦法院提出了所谓侵害直接性 (Unmittelbarkeit) 理论，而以企业关连性 (Betriebesbezogenheit) 作为判断标准。所谓企业关连性侵害，指其侵害系针对企业本身，而非与企业本身可以分离的权利或法益，如伤害企业的员工、毁损

〔1〕 德国法上相关判决及论着甚多，简要论述，参阅 Esser / Weyers, Schuldrecht Ⅱ §55 Ⅰ 2C (S. 55); Fikenscher, Schuldrecht, S. 737; Fucks, Deliktsrecht, S. 42f.; Kötz, Deliktsrecht, Rn. 77f.。Larenz / Canaris, Schuldrecht Ⅱ / 2, S. 537f.，对于判例学说作有全面深刻的检讨，甚具参考价值。

企业的机器、使企业所有的船只受困于因河堤崩溃被阻塞的水道等。在挖断他人电缆致企业因电力供应中断不能营业等情形，德国联邦法院亦否定系属企业权侵害，其主要理由系因电力供应中断而受损害的，尚有其他电力用户，此项侵害非企业所特有。企业关连性侵害的要件旨在合理控制因过失侵害纯粹财产上利益的侵权责任，具有一定的功能，但其概念颇为抽象，造成界限上的困难，例如开具不实的劳工离职证明书，是否侵害新雇主的企业经营权，引起争议。[1] 关于侵害行为的违法性，德国联邦法院强调不能采"权利侵害引徵不法"的原则，而应依利益衡量认定之。

营业权的创设系在补充德国侵权行为法对纯粹经济上利益保护之不足，为限制其适用范围，德国通说认其因营业权被侵害的损害赔偿请求权仅具补助性的性质，与其他请求权竞合时，应不适用之，如基于不正竞争而侵害营业权时，应仅适用不正竞争相关法律。侵害企业的所有权时，应适用德国民法第 823 条第 1 项规定。惟德国民法第 826 条系关于故意背于善良风俗的规定，非属特别法，得竞合适用之。

营业权在德国实务长达百年的发展中形成了案例类型，[2] 其重要者有：（1）保护权利警告（Schutzrechtsverwarnungen），即主张自己不存在的商标或专利权，警告他人须停止某种商品的生产，此为促使营业权诞生的案例。（2）传播伤害企业的事实，如无正当理由将迟延付款客户的黑名单散布于不相关之人。（3）杯葛，如出于竞争目的时，适用不正竞业法；非出于经济目的时，得构成对营业权的侵害。（4）不法罢工等。

---

〔1〕 BGHZ 74, 281；Larenz / Canaris Schuldrecht II / 3, S. 542.

〔2〕 较详细的分类及案例，参阅 Fikentscher, Schuldrecht, S. 737；Karsten Schmidt, Integritätsschutz von Unternehmen nach § 823 BGB, JuS 1993, 985.

二、台湾地区法上的解释适用

在侵权行为法，经济利益应否予以权利化，而有第 184 条第 1 项前段规定的适用？对此问题，法院未有相关判决。在学说方面，史尚宽先生认为："关于营业之概括承受及合并（第 305 条、第 306 条），商人通例就商号与营业一并转让及仅营业上之转让（"商人通例" 22 条、23 条）为规定，其承认营业为一独立财产，得为移转之标的，殆无疑义。是以营业权之成立，应着眼于其财产之独立价值，即就营业之规模布置及其经营客观的具体化者，为一独立之无体财产权。如营业权被侵害，例如直接妨害营业，或因有效之处分，使事实上缩减或丧失其权利，即有营业权之侵害。依第 184 条第 1 项前段之规定，构成侵权行为。"[1] 郑玉波先生亦采肯定说，略谓："营业权之侵害，亦可成立侵权行为，例如不正竞业及同盟抵制（Boycott）等，皆构成营业权之侵害，故应视其情节，成立侵权行为。"[2] 本书则认为侵权行为法不应创设营业权，分二点说明之：

1. 企业经营上活动包括企业构成部分、组织与顾客、商品、劳务，及与资金供应者的关系等，经常变动，其客体难以具体化，欠缺权利所应具的社会典型公开性，尤其是归属及排他的功能。此为英国法未能形成一种以保护经济利益为内容之概括性权利的主要理由。德国判例虽创设了营业权，但关于侵害行为的要件及保护范围的认定（营业关连的侵害理论）、违法性判断（利益衡量）、以及请求权竞合关系（补助性功能）等，历经 100 年的发展，仍未获定论。德国法上的营业权从其诞生迄至今日始终受到质疑，最近权威民法学者 Larenz/Canaris 更强调应毅然放弃此项被认为已具习

---

〔1〕 史尚宽，债法总论，第 135 页。

〔2〕 郑玉波，民法债编总论，第 153 页。

惯法的"权利",而回归到德国民法的规范模式。[1]

2. 关于营业经济利益的保护,在台湾地区原则上应以第 184 条第 1 项后段作为请求权基础,而善用之。所谓故意得解为包括未必故意,是否违背善良风俗应视侵害情节而定,以合理兼顾企业的经营和经济活动的保护。

第四节 损 害

> 问题:甲受乙诈欺出卖某件古物,价金若干。甲于撤销权除斥期间经过后,得否向乙主张侵权行为损害赔偿,要求回复原状?乙得否抗辩甲获有请求价金之债权,其财产总额并未因此减少,未受有损害,不成立侵权行为?

一、损害与赔偿

侵权行为的成立须以发生现实损害为必要。[2] 侵权行为损害

---

[1] Larenz/Canaris, Schuldrecht Ⅱ/2, S. 546, 560f. 在日本,通说认为日本民法第 709 条所称权利包括营业权,并适用"相关关系理论",以认定其侵害行为的要件及保护客体,自有其侵权行为法体系的理由,因日本民法并无相当于德国民法第 826 条及台湾地区第 184 条第 1 项后段,可资适用。参见前田达明,不法行为法,第 84 页;野村好弘等编着,不法行为法,第 220 页以下。

[2] 在英国法上若干侵权行为(Tort)的成立,不必证明受有损害,即可诉请损害赔偿(injuria sine dammo, actionable per se),属之者有 Trespass,如擅行散步于他人土地。于此情形,法院通常判给数磅微少的赔偿,宣告原告的权利(declaration of right),警告被告及其他之人不得侵犯(参阅 Williams and Hippel, Foundations of the Law of Tort, 2nd edition, 1984, p. 56)。在台湾地区法上若无损害,虽不成立侵权行为,但无碍于主张不作为请求权(第 767 条)。

赔偿请求权，以受有实际损害为成立要件，若绝无损害亦无赔偿之可言。[1] 至赔偿之数额，自应视其实际所受损害之程度以定其标准，如实际确已受有损害，而其数额不能为确切之证明者，法院自可依其调查所得斟酌情形为之判断。[2] 故侵权行为损害赔偿之诉讼，法院认原告有赔偿请求权存在，及命被告赔偿损害之判决，如未于判决理由项下，记载原告受有如何损害之意见者，即属"民事诉讼法"第 466 条第 6 款（注：现行"民事诉讼法"第 469 条第 6 款）所谓判决不备理由。[3]

须注意的是，赔偿权利人除有损害赔偿请求权外，同时享有对于第三人之请求权时，此仅系权利之竞合，其损害赔偿请求权所具"受有损害"之要件，不能因此认有欠缺。[4] 例如甲有某陶壶寄

---

〔1〕　1930 年上字第 363 号判例。参照 1996 年台上字第 736 号判决："抵押权系以确保债权之清偿为目的，而设定之担保物权，如故意以价值不实之担保物换取高额贷款，使贷与人取得不能确保其实现之债权，且于就担保物实行抵押权后，债权实际仅获得一部分清偿，能否谓贷与人未受有损害，殊非无疑。"又 1995 年度台上字第 2131 号判决："上诉人接受被上诉人活期储蓄存款，两造间系属金钱寄托关系，按寄托物之利益及危险于交付时，移转于受寄人，为第 603 条第 1 项及第 2 项所明定。系争存款纵如被上诉人主张已为诉外人林燕飞冒领，且为上诉人职员之过失所致，被上诉人仍得依行使寄托物返还请求权，请求上诉人给付系争存款，则受损害者为上诉人，难谓被上诉人之权利已受损害，被上诉人能否依侵权行为之法律关系请求上诉人赔偿，非无研求之余地。"

〔2〕　1997 年台上字第 416 号判决："因故意或过失，侵害他人之权利者，应负损害赔偿责任。至赔偿之数额，自应视其实际所受损害之程度以定其标准，如实际确已受有损害，而其数额不能为确切之证明者，法院自可依其调查所得，斟酌情形为之判断（本院 1929 年上字第 2746 号判例参照）。若上诉人每日须做馒头销售，而其配偶仅系协同为之，则上诉人受伤住院或治疗期间，自不能再做馒头销售，即实际受有损害。而其数额纵不能为确切之证明者，法院非不得依其调查所得，斟酌情形为之判断。"（民事裁判书汇编，第 27 期，第 131 页）；参阅 1983 年台上字第 3986 号判决（溢流污水致养殖鱼死亡案件）。

〔3〕　1959 台上字第 680 号判例。

〔4〕　1969 年台上字第 1296 号判例。

托于乙处，因乙疏于保管，被丙毁损。甲依第 184 条第 1 项前段规定向丙请求损害赔偿时，丙不得主张甲对乙有契约债务不履行损害赔偿请求权，故未受有损害，不负赔偿责任。原告就现实损害之发生须为主张，于被告有争执时，应负举证责任。

二、损害之赔偿

第 184 条第 1 项前段所称损害包括财产上损害及非财产上损害。财产上损害指损害得以金钱加以计算，如医疗费支出、扶养费用、营业收入减少、物之价值减损或修缮费用等。后者指不能以金钱衡量的精神或肉体痛苦而言。被害人有仅受财产上损害的，如汽车被碰伤；有仅受非财产上损害的，如一方配偶与第三人通奸，他方配偶深受精神上折磨。侵害他人的身体时，如毁人脸容，通常同时发生上揭二种损害，被害人并得请求之，自不待言。被侵害者，无论为财产权或非财产权皆可发生财产上损害或非财产上损害，被害人均得请求回复原状（第 213 条以下）。惟关于非财产损害，以法律有特别规定者为限（第 18 条第 2 项、第 194 条、195 条等），始得请求赔偿相当金额（慰抚金）。[1]

三、因受诈欺而为之买卖与侵权行为

关于侵权行为的成立须以现实损害之发生为要件，实务上有乙则具有启示性的重要案例，可资参照。1974 年 4 月 9 日民庭庭推总会议提出乙则法律问题：因受诈欺而订立买卖契约并已交货，未收到价金，此际出卖人能否以被诈欺受害为由，请求损害赔偿？或因侵权行为之损害赔偿请求权消灭时效已完成而请求返还不当得利？总会决议（二）采甲说："因受诈欺而为之买卖，在经依法撤销前，并非无效之法律行为，出卖人交付货物而获有请求给付价金之债权，如其财产总额并未因此减少，即无受损害之可言。即不能主张买受人成立侵权行为而对之请求损害赔偿或依不当得利之法则

―――――――

[1] 关于慰抚金，参阅拙著，民法学说与判例研究，(2)，第 253 页。

而对之请求返还所受之利益。"[1]　其后1978年第13次民庭庭推总会议为澄清疑义，再作成一项决定："所谓'因受诈欺而为之买卖，在经依法撤销前，并非无效之法律行为，出卖人交付货物而获有请求给付价金之债权，如其财产总额并未因此减少，即无受损害之可言。即不能主张买受人成立侵权行为而对之请求损害赔偿……。'旨在阐明侵权行为以实际受有损害为其成立要件。非谓类此事件，在经依法撤销前，当事人纵已受有实际损害，亦不得依侵权行为法则请求损害赔偿。"[2]

　　1978年度的民庭庭推总会议决定可资赞同。诈欺系施诈术于他人的意思决定，应构成侵权行为（第184条第1项后段），其损害赔偿请求权得与该得撤销的法律行为（如买卖）并存，此于撤销权罹于除斥期间（第93条）时具有实益。基于损害赔偿回复原状的原则，被害人得请求加害人废除契约以免除其契约上的义务，倘能证明未受诈欺时得以更佳的条件缔结买卖契约时，并得请求赔偿之，例如买受人于证明得以较低的价格买售标的物时，得请求出卖人返还其超过部分的价金。

第五节　　因果关系

　　问题：甲因过失驾车撞到乙，乙受伤，试问：

　　1. 乙就其受伤所支出的医疗费用、伤害诊断书费用、律师费用、甲车祸逃逸而支出之调查费用，住院期间名贵

---

[1]　乙说谓："按诈欺系属侵权行为，出卖人既因受诈欺而交货，显然受有损害，自得依侵权行为之法则，请求损害赔偿，并于此项损害赔偿请求权消灭时效完成后，请求返还不当得利。虽受诈欺而为之买买，非无效之法律行为，出卖人之价金请求权依然存在。然仅系请求权之竞合，出卖人（债权人）可择一行使，不能因价金请求权依然存在，即谓出卖人不得请求损害赔偿或返还不当得利。"

[2]　拙著，"意思表示之诈欺与侵权行为"，民法学说与判例研究，(2)，第211页。

手表被盗，家中兰花枯死及医师医疗过失而加重病情，或因手术发现脑瘤，至被迫提早退休所受损失，得否向甲请求损害赔偿？

2. 设乙受伤严重精神失常，而自杀时，甲对乙的死亡应否负责？

3. 设有某丙目睹耳闻车祸事故，或其后阅报、看电视知悉乙之遭遇，因遭受惊吓，致其健康遭受侵害时，在何种情形，甲应对丙负侵权责任？

4. 设甲肇致车祸，阻塞交通，有丙等多人不耐久等，驾车跨越丁的小花园而离去时，甲应否对丁负损害赔偿责任？

5. 甲撞伤乙之后，逃逸离去，戊见乙伤情严重，前往救助，因天黑下雨，戊遭某汽车撞伤时，戊得否向甲请求损害赔偿？

6. 在上开情形，甲就侵害他人的权利所生损害，应否负赔偿责任，涉及所谓因果关系，试说明因果关系的意义、理论构成、举证原则，及其规范损害赔偿范围的功能。

7. 试就实务上案例说明劳工职业伤害、公害、医疗事故及商品瑕疵侵权责任上因果关系的基本问题。

第一款　思考模式的再构成

第 184 条第 1 项前段规定："因故意或过失不法侵害他人之权利者，负损害赔偿责任。"由此可知，侵权行为的成立，须权利系"因"加害人的行为而受侵害，而损害系"因"权利受侵害而发生。侵权行为法上的因果关系，是最困扰法院与学者的问题，[1]值得说的已说过许多次，而不值得说的更说得不少。[2]因果关系在某种程度测度着抽象思考方法，因此纵无此一问题，学者（尤其是德国教授）也会创造这个理论来展现他们的分析能力。[3]因果关系是侵权行为及损害赔偿法的核心问题，甚为复杂而具争议，研究方法上最为重要的是把握其基本概念，建立理论架构，并藉此分析实务上的重要案例。所谓基本概念及理论架构所指的有二：

1. 区别"责任成立因果关系"及"责任范围因果关系"。

2. 就通说所采相当因果关系更明确地区别"条件关系"，和"相当性"二个判断层次。

第二款　责任成立的因果关系与责任范围的因果关系

一、学说与判例

关于侵权行为法上的因果关系，我学者有认为系存在于加害行为与损害之间，如郑玉波氏谓："因果关系者乃加害行为与损害之间，有前因后果之牵连是也。"[4]孙森焱氏更进一步认为："侵权行为的因果关系可分：（1）加害行为与损害发生之间的因果关系；（2）加害行为与损害赔偿范围之间的因果关系。"[5]值得注意的是，实务上对此二种因果关系采统一的思考模式，即："损害赔偿

---

〔1〕 J. G. Fleming, Law of Torts, p. 192："Causation has plagued courts and scholars more than any other topic in the law of torts".

〔2〕 Prosser, 38 California Law Review（1950）369："Everything worth saying on the subject has been said many times, as well as a great deal more that was not worth saying". 本书关于因果关系部分的论述虽有50余页，但多在重覆他人已说过的见解，并说了许多不值得说的话。

〔3〕 Lawson / Markesinis, Tortiuous Liability, I, p. 106f.

〔4〕 郑玉波，民法债编总论，第156页。

〔5〕 孙森焱，民法债编总论，第175页。

之债，以有损害之发生及有责原因之事实，并二者之间有相当因果关系为其成立要件。"〔1〕兹举二则实例加以说明：

1. 1987年台上字第158号判决谓，侵权行为之债，固须损害之发生与侵权行为间有相当因果关系始能成立，惟所谓相当因果关系，系以行为人之行为所造成的客观存在事实，为观察的基础，并就此客观存在事实，依吾人智识经验判断，通常均有发生同样损害结果之可能者，该行为人之行为与损害之间，即有因果关系。原审既认定陈荣辉驾驶小客车，擦撞前车后，引起连环追撞，并因起火燃烧，相继波及中兴号大客车等3车，中兴号大客车旅客下车后，又见火势猛烈，惟恐车身爆炸，遂将桥缝误为安全岛纷纷跳下而造成伤亡。则依此项客观存在之事实观察，如车身爆炸而不及时走避，其造成之伤亡将更为惨重，且当时又系夜晚，更易引起慌乱，在此紧急情况之下，欲求旅客保持冷静，安然离开现场，殆无可能，故依吾人一般智识经验，上述旅客在慌乱中跳落桥下伤亡，是否与陈荣辉驾车追撞而造成之上开车祸，无相当因果关系，非无研究余地。〔2〕（追撞车祸、乘客跳落桥下伤亡案件）。本件判决旨在阐释所谓相当因果关系，就其案例事实言，乃在审究旅客跳落桥下"伤亡"（权利受侵害）与陈荣辉驾车追撞之"行为"间是否具有因果关系。

2. 院字第1662号解释："侵权行为之赔偿责任，以加害人之故意或过失与损害有因果联络者为限，来问所称事主被盗失牛，悬红寻觅，此项花红如有必要，即不能谓无因果联络，至其数额是否相当，则属于事实问题。"本件解释的重点，不在于被害人之"牛只被盗"（所有权受侵害）与加害人故意或过失之"行为"间的因果关系，而是在于审究被害人为寻牛而支出的"花红"的损害，

---

〔1〕 参照1941年上字第18号判例。
〔2〕 民、刑事裁判选辑，第8卷，第1期，第30页。

是否"因"加害人的"故意或过失"而发生，而应予赔偿。

由上述二例可知，实务上对被害人的权利是否受侵害，及被害人因权益被侵害所受损害得否请求赔偿，均采"侵害行为"与"损害"之间是否具有相当因果关系，作为判断基准。

二、两种因果关系的区别

关于侵权行为法上的因果关系，本书将其分为二种，一为责任成立的因果关系，一为责任范围的因果关系。[1]

所谓责任成立的因果关系（Haftungsbegründende Kausalität），指可归责的行为与权利受侵害（或保护他人法律的违反）之间具有因果关系，如乙之"死亡"是否"因"遭甲下毒；乙之"身体受侵害"是否"因"食用甲公司制造的汽水；乙之"堕胎流产"是否"因"目睹甲撞死其爱犬等。所谓责任范围的因果关系（Haftungsausfüllende Kausalität），指权利受侵害与损害之间的因果关系，例如甲驾车撞伤乙，乙支出医药费，住院期间感染传染病，家中财物被盗时，其须探究的是，乙支出医药费，住院期间感染传染病，或家中财物被盗等"损害"与"其身体健康被侵害"之间是否具有因果关系。

关于上揭本书所采分类与法院见解加以比较，应再强调者有二：（1）责任成立因果关系所欲断定的是"权利"受侵害是否因其原因事实（加害行为）而发生，因权利被侵害而发生的损害，应否予以赔偿，系属责任范围因果关系的范围。（2）责任范围因果关系所欲认定的不是"损害"与"其原因事实"（加害行为）的因果关系，而是"损害"与"权利受侵害"间的因果关系，易言之，即因权利受侵害而生的损害，何者应归由加害人负赔偿责任

---

〔1〕　此为德国法上的通说，参阅 Deutsch, Unerlaubte Handlungen, Schadensersatz und Schmerzensgeld, S. 47, 48, 419f.; Kötz, Deliktsrecht, Rn. 159.; Larenz/Canaris, Schuldrecht Ⅱ/2, S. 353.

的问题。兹就上揭车祸之例综合说明之：责任成立因果关系所要探究的是，被害人身体健康受侵害（跳河受伤），是否"因"加害人追撞造成车祸所发生；责任范围因果关系所探究的是，被害人支出医药费，收入减少，住院期间家中财物被盗等损害是否因其身体健康被侵害所致，而得请求损害赔偿。

责任成立因果关系与责任范围因果关系的区辨，可供认识二者的体系地位及功能。责任成立因果关系属构成要件（Tatbestand），侵权行为是否成立，尚须受违法性及有责性（故意或过失）要件的规范。在1967年台上字第3080号判决乙案，某甲为货车司机某乙的助手工人，甲于停车装货期间卧于车下轮间。装货完毕后，乙未候齐工人，遽而开车，致伤及甲致死。甲父诉请赔偿。判决谓："以故意或过失之侵权行为，致使他人权利受有损害，且其行为与损害二者之间具有直接之因果关系，为其构成要件。原判决既谓涂安成于停车装货时卧于车轮之间，为谢运金所不得知，亦即无从注意，则涂安成之辗伤轮下而致死，即非出于谢运金驾驶之过失，至谓谢运金如候齐工人始行开车，即不致发生涂安成死亡之车祸，惟涂安成如非卧于轮间，亦只是将其遗留装货现场，未必辗死轮下，是谢运金未候齐工人而开车之疏忽，与涂安成之死亡，似无直接因果关系。"〔1〕关于本件判决应注意者有三：（1）因果关系及过失虽均系侵权行为的成立要件，但其规范阶层不同，应予区别。（2）就思考层次言，应先检查因果关系，盖此属构成要件（Tatbestand）。（3）将因果关系分为直接与间接，其区别标准尚有疑问。在本件涂成安之死亡，与谢运金之开车，存有因果关系，加

---

〔1〕 裁判类编，民事法（9），第987页。

害人有无过失，乃另一问题。[1]

至于责任范围因果关系，则属损害赔偿责任范围问题，与加害人的过失无关，因其具有合理限界加害人赔偿责任的重要机能，涉及法律上的价值判断，而为学说与判例争论的重点。

第三款　相当因果关系

第一项　相当因果关系说的结构

侵权行为法上的因果关系得分为责任成立因果关系及责任范围因果关系，已如上述。所谓因果关系，我通说系采相当因果关系说，1934 年上字第 107 号判例谓："甲之行为与乙之死亡间，纵有如无甲之行为，乙即不致死亡之关系，而此种行为，按诸一般情形，不适于发生该项结果者，即无相当因果关系。"学说亦采此见解，如王伯琦氏谓："无此行为，虽不必生此损害，有此行为，通常即足生此种损害者，是为有因果关系。无此行为，必不生此种损害，有此行为，通常亦不生此种损害者，即无因果关系。"[2]

须特别指出的是，相当因果关系是由"条件关系"及"相当性"所构成的，故在适用时应区别二个阶段：第一个阶段是审究其条件上的因果关系；如为肯定，再于第二个阶段认定其条件的相

---

〔1〕 关于因果关系与故意或过失之区别，1995 年度台再字第 9 号判决谓："行为人就其行为须有故意或过失，以及该行为与损害间须有相当因果关系，虽均系侵权行为成立要件之一，但其领域各不相同，殊不能以加害人就其行为有故意或过失，遽认该行为与损害间有相当因果关系。申言之，行为人之行为虽有故意或过失，但其行为与损害间如无相当因果关系，仍不能课以侵权行为之责任。"民事裁判书汇编，第 19 期，第 108 页。

〔2〕 王伯琦，民法债编总论，第 77 页。

当性。我判例学说亦认知此点，惟未加以区分，在医疗、公害或商品事故所涉及的，多属条件关系，概括以相当因果关系称之，淹没了问题的争点。英美侵权行为法亦采此种二阶段思考方法，分别称为事实上因果关系（factual causation, cause in fact）及法律上原因（legal cause），前者以"But-for"（若无，则不）作为判断标准；后者以 direct（直接），proximate（接近）或 foreseeable（预见）作为判断标准。[1] 最近日本学者亦将传统的相当因果关系分为条件的因果关系（事实的因果关系）及相当的因果关系（保护范围），可供参照。[2]

据上所述，相当因果关系的构造可分为"条件关系"及"相当性"二个组成部分，在分别论述以前，应说明的是所谓"条件关系"并非仅在观察自然的、机器的、没价值事物的发生过程，仍含有一定程度规范性判断，故迳以事实上因果关系称之，是否妥当，容有疑问。至于"相当性"则属价值判断，具有法律上归责的机能，旨在合理地移转或分散因侵权行为而生的损害。[3]

---

〔1〕 英国法，Markesinis / Deakin, Tort Law, p. 163f.；澳洲法，Trindade / Cane, Law of Torts in Australia, p. 447；美国法，Franklin / Rabin, Tort Law and Alternative, p. 282；R. W. Wright, Causation in Tort Law, 73 California Law Review pp. 1737–1828 (1985). 潘维大，美国侵权行为法对因果关系之认定，东吴法律学报，1991 年，第 1 页。关于大陆法与英美法的比较分析，参阅 Honoré, Causation and Remoteness of Damage, Ch. 7 in Tunc（ed）. International Encyclopedia of Comparative Law (1983), Ⅵ, at p. 67.

〔2〕 几代通，不法行为法，第 116 页。

〔3〕 关于刑法上的因果关系，尤其是客观归责理论，苏俊雄，刑法总论Ⅱ（犯罪总论），第 89 页以下。关于侵权行为法上因果关系的经济分析，参阅 Landes and Posner, The Economic Structure of Tort Law, pp. 228–255；Cooter and Ulen, Law and Economics, pp. 265–267.

第二项 条件关系

一、意义及功能

条件关系，指某甲之行为与某乙的权利受侵害（或某种损害与乙之权利受侵害）之间，具有条件关系（Conditio sine qua non），而条件关系是采"若无，则不"（But-for）的认定检验方式。我国学说判例所谓"无此行为，必不生此种损害"，即指条件的因果关系，举例言之，"若无甲之下毒，乙必不死亡"（作为），若非医生迟不开刀，乙必不死亡"（不作为）。"若无，则不"的程式是一种反证规则，旨在认定："若 A 不存在，B 仍会发生，则 A 非 B 的条件"，德国学说称之为假设的消除程序（hypothetischesEliminations-verfahren，Hinwegdenken），其功能在于排除与造成某种结果无关的事项。兹举例说明之：

1. 在我实务上常见的案例，如甲不法致乙死亡，乙之父向甲请求赔偿对乙支出的生前抚养费。诚如法院所云，此种生前支出抚养费，非"因"乙之死亡所致，应无因果关系。[1]

2. 在英国 Barnett v. Chelsea and Kensington Hospital 乙案，[2]原告的遗产管理人认医生因过失未能诊断原告系砒霜中毒，致其死亡。法院认为医生纵为正确的诊断，因原告病情严重，亦不能救治，故医生误诊与原告死亡之间并无因果关系。可与此对照的，是1988 年度台上字第 1876 号判决。本件被上诉人开设综合医院，雇杜某为住院医师，对就诊病患知悉其患有心脏病，未为适时处理，致其死亡。法院判决略谓："医疗纠纷鉴定委员会上述鉴定书固

---

[1] 1951 年度台上字第 1388 号判决（裁判类编，民事法（1），第 782 页）；1954 年台上字第 920 号判决（裁判类编，民事法（2），第 36 页）。

[2] [1969] 1 QB 428；Markesinis／Deakin，Tort Law，p. 167.

谓:'急性心肌梗塞死亡率颇高,虽经适当治疗,亦不一定有存活希望',然非谓急性心肌梗塞症患者,纵经适当治疗,概无存活之希望,故如及时适当治疗,仍应有存活之可能。兹杜某某延误时间,未为适当治疗,致沈某某丧失存活之可能机会,杜某某之过失行为与沈某某之死亡间,自有相当因果关系存在,上诉人所辩伊之行为,与沈某某之死亡,无相当因果关系云云,尚非可采。"[1]

3. 甲驾车追撞某汽车,在桥上起火燃烧,乙跳落河下受伤残废,住院支出医药费、收入减少、家中兰花枯死、委任律师提出诉讼。在此情形,乙之权利受侵害及因此所生损害,均具因果关系,得否成立侵权行为及请求损害赔偿,应再就因果关系的"相当性"认定之。

二、特殊形态的因果关系

(一) 多数因果关系

一定结果的发生,因单一事实而发生的,其因果关系较易判断。多数原因事实存在,彼此相结合或有关连时,如何判定其因果关系,分三情形加以说明:[2]

1. 聚合因果关系。甲乙同时分别对丙下毒,其份量各足致丙死;甲乙同时持火把至油库,引起爆破,致丙屋烧毁。在诸此情形,数人中一人的个别行为均足肇致侵害他人权益,德国学说上称为 kumulativeKausalität(聚合因果关系、累积性的因果关系)。此际若适用"若无、则不"的判断标准,则甲或乙各得主张"若我不下毒,丙仍会死亡,故我的下毒非丙死亡的条件",皆得不负致丙死亡的责任,自非合理,故于此情形,"若无,则不"判断标准的

---

[1] 民、刑事裁判选辑,第9卷,第3期,第34页。

[2] Deutsch, Unerlaubte Handlungen, Schadensersatz und Schmerzensgeld, Rn. 60f.。J. G. Fleming, the Law of Torts, p. 196;滨上则雄,现代共同不法行为の研究,信山社,1993,第56页以下。

适用应受限制，而认定甲乙的下毒行为皆属丙死亡的条件。[1]

2. 共同的因果关系。甲乙对丙下毒，个别的份量，不足致丙死亡，但其共同作用而发生丙死亡的结果；甲乙二个工厂排泄废水，个别的份量不足致丙养殖的鳟鱼死亡，但共同作用而发生鳟鱼死亡的结果，德国学说上称之为 addierte Kausalität（共同因果关系）。对此问题，台湾地区第 185 条第 1 项前段："数人共同不法侵害他人之权利者，连带负损害赔偿责任。"[2] 依例变字第 1 号，共同侵权行为人间不以有意思联络为必要，数人因过失不法侵害他人之权利，苟各行为人之过失行为均为其所生损害之共同原因，即所谓行为关连共同，亦足成立共同侵权行为。如甲乙驾车过失共同撞伤路人某丙。惟若各该行为人之行为与损害间无因果关系者，不但其侵权行为无由成立，亦无成立共同侵权行为之余地。[3]

3. 择一的因果关系。甲、乙狩猎开枪，其中一弹伤害丙，惟不知何人所射；甲、乙投掷汽油爆竹，其中之一引起丙屋失火，惟不知何人所投，德国学说上虽称为 alternative Kausalität（择一的因

---

〔1〕 在德国法及英美法均同此见解，参阅 Deutsch, Unerlaubte Handlung, Schadensersatz, Schmeyensgald Rn. 62; Markesinis and Deakin, Tort Law, p. 167f.

〔2〕 共同侵权行为在实务上甚为重要将于本丛书第 2 册详为论述。参阅 1995 年台上字第 2263 号判决（民事裁判书汇编，第 21 期，第 129 页阅读之），日本法上的重要著作，滨上哲雄，现代共同不法行为法的研究，信山社，1993。

〔3〕 在 1995 年度台再字第 9 号判决乙案，再审被告将未依法检验的小货车，交其他人驾驶致发生车祸。法院判决理由谓："原确定判决系以本件车祸之发生，肇因于林圣翔驾车行经行人穿越道，未暂停让行人即林胡玉英先行通过，并非由于该小货车之机件因素所致，则该小货车未依规定参加定期检验，既非造成本件车祸之原因，是再审被告未为定期检验该小货车与林圣翔之肇事及林胡玉英之死亡间，即无相当因果关系存在，因认再审被告不负共同侵权行为之责任，再审原告请求再审被告为连带赔偿，不应准许，而为再审原告败诉之判决，要无适用法规显有错误可言。"（民事裁判书汇编，第 19 期，第 8 页。）

果关系),[1] 但实非属因果关系,而系其证明的问题。为保护被害人,减轻举证责任的困难,第185条第1项后段规定,不能知其中孰为加害人者,连带负损害赔偿责任。[2]

(二)假设因果关系[3]

假设因果关系(hyopthektische Kausalität)所涉及的案例是,某种损害已因A加害行为而发生,然假若无此A加害行为,损害的全部或一部亦将因另一B原因事实而发生,如甲驾车撞死乙,而医生证明乙罹患绝症,半年内即将死亡;甲毁坏乙所有房屋的落地窗,半小时后发生地震,该屋全毁。[4] 此类情形涉及二个因果关系,一为对损害的发生有事实上原因力的加害行为;一为对损害发生并无事实上原因力,惟若前一原因不存在时,损害必将因后一原因事实而发生。前者属真正原因,后者可称假设因果关系。假设因果关系对损害的发生既无事实上的原因力,故其问题不在于因果关系,而在于损害的认定或计算。在驾车撞死罹患绝症者的案例,其假设原因系存在于被害人本身,其损害赔偿应依下列原则处理:第三人为死亡者所支出的殡葬费(第192条第1项)仍得请求;关于扶养费请求权(第192条第2项)则应参酌扶养义务人可推知的生存期间而为计算;关于父母、子女、配偶的慰抚金(第194条),亦应参酌假设因果关系,即请求权人预知被害人短期内即将

---

[1] 英美法则称之为 indeterminate cause(不确定因果关系),Markesinis / Deakin, Tort Law, p. 174.

[2] 参阅美国法上 Summer v. Tice(1948)33 Cal, 2d 80, 199 P. 2d 1, 亦同此理由结论,可供参照;Prosser, Wade and Schwartz, Torts, Cases and Materials, p. 276.

[3] 曾世雄,损害赔偿法上之修补因果关系,法学丛刊第42期,第93页;陈哲宏,"假设因果关系与损害赔偿",台湾大学法律学研究所硕士论文(1984年度),论述甚详,具参考价值,附外文重要资料,可资参照。

[4] 关于假设因果关系的各种案例类型及解决方法,参阅陈哲宏,假设因果关系与损害赔偿。

死亡对其精神痛若所生程度而酌定之。[1] 在毁坏落地窗案件，假设因果关系则无斟酌必要，盖其系存在于被害客体之外，实际损害过程因加害行为而告结束，属于所谓的直接损害，加害人的赔偿责任不因此而受影响。[2]

三、条件因果关系的认定：案例类型上的观察

关于条件因果关系的认定，实务上形成若干重要类型，兹就车祸事故、劳工职业病、公害、医疗过失及商品缺陷等，[3] 分述如下：

（一）车祸事故

车祸事故的因果关系多涉及并发症。在 1995 年度台上字 2170 号判决乙案，上诉人搭乘台湾客运汽车，司机于行驶中紧急煞车，致其头部受伤，合并发生意识障碍，造成精神分裂。关于其因果关系，台大医院鉴定略谓："赖美媛（即上诉人）所患紧张型精神分裂病并非直接由车祸外伤所导致，其于事发前即已呈现精神病之前驱徵兆，仅因该事件诱发其潜伏之病态，而呈现出明显之精神分裂病症。…精神分裂病之诱发原因甚多，…车祸外伤可为诱发原因之一，但非必要原因。所谓诱发原因，乃指恰与病患症状明显化或再发之时间相符之任何事件而言，此诱发原因与症状出现之连带关系，无法以科学方法来加以证明。车祸外伤仅为与赖美媛精神分裂病明显化在时间上相符之事件而已，对其病态之影响程度很少。车祸外伤虽有可能对其症状明显化有影响，但如无此次车祸外伤，赖美媛目前之病态亦可能因任何身体、生理、心理、社会压力因素而诱发。"法院据此鉴定认为："足徵因车祸受有外伤，通常并不足

---

〔1〕　陈哲宏，假设因果关系与损害赔偿，第 79 页。
〔2〕　Fikentscher, Schuldrecht, S. 334；Larenz, Schuldrecht Ⅰ, S. 335.
〔3〕　以下因果关系在侵权行为类型上的分析，系初步的尝试，方法论上具有意义，仍待收集更多的案例，于本丛书第 2 册作较深入的分析。

以生有精神分裂症之结果，本件车祸与上诉人目前之病态并无相当因果关系。"[1]此之所谓相当因果关系，实指条件关系而言。

（二）劳工职业病

关于劳工职业病，有二则案例涉及肺尘症。1988 年台上字第 839 号判决谓："第查王锦秀等因违反'劳工安全卫生法'，业经刑事法院判处刑确定，有刑事判决可稽。'劳工安全卫生法'系保护他人之法律，王锦秀等既违反该法，依第 184 条第 2 项规定，推定其有过失。原审谓王锦秀等并无任何过失，不无可议。陈德福系因肺尘病而死亡，似为两造所不争。倘陈德福之肺尘病乃因王锦秀等未注意工厂粉尘危害之预防所致，尚难谓陈德福之死亡，与王锦秀等之行为间无相当因果关系，上诉人不得依侵权行为之法律关系，对被上诉人为本件请求。原审未查明陈德福之肺尘病，是否因王锦秀等未注意预防工厂粉尘危害所致，遽以前述理由而为上诉人败诉之理由，自嫌速断。"[2]又在另件涉及肺尘症判决，法院以上诉人曾在其他矿坑工作达十余年之久，早已染有肺尘症，而认为"上诉人之得有肺尘症而丧失劳动能力，与其受雇于被上诉人担任矿工间，无相当因果关系。"[3]

（三）公害案件[4]

关于公害案件上的因果关系，1981 年台上字第 1005 号判决，

---

[1] 民事裁判书汇编，第 21 期，第 115 页。又 1993 年度台上字第 2161 号判决涉及败血症死亡与车祸间的因果关系，可供参阅（民事裁判书汇编，第 13 期，第 125 页）。

[2] 民刑事裁判选辑，第 9 卷，第 2 期，第 47 页。

[3] 民刑事裁判选辑，第 9 卷，第 2 期，第 48 页。

[4] 参阅 1963 年度台上字第 2851 号判决（葡萄树因煤烟枯萎案件），裁判类编，民事法（7），第 770 页。参阅邱聪智，论"公害之因果关系"，宪政时代，第 1 卷，第 2 期第 62 页；黄完全，公害因果关之研究，文化大学 1991 年度硕士论文，日本学者石川明着，陈荣宗译，"公害诉讼因果关系之证明"，法学丛刊，第 114 期，第 123 页。

可供参考。本件原告 116 人皆为彰化县花坛湾子口一带之农民，主张其所耕作之水稻，系受被告砖窑烧重油所排放之废气所危害，致最严重者，全部枯槁，轻者矮化欠收。因果关系存否，原审法院认为：本件因时过境迁，事实上无从用科学化验方法鉴定，而砖厂燃烧所排放之二氧化硫等废气对农作物而言，必将产生危害，其危害徵状与水稻受害特征亦相符，再参酌被告未使用重油前，尚未发生此种现象，水稻离砖窑近者受害较重，远者受害较轻，以及同期稻作未受烟害地区收获正常等情状观之，被上诉人稻作损害与上诉人等使用重油所排放含硫烟气，二者之间确有相当因果关系。……省农林厅等单位实地勘查作成会勘意见，略称砖厂之烟害，包括二氧化硫及煤烟等，而受害之水稻经化验结果，复证实并非土壤病虫害或其他因素所造成，原告所受损害与被告使用重油，二者间确有相当因果关系。被告虽辩称其所排放之废气经环境卫生实验所得之结果，未超过台湾地区环境空气品质标准，但"测验当时因大部分时间吹南风，烟气吹向山区，致测量结果较平时轻微，不能代表该地区长期之空气品质，自不足以证明稻作受害与被告燃烧重油间无相当因果关系。"[1]

（四）医疗过失[2]

此类案例的主要问题在于造成伤害或死亡的原因有多种时，难以认定何者具有因果关系。在 1991 年度台上字第 533 号判决乙案，[3] 甲医生为乙病患施入换置髋关节手术，发生股神经受伤，经送"卫生署医事审议委员会"二次鉴定及长庚医院鉴定，均认被害人虽有股神经损伤迹象，但股神经损伤是否直接由手术引起或

---

〔1〕　相关案例参阅顾立雄、孙迺翊，"从莺歌镇陶瓷厂空气污染纠纷谈公害民事救济关于因果关系与违法性之认定"，月旦法学杂志，第 8 期，第 95 页。王昱之，公害民事损害赔偿责任之研究—美国毒物侵权行为诉讼中心，1993。

〔2〕　谢炎尧，"药物相关医疗纠纷"，律师杂志，第 217 期，第 25 页。

〔3〕　民事裁判书汇编，第 3 期，第 139 页。

手术感染形成，无法确定。甲医生曾辩称，外伤性神经瘤，不能断定即为开刀所引起，诸如裂伤、压碎伤、牵引、子弹伤、局部缺血、注射、糖尿病变等，均可能发生。惟原审认经查不足采信。法院则参酌甲医生所呈"美国骨及关节外科医学月刊"的论文等，认上诉人（甲医生）所提主张，"自属重要防御方法，原审并未详加审酌及说明其何以不足采之意见，竟以前揭说词，遽为上诉人不利之判断，而又未说明其所凭之证据，自嫌理由不备，难招折服…"。

医疗过失涉及的另一个重要问题是："纵经适当医疗，概无存活希望"的判定。在1988年度台上字第1876号判决乙案，值日医生某甲对于医院已接受求诊之急性心脏病患疏于注意，未即亲自诊治，导致心肺衰竭死亡。医疗纠纷鉴定委员会鉴定书谓："急性心肌梗塞死亡率颇高，虽经适当治疗，亦不一定有存活希望"，法院则谓："然非谓急性心肌梗塞症患者，纵经适当治疗，概无存活之希望，故如及时适当治疗，仍应有存活之可能。兹该医生延误时间，未为适当治疗，致病患丧失存活之可能机会，其过失行为与病患之死亡间，自有相当之因果关系存在。"[1]

（五）商品缺陷

因商品缺陷肇致侵害他人之权利而生损害的因果关系，值得提出讨论的是发生于70、80年代的多氯联苯中毒惨案。起先病例不多，以为是青春痘，后来情况严重，患者的鼻子、牙龈、指甲及背部都冒出异色素沈淀，并且经常疲倦、四肢无力及视力减退等现象，更可怕的是整个家族都罹患此症，姊妹有人生出皮肤黝黑的婴儿，经过锲而不舍的追踪，并延请美日专家协助，长期检验后，始确知被害人所食用的米糠油含有多氯联苯。[2]

---

〔1〕 民刑事裁判选辑，第9卷，第3期，第34页。
〔2〕 1991年度台上字第636号判决，参阅民事裁判书汇编，第3期，第169页。

综据上述，应说明的有三点：

1. 上开案例均属责任成立因果关系，且多为条件关系的问题，法院概依相当因果关系说加以论断，固属无误，但未能凸显问题的争点。

2. 条件因果关系的探究，须借助专业鉴定。但究极言之，仍须由法院依经验法则综合所有证据而为认定，从多数的事由中认定何者系对一定结果应该负责的条件。此乃法之判断，属法律问题，而非事实问题，故得作为上诉第三审的理由。

3. 诸种案例的因果关系常有不同的认定方法，如在医疗事故采用的统计的因果关系、盖然的因果关系，公害事故则多应用疫学因果关系，从事类型研究，实有必要。[1]

四、举证责任

关于因果关系的举证责任，法院在前揭判决多未提及举证责任分配问题。就一般原则言，应由请求损害赔偿的当事人负举证责任。惟因果关系多涉及科技及证据距离等专业问题，由原告负举证责任，有时不符侵权行为法救济被害人的理念，故合理地减轻举证责任，实有必要。其可资采取的途迳，如学术机关鉴定的利用、表见证据（Anscheinbeweis）的采行、事实上推定及疫学等相关科学的运用。[2]

关于流行病学因果关系的采用，台北地方法院1994年度第18号判决，足供参照。本件判决涉及建筑物中存有强烈辐射线与被害人肿瘤、流产、死胎等身体健康受侵害的因果关系。对于因果关系存否之争议，台北地方法院认为："在辐射受害事件中，欲以此自

---

[1]　简明的论述，参阅川井健，不法行为法，第107页以下。

[2]　举证责任的基本问题，王甲乙，"举证责任"，法学丛刊，第44期，第74页；骆永家，"民事举证责任之研究"，法学丛刊，第59期，第57页；雷万来，论民事之事实认定与举证责任，1986年初版。

然科学方法阐明事实性因果关系甚为困难，殆属不可能，日本学说与实务为因应公害事件之举证困难，乃发展优势证据说，事实推定说等盖然性因果关系理论。其见解大都认为在公害事件上，因果关系存否之举证，无须科学严密的检验，只要达到盖然性即为已足，其后并有疫学因果关系之发展。其判断模式即为：某种因素与疾病发生之原因，就疫学上可考虑之若干因素，利用统计学的方法，以'合理之盖然性'为基础，即使无法经由科学严密之实验，亦不能影响该因素之判断。而美国毒物侵权行为诉讼更是采用'增加罹病危险'之标准以资证明损害，换言之，仅须证明被告之行为所增加之危险，已达'医学上合理之确定性' （reasonable medical certainty） 即可，无须进一步证明被告行为造成原告目前损害。揆诸上述诸项理论之发展，无非系因传统侵权行为举证责任理论在面临现代各种新型公害事件时，其举证分配结果将造成不符公平正义之现象，而此亦与侵权行为制度追求衡平原则之理念相悖。是采取前开台湾医界联盟基金会认定之流行病学因果关系，以认定原告之健康确已受损及其与长期辐射暴露间有因果关系，诚属必要。"[1]

　　关于侵权行为法上的过失，为减轻被害人的举证责任，法律设推定过失者有之（参照第 184 条第 2 项、第 188 条第 1 项规定）。日本制造物责任要纲试案原设有关于制造物瑕疵与所生损害间的因果关系的规定，但平成 6 年 7 月 7 日公布的日本制造物责任法并不采用。值得提出的是德国环境责任法（Umwelthaftungsgesetz） 第 6 条第 1 项规定某件设施（Anlage） 依其个案的情状适于损害时，推定其有因果关系（Kausalitäts-vermutung），此际被害人应证明的有三：（1）特定物质的排放与该设施的经营有关。（2）排放的物质

---

[1]　关于流行病学因果关系，参阅邱千芳，流行病学在法律上之应用（东吴大学 1995 年度硕士论文）；黄蔚纲，"流行病学研究中常发生之谬误"，公共卫生，第 14 卷，第 2 期，第 207 页。

与所生损害具有空间及时间上的关连。（3）排放的物质适于肇致所生损害。[1] 又德国遗传科技法（Genetikgesetz）第 34 条亦规定因遗传改变生物体而生的损害，推定其系因遗传科技研究生物体的性质所引起。但证明损害可能因其他生物体而发生时，推定失其效力。德国法上此二项因果关系推定的立法例，可供参考。[2]

第三项　因果关系的"相当性"[3]

第一目　概　说

一、规范功能

关于侵权行为上的因果关系，首应肯定某一原因事实系某种结果的条件，惟此尚不足即令加害人就所生的损害负赔偿责任。为避免因果循环，牵连永无止境，必须确定其限界，而各国所采的判断基准，未尽相同，有采条件说或称等值说（The equivalence theory），有采直接效果说（Thedirect consequence theory），有采预见说（The foreseeability theoy）等。[4] 台湾地区通说系采相当因果

---

〔1〕 Hager NJW 1991, 134 ; Fikentscher, Schuldrecht, S. 797.

〔2〕 陈国义，"民法因果关系之理论，概念及举证责任在德国环境损害赔偿事件的适用及其转变"，法学丛刊，第 160 期，第 54 页。

〔3〕 古振晖，"论相当因果关系之'相当'"，月旦法学，第 22 期（第 86 页）；第 23 期（第 87 页）；第 24 期（第 88 页）。本论文系以刑法为重点。

〔4〕 Lawson / Markenisis, Tortious Liability 乙书对相关学说作有简要说明，可供参考，pp. 118-126。比较法上较深入的论述，HonoréRR, Causation and Remoteness of Damage, in A. Tunc（ed.），International Eyclopedia of Comparative Law, Ⅵ（Tort Law）.

关系说（Theadequate cause theory, Adäquanztheorie）。[1]

相当因果关系旨在以条件的"相当性"来合理界限侵权责任的范围。此项理论源自德国，为生理学家 von Kries 氏所创，原在限制刑法上加重结果犯罪的构成要件，惟为民法所采用，并被瑞士、荷兰、希腊、日本等国所继受。[2] 关于"相当性"的认定，各国判例学说所采的判断基准宽严不同，但具有一项共识，即相当因果关系不仅是一个技术性的因果关系，更是一种法律政策的工具，乃侵权行为损害赔偿责任归属之法的价值判断。

二、判断基准

关于相当因果关系，台湾地区判例学说均采同一的认定公式：无此行为，虽不必生此损害，有此行为，通常即足生此种损害者，是为有因果关系。无此行为，必不生此种损害，有此行为通常亦不生此种损害者，即无因果关系。[3] 应说明者有三：

1. 所谓无此行为，虽不必生此损害，系采条件说，用以排除与损害不具因果关系的行为，前已提及，请再参照。

2. 所谓有此行为，通常足生此种损害，系指因果关系的"相当性"，并从积极方面加以界定之。所谓有此行为通常亦不生此种损害，则从消极方面加以界定，而其目的则在排除"非通常"的条件因果关系。

3. 因果关系的"相当性"系以"通常足生此种损害"为判断

---

[1] 1986 年度台上字第 462 号判决谓："因违反保护他人法律之行为，而应负损害赔偿之责任者，仍须其行为与损害之间有因果关系存在为要件。关于行为与损害间之因果关系，吾系采相当因果关系说。此观本院 1934 年上字第 107 号、1944 年上字第 769 号、1959 年台上字第 481 号判例至明。"（民、刑事裁判选辑，第 7 卷，第 1 期，第 38 页）。

[2] 值得提出的是，近年来日本学者避免使用德国法上的相当因果关系说，而以保护范围代之，参阅几代通，不法行为法，第 127 页以下。

[3] 1934 年上字第 107 号判例；王伯琦，民法债编总论，第 77 页；郑玉波，民法债编总论，第 157 页；孙森焱，民法债编总论，第 176 页。

基准。关于此点，法院若干判决曾作较详细的说明，1987 年台上字第 158 号判决谓：“按侵权行为之债，固须损害之发生与侵权行为间有相当因果关系始能成立，惟所谓相当因果关系，系以行为人之行为所造成的客观存在事实，为观察的基础，并就此客观存在事实，依吾人智识经验判断，通常均有发生同样损害结果之可能者，该行为人之行为与损害之间，即有因果关系。”[1] 又 1993 年台上字第 2161 号判决亦谓：“所谓相当因果关系，系以行为人之行为所造成的客观存在事实，为观察的基础，并就此客观存在事实，依吾人智识经验判断，通常均有发生同样损害结果之可能者，该行为人之行为与损害间，即有因果关系。”[2] 按用于判断通常性所应考察的范围，有采主观说，以行为当时所认识之事实为基础；有采客观说，以行为时所存在之一切事实及行为后一般人预见可能之事实为基础。有采折衷说，以行为当时一般人有认识之事实及行为人特别认识之事实为基础。[3] 据上开二则判决内容观之，法院基本上系采客观说。[4]

应特别提出的是，在故意侵害行为的情形，加害人对于不具相当因果关系的损害，亦应负责，盖加害人对于某通常不足发生之结

---

〔1〕　民刑事裁判选辑，第 8 卷，第 1 期，第 30 页。

〔2〕　民事裁判书汇编，第 13 期，第 125 页。

〔3〕　史尚宽，债法总论，第 161 页。

〔4〕　德国通说系采所谓的 objektive nachträgliche Prognose，史尚宽氏译为客观的后徵候说，德国判例常用的公式（Formel）为 “Ein Ereignis im Sinne des Zivilrechts ist aber nur Kausal, wenn es im allgemeinen und nicht nur unter besonderes eigenartigen, unwahrscheinlichen und nach der gewöhnlichen Verlauf der Dinge ausser Betracht zu lassenden Umstände geeignet ist, einen Erfolg der eingetretenen Art herbeizuführen” (BGHZ7, 204；57, 141). 依此公式，民法上之因果关系指一般适于发生所生类型损害者而言；惟因特殊、未必，及依通常事态应不考虑的情事所致者，则不在此限。关于德国民法上相当因果关系的简要说明，参阅 Kötz, Deliktsrecht, Rn. 150；批评及深入讨论，H. Lange, Schadensersatz, S. 74f., 83f.

果，所以不必负责，系因此种结果在其可预见及得控制的事态之外。加害人既有意使发生此种非通常的结果，自无不必负责之理。例如甲放置炸药于某处，因电线走火引燃以致爆炸致乙于死时，一般情形应认定甲放置炸药与乙被炸身死，不具有因果关系。[1] 惟甲如明知该处系经常走火，故意放置炸药，致乙于死时，对此不具相当因果关系的损害，自仍应负责。

三、举证责任

相当因果关系上的"条件关系"，原则上应由被害人负举证责任，前已论及。至于"相当性"的举证责任，德国通说认为既采客观认定基准，应归由加害人负担，此项见解可供参考。[2]

第二目　责任成立上的相当因果关系

责任成立上的相当因果关系，指存在于行为与权利受侵害之间的因果关系。此种因果关系须分二个阶段加以认定，即先肯定条件关系后，再判断其相当性。关于条件关系的部分，前已论及，兹以相当性为重点，除分析实务上重要判决外，并介绍比较法上具有启示性的案例。

一、寄放的炸药因电线走电引燃爆炸案件

在 1944 年上字第 769 号判例乙案，上诉人于 1938 年 6 月间，将其与某甲共同贩卖之炸药寄放于某乙开设之洗染店楼上，至 1940 年 8 月 13 日夜间，因该洗染店屋内设置之电线走电，引燃该

[1] 1944 年上字第 769 号判例。值得参考的是 1996 年度台上字第 2245 号判决："查法官命妨害风化案件之被害人接受法医检查，该被害人并不当然会发生身心严重受创、精神分裂情形。从而，本件上诉人之身心受创、精神分裂与被上诉人之命其接受法医检查，难认有相当因果关系，既无相当因果关系，其对被上诉人自亦无侵权行为损害赔偿请求权。上诉人依侵权行为之规定请求被上诉人赔偿损害，难谓有据"。

[2] 史尚宽，债法总论，第 161 页；Fikentscher, Schuldrecht, Rn. 488.

项炸药，致将住宿于该店之被上诉人胞兄某丙炸死。法院认为"纵令上诉人如无寄放炸药之行为某丙不致被炸身死，然寄放之炸药非自行爆炸者，其单纯之寄放行为，按诸一般情形，实不适于发生炸死他人之结果，是上诉人之寄放炸药与某丙之被炸身死不得谓有相当之因果关系，被上诉人对于上诉人为赔偿殡葬费，扶养费之请求，无从认为有理由"。法院此项认定可资赞同，无待详论。

二、旅客于连环车祸中跳落桥下伤亡案件

被害人自己的行为在何种情形影响相当因果关系？在前曾再三提及的 1987 年度台上字第 158 号判决，加害人驾车追撞前行车辆，造成连环车祸，并起火燃烧，被害人下车后，又见火势猛烈，惟恐车身爆炸，遂将桥缝误为安全岛纷纷跳下而造成伤亡。法院谓："依此项客观存在之事实观察，如车身爆炸而不及时走避，其造成之伤亡将更为惨重，且当时又系夜晚，更易引起慌乱，在此紧急情况之下，欲求旅客保持冷静，安然离开现场，殆无可能，故依吾人一般智识经验，上述旅客在慌乱中跳落桥下伤亡，是否与陈荣辉驾车追撞而造成之上开车祸，无相当因果关系，非无研究余地。"易言之，被害人虽自己跳落桥下伤亡，加害行为相当性不因此而受影响。至于被害人跳落桥下的行为，对损害的发生是否构成与有过失（第 217 条），系另一问题。

三、堆置的保利龙因焚烧冥纸引起火灾案件

在 1986 年台上字第 462 号判决乙案，[1] 甲将易燃物保利龙堆置于骑楼，因某乙在楼梯口焚烧冥纸，火苗触及而燃烧，致上诉人下楼逃生时，被火灼伤。法院谓："查被上诉人堆置之保利龙，因高女焚烧冥纸之火苗触及而燃烧，为原审所确定之事实。堆置之保利龙，既非自行燃烧，而单纯堆置保利龙之行为，按诸一般情形，实不适于发生燃烧致人死伤之结果。是被上诉人之堆置保利龙，与

---

[1]　民刑事裁判选辑，第 7 卷，第 1 期，第 38 页。

上诉人之损害，不得谓有相当因果关系。"在本件，被上诉人甲在骑楼堆置保利龙与乙焚烧冥纸，均属导致上诉人身体灼伤的条件，惟法院否认堆置保利龙与上诉人的灼伤具有"相当"因果关系。

四、诬指他人窃取杂志致司法警察查扣杂志案件

在 1994 年台上字 2261 号判决乙案，[1] 某甲向检察官诬告某乙窃取其杂志，而司法警察为扣押的处置，致乙遭受损害。原审认为："上开杂志之遭扣押，乃司法警察或司法警察官侦办前揭窃案时，认有扣押之必要，依职权所为，非被上诉人所能左右，虽被上诉人自承有意促使司法警察或司法警察官为扣押之处置，然对司法警察或司法警察官并无任何拘束力，不必然产生上开杂志被扣押之结果，故上开杂志之被扣押，与被上诉人之行为间，并无相当因果关系。是上开杂志纵属上诉人所有，上诉人亦不得请求被上诉人赔偿该杂志因遭扣押致未能即时出售或无法出售所受价差损害1 188 070元，及被扣押杂志占用仓库所受相当于租金之损害11万元。"

终审判决谓："按行为人故为虚伪之陈述，使司法机关为犯罪之诉追，致他人受有损害者，倘系利用司法机关有追诉犯罪之职权，以侵害他人权利，自属侵权行为，不因司法机关系依法追诉犯罪而阻却违法。又损害赔偿之债，固以有损害之发生及有责任原因之事实，两者之间，有相当因果关系为成立要件。惟所谓相当因果关系，系指无此行为，虽必不生此结果，但有此行为，按诸一般情形即足生此结果者而言。须无此行为，必不生此结果，有此行为，按诸一般情形亦不生此结果，始得谓为无相当因果关系。查检察官、司法警察官或司法警察侦办窃盗罪嫌，按诸一般情形对于赃物均予以查扣，以为犯罪证据之用。被上诉人具状向检察官诬指上诉人窃取杂志，请求转饬警方追赃，并向警察局提出失窃报告，被上

---

[1] 民事裁判书汇编，第17期，第118页。

诉人之行为与司法警察或司法警察官之查扣杂志，二者之间能否谓无相当因果关系，尚待推敲。原审以司法警察或司法警察官侦办上诉人所涉窃案扣押系争杂志，系依职权为之，非被上诉人所能左右，即谓两者之间无相当因果关系，难谓允洽。”

在本件，法院认为公权力的介入不影响诬告窃盗与查扣杂志侵害他人所有权间的相当因果关系，应值赞同。惟须注意的是，在强制执行之案例，如执行法院所为强制执行之方法不当，致侵害债务人之权利者，与债权人之声请强制执行，则无相当因果关系，盖强制执行应依法定程序为之，执行法院为违法之执行，应由执行法院自负其责。[1]

五、被害人的特殊体质

被害人的特殊体质对因果关系的成立不生影响，加害人不得主张被害人患有严重心脏病、血友病、药物过敏、如蛋壳般的头盖骨，而不负侵权责任。[2] 此项“蛋壳头盖骨”（Eggskull）理论，是比较法上的共通见解，我实务上迄未见其例，但亦应采之，盖此旨在保护被害人，属合理之法的判断。惟特殊体质之人，对于此种危险，未为必要的防范时，应认为其对损害的发生与有过失，而有第217条的适用。

常与“蛋壳头盖骨”加以比较的是所谓“褴褛的百万富豪（shabby millionaire）。[3] 例如机车骑士撞伤某穿着破旧的路人，后来发现其为高所得的专业人士。在此情形，加害人对被害人因伤住院而丧失的巨额收入仍应负赔偿责任；惟损害非因故意或重大过失所致者，如其赔偿致赔偿义务人之生计有重大影响时，法院得减轻

---

[1] 孙森焱，民法债编总论，第176页。

[2] 关于德国法，Kötz, Deliktsrecht, S. 62; H. Lange, Schadensersatz, S. 129（附有判决资料）；关于英美法，J. G. Fleming, The Law of Torts, p. 204: "Tort feasor takes his vicitim as he finds him".

[3] J. G. Fleming, The Law of Torts, p. 206. 并参阅 H. Lange, Schadensersatz, S. 131.

其赔偿金额（第218条）。

此种对被害人特殊体质的考量，于物品所具易受侵害的性质，不能完全适用。因为人及物在法益保护的衡量不能等同齐观，应有所区别。例如甲开车追撞乙车，乙车装运炸药引起爆炸，致该车全毁。按诸一般情形及客观的事实，甲的追撞行为实不适于发生此种损害结果，二者之间不具"相当因果关系"。[1]

六、第三人对侵权行为被害人的救助

（一）英美法

值得特别提出讨论的是，英美法上有名的 Rescue 案例，例如甲过失驾车撞到乙，丙对乙施以救助，为丁驾车所撞伤。在此情形，甲对丙应否负侵权责任？早期案例采否定说，其主要理由有二：（1）丙自发的介入中断了加害行为的因果关系（novus actusin-tervenies）；（2）丙系自甘冒险（volenti no fit injuria）。30年代以后，英美的法院废弃此二项见解，认定加害人（甲）对救助者（丙）负有注意义务（duty of care），而改采肯定说。诚如 Fleming 教授所云，此项问题原为侵权行为法的灰姑娘，但很快的转变为大家喜爱的娇儿，成为热烈讨论的课题。[2]

在美国纽约州 Wagner v. International Railway Company 乙案，[3] 原告为救助因火车事故被抛出车外，落在桥架上的侄儿，因天黑失足掉落而受伤，乃向火车公司请求损害赔偿。著名的法官 Cardozo 肯定原告的请求权，其判决理由特别强调："危险招来救

---

〔1〕 此例采自 von Caemmerer, DAR 1970, 283。参阅 H. Lange, Schadensersatz, S. 133.

〔2〕 J. G. Fleming, Law of Torts, p. 170; Goodhart, Rescue and Voluntary Assumption of Risk (1934) 5 Cambridge Law Journal 1920; Linden, Rescuers and Good Samaritans, 34 Modern Law Review 241 (1971).

〔3〕 232 N. Y. 176, 133, N. E. 347 (1921). 关于本件判决及其评论, Epstein, Cases and Materials on Torts, p. 425; Franklin / Rabin, Tort Law and Alternatives, p. 369; Prosser, Wade, Schwartz, Torts, p. 328f.

助，痛苦呼唤解困。"成为传诵至今的名言。[1] 在此判决之后，加害人对救助者负有注意义务及赔偿责任，已成为英美侵权行为法一项基本原则。[2]

（二）德国法

德国判例学说亦肯定紧急救助案件（Nothilfefälle）上的相当因果关系，如为阻却脱逸之马伤人而致自己受害；[3] 为救助乘客逃离失火的公车而致受伤；[4] 司机肇造车祸致汽车发生燃烧；某加油站承租人之子为救助司机及乘客而被火灼伤。[5] 德国通说认为于诸此情形，救助者除无因管理的请求权（德国民法第 677 条以下）外，尚得依侵权行为规定请求损害赔偿。[6]

具有启示性的是母亲捐肾救女案件。在 BGHZ 101，215 判决乙案，[7] 13 岁的 A 女因运动受伤，H 医生认定其左肾受伤而摘除之，因发生肾功能病变而转诊于某大学医院。经检查后发现 A 女天生仅有左肾。基于医生建议，A 女的母亲决定捐肾移殖。各审法

---

〔1〕 "Danger invites rescue. The cry of distress is the summons to relief. The law does not ignore these reactions of the mind in tracing conduct to its consequences…. The risk of rescue, if only it be not wanton, is born of the occasion. The emergency be gets the man. The wrongdoer may not have foreseen the coming of a deliverer. He is accountable as if he had." （危险招致救助，痛苦的呻吟是解脱的召唤。法律在追究行为与其结果的事上，并不忽视人心灵上的各种反应。若非出于恣意，救助所带来的风险乃由事故而生。紧急的状况造成了救难的人。加害人或许未能遇见救难者的到来，其亦应视如已为预见而对其行为负责。）关于 Cardozo 的生平及法学思想，R. Posner, Cardozo, A Study in Reputation, 1990.

〔2〕 相关案例及其解释适用要件的文件，限于篇幅，非本书所能评论，参阅 Luntz / Hambly, Torts: Cases and Commentary, 4th ed. 1995, 7. 10. 30.

〔3〕 RGZ 50, 219.

〔4〕 RGZ 164, 125.

〔5〕 OLG, Stuttgart, NJW 1965, 112.

〔6〕 H. Lange, Schadensersatz, S. 134.

〔7〕 JZ 1988, 150 mit Anmerkung Hans Stoll.

院认定 H 医生具有医疗过误，应对 A 女负侵权行为损害赔偿责任。诉讼的争点在于 A 女的母亲对 H 医生得否主张损害赔偿。原审认不成立无因管理，而否定捐肾救 A 女的母亲有费用支出请求权。关于侵权行为损害赔偿请求权，原审及联邦法院均肯定之。

德国联邦法院强调 H 医生的过失行为侵害 A 女的身体健康，并因此而创造了一种危险状态，致 A 女的亲人为救助其生命健康而捐肾，而使自己的健康受损，符合侵权行为上"侵害他人权利"的要件。在应由 H 医生负责的摘肾行为与 A 的母亲的捐肾间具有因果关系。此项因果关系连络亦不因捐肾系基于捐赠者的自由决定而中断。盖此项决定系为因应医疗过误所创危险状态而生的救助行为，而此种经由心理或精神所媒介的因果关系（psychisch vermittelte Kausalität）亦足以作为责任成立的依据。[1] 捐肾者同意移殖肾脏，对从事此项手术的医生固可阻却违法，惟对加害人言，其侵权行为的违法性不因此而受影响。

（三）台湾地区法上解释适用

如上所述，英美法及德国法均肯定救助他人而致其身体健康受侵害者，得依侵权行为规定向加害人请求损害赔偿。在台湾地区法亦应采此见解，盖人群共处，共谋团体生活，在侵权行为法上保护急公好义危难相助之人，诚属合理。至其构成要件应采如下的原则，即：须因加害人故意或过失的行为造成一种危险的状态，惹起救助者介入；因某种自己危害行为而受身体健康的侵害，与其介入所欲达成的效果须有适当的关连。加害行为与救助者身体健康受侵害间的相当因果关系，不因救助行为系受害人的自发介入而受影响。此种所谓 psychische Kausalität 非基于自然法则，难在同一的条件下予以重覆，仅能依经验法则及机率加以判断，如甲教唆乙窥探他人隐私；丙故意告诉丁妇其夫遭车祸死亡，致其受惊吓而流产，

---

[1] Deutsch, unerlaubte Handlungen, Schadensersatz und Schmerzensgeld, Rn. 45.

亦均足成立此种因果关系。

七、Nervous Shock

甲（加害人）驾车撞到乙（以下称为受直接侵害对象），丙（被害人）当场目睹此事故，受到惊吓致生精神疾病。此类案例在英国法上称为 nervous shock，在美国法上称为 mental distress，mental harm，在德国法上称为 Schockschäden，已成为比较法上常用的概念，指因受惊吓致精神受侵害（psychiatric injury）者，得否主张侵权行为损害赔偿请求权。[1]兹再以英国法上著名的 Alcock v. ChiefConstable of the South Yorkshire Police 乙案[2]说明之：在1989 年英国 Hillsborough 球场举行足球大赛，因警察允许过多观众登上看台，致看台倒塌，有 95 名观众死亡，超过 400 人受伤。原告计 16 人主张在球场或经由电视转播实况看到或听到自己的亲人（其中 1 人为未婚妻）遭遇灾难，致精神受到震撼导致疾病，而向主管警察局长请求损害赔偿。由此可知，nervous shock 可能涉及不确定的多数被害人，如何合理的加以规范，涉及法律政策及法律技术，在法学方法上具有意义。

在台湾地区，被害人的请求权基础为第 184 条第 1 项前段，应具备如下要件：须加害人对事故的发生有故意或过失，直接受侵害对象（乙）究为死亡或受伤，在所不问；[3] 须被害人的身体健康

〔1〕 英国法，Markesinis/Deakin，Tort Law，p. 118；Street，Torts，p. 197；美国法，Prosser，Wade and Schwartz，Torts，pp. 386－402；德国法，Eike v. Hippel，NJW 1965，189；Larenz / Canaris，Schuldrecht Ⅱ/2，S. 380；比较法，Markesinis，A Comparative Introduction to German Law of Torts，p. 109；Karczewski，DieHaftung für SchockschäRR；den，1992；中文资料，拙著：民法学说与判例研究，（1），第 72 页；曾世雄，非财产上之损害赔偿，第 71 页；谢哲胜，第三人精神上损害赔偿之研究，戴东雄教授六秩华诞祝寿论文集，第 163 页。
〔2〕 [1991] 4 All ER 907，参阅 K. J. Nasir，Nervous Shock and Alcock，Modern Law Review 55（1992）.
〔3〕 有认为亦应包括有惊无险的情形，参阅 Eike v. Hippel，NJW 1965，41.

受到侵害，此主要指精神疾病而言，心脏病发作、孕妇流产并应包括在内，至于一般的痛苦、沮丧、惊恐、情绪不安均不属之；须加害人的行为与被害人的身体健康受侵害之间具有相当因果关系。[1]被害人是否受有身体健康的侵害是医学上认定问题。相当因果关系则为法之判断，其应考量的因素包括：

1. 被害人与受侵害对象的关系，究为父母、子女、配偶、亲友或路人。

2. 被害人与侵害事故在时间或空间的关系，究为事故当场、附近或数日后始获知其事。

3. 导致被害人受侵害的方式，究为目睹、耳闻，由电视、新闻报导得悉，或经他人告知。

4. 加害人的行为究出于故意或过失。

为便于观察，图示如下：

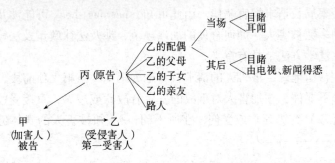

在此案例，完全否定或肯定被害人的请求权，均非妥适；盖前者不足保护被害人；后者过份加重行为人的责任，并可能引起虚伪

---

[1] 在比较法学上值得注意的是，在台湾地区，此属因果关系问题。在德国原则上亦属因果关系，亦有主张应依法规目的处理之（Kötz, Deliktsrecht, Rn. 51f.）。但在英美法上则属过失侵权行为（Negligence）上注意义务（duty of care）的范畴。

不实的滥诉。因此各国判例学说均致力于探寻合理的判断标准以界定，兹就美国、英国及德国简要加以说明。

美国各州法院的见解，并不一致，多数州的法院采取三个标准，据以认定被告对原告是否负有注意义务（duty of care），即原告是否在事故现场；是否直接、同时目睹侵害事故；与受侵害对象是否具有密切关系。[1] 在 Thing v. La Chusa 乙案，[2] 原告之子遭被告驾车撞到之际，原告适在车祸近处，并未目睹其事，经人告知后赶到现场，见其子血流如注，昏迷不醒，因受刺激导致精神系统受到伤害，加利福尼亚州最高法院以原告未目睹被告侵害行为及认知其子正遭受侵害为理由，判决原告败诉。

Nervous shock 是英国侵权行为法上最具争议的问题之一，其见解历经变迁，[3] 在前述 Alcock v. Chief Constable of the SouthYorkshire Policec 乙案（足球场看台倒塌案件），英国贵族院 5 位法官采一致见解，认为原告仅于具备下列要件时，始得请求损害赔偿：（1）原告与受侵害对象（primary victim）间具有足够的密切关系，若其知悉侵害事故可预见将遭致精神惊吓而受损害。（2）原告对造成侵害事故或其直接结果，在时间及空间具有足够的密切关系。（3）原告目睹或耳闻侵害事故或其直接结果，致受有精神惊吓。英国贵族院据此判断标准，认为本件原告 16 人，有为非当场目睹耳闻侵害事故，有为与受侵害对象不具足够的密切关系，其损害赔偿请求权均不成立。

德国法上的 Schockschäden 具有二点特色：（1）在实务上，原

---

〔1〕　关于此项所谓 nearness, hearness 及 dearness 原则的适用及相关案例，参阅 Prosser, Wade and Schwartz, Torts, pp. 385－403.

〔2〕　关于本件判决的评论，Prosser, Wade and Schwartz, Torts, pp. 394－403.

〔3〕　参阅 Salmond and Heuston, Torts, pp. 214－215；Winfield and Jolowicz, Tort, pp. 119－124；Murpyey, "Negligently inflicted psychiatric harm : a reappraisal" (1995) 15 L. S. 145.

告多为受侵害对象的父母或配偶，法院认为不以目睹或耳闻侵害事故为必要，事后知悉而受惊吓致身体健康受侵害时，亦足成立侵权行为损害赔偿请求权。(2) 直接受侵害对象对事故的发生与有过失时，被害人亦应承担之。[1]

在台湾地区实务上尚无关于 nervous shock 的案件，关于其相当因果关系的认定，不宜采固定格式化的判断标准。为兼顾被害人的保护及合理限制加害人的责任，应就个案综合前述各项因素加以判定。兹分四点说明之：

1. 甲违规驾车撞伤乙，丙目睹或耳闻此一事故，受到惊吓致生精神疾病时，若丙是乙的配偶、父母或子女时，通常应认其具相当因果关系。此外，被害人丙与乙具有特别关系，如乙自幼父母双亡，由其祖母丙扶养长大，相依为命时，亦应肯定丙的损害赔偿请求权。若丙是乙的同学或路人时，则通常应不认其具有相当因果关系，盖人群共处，必须忍受意外事故所生的危害，不能令行为人对举世众人皆为负责。

2. 美国法及英国法基本上均要求原告当场或在附近目睹或耳闻侵害事故。此项要件限制过严，在台湾地区法上应不采之，例如在上举车祸之例，若丙是乙的配偶，于获警察通知后，即赶赴事故现场或医院，见乙伤害惨状，因受惊吓，致身体健康受损时，衡诸常情，实难否认甲的行为与丙之受侵害之间具有相当因果关系。

3. 加害人故意使被害人精神受惊吓，致身体健康受损，如甲在丙的面前强奸其未婚妻或女友某乙时，纵丙与乙之间并无身份法上关系，亦应肯定其相当因果关系，令甲负损害赔偿责任。

4. 被侵害的对象不是人，而是"物"时，因人与物在法律价值上轻重有别，如何认定其相当因果关系，实费考量。甲故意焚毁

---

[1] BGHZ56, 163；NJW1898, 2313. 此等判决在比较法上的分析，参阅 Markesinis, A Comparative Introduction to the German Law of Torts, pp. 109-130.

乙多年撰写小说原稿，乙因目睹其事而受精神侵害，应肯定其相当因果关系，得向甲请求损害赔偿。在过失侵害情形，则应斟酌相关因素严格认定之。[1]

八、伤害与死亡

1. 因伤致病，因病致死。受伤后因病身死，应视其病是否因伤所引起，如系因伤致病，因病致死，则侵权之行为与死亡之结果即具有相当因果关系，否则如系受伤后因他病而死，自无因果关系可言。依诊断书记载，被害人死亡之直接原因为郁血性心脏病、两侧肋膜积水、肺炎并呼吸衰竭、糖尿病、高血压、老旧下壁心肌梗塞等病。若其系受伤后，因久未能痊愈导致身体衰竭引起上开病症而死，则受伤与死亡不能谓无相当因果关系；若其颅内出血，及多处骨折已痊愈，于进行复健中，因宿病或年老体衰感染引起上开病症而死，则受伤与死亡间即无相当因果关系。[2]

2. 被害人自杀。在1956年度台上字第520号判决乙案，上诉人之子（或夫或父），被被上诉人因细故殴打成伤，约1个月后自缢身死。上诉人以死者受伤无钱医治羞愤自缢，其死亡与伤害有因果关系，乃对被上诉人提起赔偿慰抚金之诉。终审法院谓："原审就此部分认刑事判决仅科被上诉人以普通伤害罪，方且诊断书所载陈水共前胸受打扑伤，治疗期间为10日，并无足以致死之情形，而自缢身死系在经过治疗10日以后，难认与伤害有因果关系之存在，而上诉人主张死者自缢之原因又乏相当之证明，因而为维持第

---

[1] 在美国夏威夷州 Compell v. Animal Quarantine Station 乙案 63 Haw. 587, 632, P. 2d 1066 1981）。原告经由电话获知其年老的爱犬于前日因被告将其误置于无通风设备的货车，遭日晒死亡，致精神痛苦。法院判决原告胜诉，命被告赔偿1000元。此项判决所采认定标准颇为宽松，在美国法上亦属特例。参阅 Markesinis, A Comparative Introduction to the German Law of Torts, p. 119.

[2] 1997年度台上字第1205号判决。

一审驳回其诉之判决，洵无不合。"[1] 就本件事实言，终审法院见解可资赞同。惟被害人于事故后自杀，是否具有因果关系，仍应视所受伤害严重度及精神反应等因素，就个案认定之。[2]

3. 被害人因医生的医疗过误而死亡。甲过失伤害乙的身体，乙因医生丙的医疗过误而死亡（或遭受重大后遗症伤害）时，甲对此种由第三人丙所造成结果损害（Folgeschäden）应否负责？鉴于伤害他人身体时，医疗行为系属必要，不可避免，故医疗过误非由于医生的重大过失时，加害人对医疗行为伴随的危险仍应负责。[3]

4. 被害人因意外事故而死亡。被害人于住院医疗中因火灾，或感染疾病而死亡时，如何判断其因果关系？在一般情形应认为此属偶发情事，加害人不必负责。惟若被害人系因受伤行动不便、逃避火灾不及，或因受伤抵抗力减低遭受感染而死亡时，将此结果损害归由加害人负责，亦属合理。

第三目　责任范围上的相当因果关系

责任范围"相当"因果关系旨在判定"某种损害"是否因"权利"受侵害而发生，以决定应归由加害人负赔偿责任。[4] 兹就我实务上主要争议案例说明如下：

一、悬红寻牛

院字第1662号解释："侵权行为之赔偿责任，以加害人之故意

---

[1] 裁判书类编，民事法（4），第11页。

[2] 在日本交通事故被害人因伤病及将来的痛苦而自杀之案例甚多，从来的判决例几皆否定交通事故责任与自杀间的相当因果关系，但最近采肯定说者甚多，参阅几代通，不法行为法，第146页（附有详细文献）。德国判例学说亦肯定，被害人自杀应视其情形得由加害人负责，参阅 H. Lange, Schadesersatz, S. 141.

[3] 德国通说采此见解。RGZ 102, 230；H. Lange, Schadensersatz, S. 145.

[4] 责任范围相当因果关系主要涉及损害赔偿问题，将于本丛书第3册详为论述。

或过失与损害有因果联络者为限，来问所称事主被盗失牛，悬红寻觅，此项花红如有必要，即不能谓无因果联络，至其数额是否相当，则属于事实问题。"易言之，必要的悬红寻觅与被盗失牛之间存有相当因果关系。准此以言，母亲因婴儿在医院被他人抱走，而支出的必要悬赏广告或侦探费用，亦得向医院请求损害赔偿。

二、律师费用

关于律师费用得否作为侵权行为所受损害，请求赔偿，院字第205 号谓："吾民事诉讼非采用律师诉讼主义。当事人所支出之律师费用。自不在诉讼费用之内。至当事人之旅费及当事人确有不能自为诉讼行为。必须委任人代理之情形所支出之代理人费用。如可认为伸张权利或防御上所必要者。应属诉讼费用之一种。于必要限度内。得令败诉人赔偿。所谓必要限度。依讼争或代理之事件及当事人、代理人之身份定之。当事人如有争执。由法院断定。"[1]

三、伤害诊断书费用

当事人因伤害向医院或医师请求出给诊断书所支出之费用，得否请求损害赔偿，素有争论。1977 年度第 5 次民庭庭推总会议决议（二）则认为："当事人因伤害所支出之诊断书费用，非系因侵权行为所生财产上之损害，不得请求赔偿。"

关于海上货物运送，受货人检验货损情形而委请公证公司检验所支出之公证费用，得否向应负侵权责任的运送人请求赔偿，亦迭生争讼。1977 年度第 6 次民庭庭推总会议决议（二）认为："海上货物运送，货物有所毁损短缺，受货人为检验货损情形，委请公证公司检验所支出之公证费用，既不因货物之有无损害而有所不同，

---

〔1〕 参照 1943 年上字第 3145 号判例："当事人支出之旅费，并不在现行民事诉讼费用法所定费用之内，自无从认为诉讼费用，如依民法之规定，可认为因他造之侵权行为所受之损害者，得向他造请求赔偿，此项赔偿请求权，不因民事诉讼法定有诉讼费用之负担，及民事诉讼费用法定有诉讼费用之范围而被排除。"

况系因提供证据而支出，与运送人之未完全履行运送契约或侵权行为，并无相当因果关系，参酌本院1977年第5次民庭庭推总会议决议（二）："当事人因伤害所支出诊断书费用不得请求赔偿"之决议，保险公司于给付被保险人（即受货人）此项赔偿金额后，自不得代位请求运送人赔偿此项公证费用。"

依本书见解，伤害诊断书为证明损害程度或范围所必要之方法，就行为人侵害身体健康所造成的客观存在事实加以观察，并依吾人智识经验加以判断，应认均有发生同样损害结果可能，似应肯定"侵害他人身体健康"与"诊断书费用的支出"，具有相当因果关系。

四、车祸受伤残废，丧失升迁机会

在1957年度台上字第1232号民事判决乙案，[1] 被上诉人为装甲兵少校副营长，依任官条例积资4年及6年，原可自中校而升任上校，现因上诉人之过失受伤成残，已无升任之望。法院谓："依任官条例，积资4年及6年，原可升任自中校而上校，现因上诉人之过失受伤成残，自无升任之望。其请求赔偿上项减少之生产费，计中校4年每月以差额新台币70元计算，合为13 440元，按霍夫曼计算法扣除期前利息，应为12 017.2元，难谓不当。"易言之，被害人不能升任上校所受损害与受伤成残间具有相当因果关系。

五、特别护士看护费、挂号费及看病计程车资

在1990年度台上字第1809号判决乙案，被上诉人无照驾驶拼制农耕机，疏于注意将上诉人撞倒，致其骨盆骨折，膀胱破裂，不能人道，受永久残废重伤害，而请求损害赔偿。关于特别护士看护费，原审以上诉人未能就此举证以实其说，故不许之。易言之，若能举证，似可请求。关于挂号费及看病计程车资，法院认与上诉人

---

[1] 裁判类编，民事法（4），第478页。

"所受伤害"具有相当因果关系。[1]

第四项　法规目的说与相当因果关系

第一目　法规目的说的意义及机能

相当因果关系说源自德国，惟在德国盛行此项理论已由盛转衰，继之而起的是所谓的法规目的说。[2] 法规目的说（Schutzzweckder Haftungsnorm，Normzweck）主张侵权行为所生损害赔偿责任应探究侵权行为法规之目的而为决定。其理论依据有二：（1）行为人就其侵害行为所生的损害应否负责系法律问题，属法之判断，应依法规目的认定之。（2）相当因果关系说的内容抽象不确定，难以合理界限损害赔偿的范围。法规目的说是由 Rabel 氏于 20 世纪 40 年代所提出，[3] 20 世纪 60 年代再经 v. Caemmerer 加以阐述发挥，而成为德国通说。[4] 尚有争论的是法规目的说与相当因果关系说的适用关系：[5] 有认为前者应取代后者；多数学者则认为二者可以并存，即损害应否赔偿，首先须认定其有无相当因果关系，其次再探究其是否符合规定目的，易言之，即损害之发生

[1] 民事裁判书汇编，第 1 期，第 192 页（第 196 页）："上诉人因被上诉人侵权行为所受伤势不轻，前往该竹围分院为治疗等行为，能否自提引流管搭乘公车？如须乘坐计程车来往，因目前计程车少有出具收据之情形，上诉人所提出者，倘能证明往返医院通常所需计程车费金额，即非不得凭以认定增加生活上需要所支出。原审疏未详查审理，遽为上诉人此部分不利之判断，难谓已尽审理之能事。"

[2] H. Lange, Herrschaft und Verfall der Lehre vom adäquanten Kausalzusammenhang；曾世雄，"论相当因果关系说之衰微"，法学丛刊，40 期，第 81 页。

[3] E. Rabel, Das Recht des Warenkaufs, Bd. Ⅰ, 1935, S. 504.

[4] v. Caemmerer, Das Problem des Kausalzusammenhanges im Privatrecht, 1956.

[5] 参阅 Fikentscher, Schuldrecht, S. 287；Stoll, Kausalzusammenhang und Normzweck im Deliktsrecht, 1968.

虽具相当因果关系，但在法规目的之外者，仍不得请求损害赔偿，德国联邦法院亦采此见解。[1]

依法规目的而判定某项损害应否归于行为人负担，实具说服力。法规决定法律义务，因违反义务而肇致损害时，其赔偿责任应与法规具有关连性，乃属当然。此在第184条第2项关于违反保护他人法律的情形（德国民法第823条第2项），并无争论，即因违反法律而对其所保护之人应予赔偿的，乃该法律所欲防范的危险，因其实现而生的损害。例如法律禁止儿童夜间工作，而某童工夜间下班回家途中遭抢劫受伤时，其所生损害非属法律所欲防范危险的实现，被害人不得依第184条第2项规定向雇主请求损害赔偿。问题在于适用第184条第1项前段规定的情形（相当于德国民法第823条第1项前段），如何探究法规目的，以决定赔偿责任。

第二目　法规目的说的适用

德国民法第823条第1项规定："因故意或过失不法侵害他人生命、身体、健康、自由、所有权或其他权利者，对所生损害负赔偿责任。"德国通说一方面认为法规目的于此规定亦应适用，他方面并表示法规目的之探究非属容易，应就重要关键性的案例建立类型。兹分责任成立及责任范围二种情形简述之。

一、责任成立与法规目的

设有厨师某甲将鼠药放在食物罐内，置诸架上，乙厨师非因过失使用之，致侵害客人丙的健康。于此情形，甲违反了所谓防范危险义务（konkrete Verhaltenspflicht, Verkehrspflicht），[2]而丙所受损害乃此项危险的实现，应归由甲负责。在上举之例，设有丁童误认该罐内所藏的是食物，于取用时自椅上掉下致摔伤其头时，甲对丁

---

[1]　BGHZ 27, 137; BGH JZ 69, 702; 65, 196.

[2]　关于 Verkehrspflicht 的意义，参阅本书第93页。

所受损害则不必负责，盖此非属甲所应防范的危险。[1]

关于德国侵权行为法上的因果关系的适用，争论最多的是所谓的"道路绿地案件"，即甲驾车疏未注意，肇致车祸，致交通阻塞，乙等不耐久等，驾车跨越道路两侧绿地（或草坪）而离去时，甲应否对该绿地所有人丙所受损害负赔偿责任？德国法院曾肯定其相当因果关系，备受批评。[2]学说上认为于此类案例应依法规目的否认甲的赔偿责任。驾车疏误对车祸的被害人固应负责，惟道路两侧绿地或草坪不受侵害，则非属其所违反的行为义务所欲保护的范围。

二、责任范围与法规目的

1. 刑事诉讼防御费用（BGHZ 27，318）。关于如何依法规目的决定侵权行为赔偿责任的范围，兹举德国实务上二则具有启示性判决加以说明。德国联邦法院于著名的"刑事诉讼防御费用"案件（BGHZ 27，318），[3]首度采用法规目的之理论。本件原告骑机车与被告之夫所驾驶的小客车相撞，原告受伤，二人均因交通规则而受刑事追诉。被告之夫在起诉书送达前死亡，原告因违规超速被处罚金 30 马克，上诉后则被判无罪，原告以在刑事诉讼中支出所谓防御费用 686.88 马克，乃诉请被告分担 4/5。原审认被告之夫驾驶违规行为与此项防御费用无相当因果关系而判决原告败诉。原告上诉亦遭驳回。德国联邦法院强调纵肯定其相当因果关系，亦难认原告得请求被告赔偿其防御费用。德国联邦法院认定原告为防御刑事诉讼所支出的费用系财产损害（Vermogensschaden），而财产

---

[1] 关于此例及其说明，Kötz, Deliktsrecht, Rn. 160.

[2] 关于此件道路绿地案件（Grünstreifen – Fall），参见 OLG Duesseldorf NJW1955，1031；BGHZ 58, 162. 参阅 Larenz, NJW, 1955, 10 及 Deutsch, JZ1972, 351. 的评论。

[3] 关于"刑事诉讼防御费用"（Verteidigungskost – Fall）判决的评释，参阅 Böhmer, JZ1958, 742.

本身非属德国民法第 823 条第 1 项所保护的权利，问题在于此项损害可否认系原告身体、健康受侵害而生的结果损害，而归由被告负责？关于此点，德国联邦法院采否定见解，明确表示本件原告就身体受伤及车辆毁损得请求赔偿回复原状的费用、丧失的营业收入及车辆的使用利益。至于刑事诉讼中的防御费用，则应为不同的判断，盖其非属法律于车祸事故中所欲防范危险的实现。此等费用支出与原告车祸受伤无关，因刑事处罚行为的追诉，为一般国民均可能遭遇的“一般风险”（Allgemeines Risiko），此种“一般风险”系独立于被害人所受身体或物之侵害之外，纵使在车祸中无人或物之损害，亦会发生，甚至违规驾驶根本不发生车祸，亦属难免。涉及刑事诉讼而必须支付防御费用既对任何人皆会发生，非属德国民法第 823 条第 1 项保护生命、身体、健康或所有权所要防范的危险。易言之，不论加害人的行为与其生损害间有无相当因果关系，此种刑事诉讼防御费用均在法律保护目的之外，故不得以德国民法第 823 条第 1 项规定作为主张损害赔偿的请求权基础。

2. 因车祸发现脑疾提早退休案件（BGH JZ 69, 702）[1]。在所谓“因车祸受伤发现脑疾提早退休案件”，原告遭被告驾车撞伤，住院治疗过程中，因医生发现脑疾，被其服务机关命令提早退休，乃以受有损害而向被告请求损害赔偿。原审以被告的侵权行为与原告提早退休受有损害之间具有因果关系，而判决原告胜诉。德国联邦法院废弃原审判决，认为被告的侵权行为固属原告提早退休的条件，衡诸一般经验，亦可认定其有相当因果关系，惟不得据此即肯定其损害赔偿请求权，盖诚如 BGHZ 27, 318 判决所示，相当因果关系本身尚不足合理界限赔偿责任，应再检视其是否在法规目的之范围之内。侵害他人健康致其提早退休，其所受损害系在德国民法第 823 条第 1 项规定的保护范围。至于因健康受损经检查发现原

---

[1] 关于本件判决的评释，Ulrich Huber, Normzweck und Adäquanztheorie, JZ 1969, 678.

有的疾病而导致提早退休,则非属法律所欲防止危险的实现,因为疾病被发现系任何人皆难以抗拒的宿命,乃一般生活上的风险,不在德国民法第823条第1项保护范围之内。

第三目　法规目的说的继受

在台湾地区侵权行为法及损害赔偿法上应否继受"法规目的说"?著名的民法学者曾世雄氏是 v. Caemerer 教授的高足,早在20年前即已引入法规目的说,[1] 惜未获应有的回应和重视。曾世雄教授指出相当因果关系此项被视为可能率的科学问题包含着许多阴暗部分,如可能率基数的不确定,全有全无原则的不合理,法院常以损害既已发生,或同情被害人而认定相当因果关系的存在。[2] 曾教授更以被害人受伤自杀为例,深入分析探讨相当因果关系说的疑义,并阐释法规目的论的合理性,认为因车祸而伤人者,对被害人受伤部分应予负责,盖此属法律对人身不受伤害的保护范围。被害人因而自杀者,则应分别判断之:原则上,驾驶人对自杀部分无庸负责,因法律不保护残害己身;如车祸受伤情形严重而有使被害人自杀之自然趋势者,则自杀全部或一部成为伤害之必要结果,驾驶人就自杀之损害部分仍应负全部或一部责任。曾教授以此为例强调应以法规目的说取代相当因果关系,作为判断损害赔偿成立和范围(包括侵权行为及契约)的基本原则。[3]

第四款　结　语

1. 诚如前述,因果关系理论系困扰法院与学者的难题,考验

---

〔1〕 曾世雄,"论相当因果关系说之衰微"法学丛刊,第40期,第81页。
〔2〕 曾世雄,损害赔偿法原理,第121页。
〔3〕 曾世雄,损害赔偿法原理,第135页。

着法律人的抽象思考能力及具体案例上符合事理的判断。实务上绝大多数的案件基本上不生问题，引起争议的皆属特殊情况。就判决观之，多属责任成立上"条件关系"的认定，涉及"相当性"判断的，尚属不多。

2. 我实务上对相当因果关系提出了一个相当抽象的公式："无此行为虽不必生此损害，有此行为通常亦不生此种损害，即无因果关系。"最近判决提出较明确的判断基准，认为应以行为人之行为所造成的客观存在事实为观察的基础，并就此客观存在事实，依吾人智识经验判断，通常均有发生同样损害结果之可能者，该行为人之行为与损害间即具有相当因果关系。此种基于吾人智识经验所为的判断，在某种程度是常识的判断。其所涉及的非纯系科学或然率或价值中立的逻辑推理，实乃归责问题，即决定如何将发生的损害归由加害人负担之法的判断。实务上多未公开其作此归责判断所考虑的因素与过程，致难对其作深入的检视验。

3. 法规目的说提出了一个新的思考方向。在第 184 条第 2 项情形，可从其历史、体系及规范意旨探究各该保护他人法律的规范目的，以决定其保护范围。在第 184 条第 1 项前段情形，如何判定法律规范目的及其所欲防范的危险，确非易事。法规目的说的引进涉及到"学说继受"（Theoriere-zeption），在法学方法上殊具意义，是一个值得正视的重大课题。[1]要继受法规目的说，除阐释其基本

---

[1] 关于学说继受，参阅 Zentaro Kitagawa（北川善太郎），Rezeption und Fortbildung des europäischen Zivilrechts in Japan, 1970；Canaris, Theorierezeption und Theorienstruktur, in: Festschrift für Zentaro Kitagawa, 1992, S. 59f.。关于法学上学说的功能、结构等问题，参阅 Canaris, Funktion, Struktur und Falsifikation juristischer Theorien, JZ 1993, 377；Tze-Chien Wang（王泽鉴），Rezeption und Fortbildung des amerikanischen Mobiliarsicherungsrechts in Taiwan, in: Festschrift für Zentaro Kitagawa, 1992, S. 60f。学说继受的问题，将在作者撰写中之"民法方法、理论与社会变迁"乙书中详为论述。

思想外，德国法上的实务经验，不容忽视，相关案例有系统的整理、归类及分析，应有必要。我们已习惯于相当因果关系的运用，要引进一种新的思考方式，予以"本土化"，实赖学说的准备，实务的回应和协力。必须特别指出的是，如何建立一个有效率达成法学上共识的机制，使我判例学说能够创新突破，是法学及法律发展的重大课题！

4. 相当因果关系说在实务上经数十年运用，仍具有合理规范责任成立和范围的机能。诚然此项理论对肯定"相当"因果关系所须的"通常可能性"未能提出精确的认定基础，惟此乃"不确定法律概念"所给予法官的判断余地，应经由案例比较而建立其类型，以维护其适用的妥当性，期能就个案作成符合正义的适用。[1] 所谓"法规目的"、"危险范围"、"生活上风险"等法规目的说所据以操作的概念，其不确定性并不亚于"相当因果关系"。

在前揭因车祸受伤发现脑疾提早退休案，德国联邦法院先肯定其条件关系，再肯定其因果关系的相当性，最后则否定其属德国民法第823条第1项（相当台湾地区第184条第1项前段）的保护范围。此项判决一方面突显了德国法院层次分明的严谨思考推理，但也引起对德国实务所采相当因果关系说的质疑。关于相当因果关系说在德国实务上系采所谓"客观事后判断"标准（objektive nachtragliche Prognose），以所谓的 optimaler Beobachter（最适判断者）就其所知或依其生活经验可得而知的情况作为判断基础。诚如 Larenz 教授所云，此种最适判断者几乎无所不知，而对无所不知者，任何非属通常事物均可预见，而据以认定其相当因果关系，致不能合理限制侵权责任的成立或范围。为此，Larenz 教授建议应以"经验的判断者"（erfahrener Beobachter）取代"最适判断者"，

---

〔1〕　关于案例比较（Fallvergleich），参阅 Zippelius, Juristische Meehthodenlehre, 6. Aufl. 11 II , 12, 16 II , 19c.

以免发生认定上的出入。[1] 台湾地区在判断相当因果关系时，常提到"依吾人的智识经验"，似同此见解，就实务上案例观之，其适用结果多属妥当。

关于上举德国实务上因车祸受伤发现脑疾提早退休案件，在台湾地区应否认被害人身体健康受侵害与医疗中发现脑疾提早退休受有损害之间具有相当因果关系。盖侵害他人身体健康，通常无发生同样损害结果的可能。公务员所以提早退休系因其不适于继续担任职务，而此与意外事故无关。事实上存在的脑疾不被提早发现，对被害人言，固具有利益，惟在归责的判断上，脑疾被提早发现的损失，不应由车祸肇事者负担。

5. 相当因果关系说困扰着各国法院及学说，产生永无穷尽，难以解决的问题。在台湾地区，原审的见解被终审法院推翻的亦多有之，而法院的认定不为学说所赞同，亦属难免。因其所涉及的非纯属事实认定，乃法之价值判断上的归责问题。在若干案件，见解歧异，不足为奇，所愿期待的是，各级法院应尽量公开其判断因素及推论过程，而法学者应就个案从事较深刻的分析，建立较客观，可资检验的论证准则基础，避免流于主观法律感情的恣意，以空泛的说辞，掩饰未经深思熟虑的论点。

第六节　　违法性及违法阻却事由

第一款　　违法性

问题：甲遵照交通规则驾车撞伤路人乙，查无过失。于此情形，甲的行为是否构成"不法"？试就此例说明学

---

[1] Larenz, Schuldrecht, Ⅰ, Allgemeiner Teil, S. 436.

说上关于"结果不法"与"行为不法"的争论。此项争论具有何种实益，在现行"民法"所谓不法应作如何解释？

一、违法性之概念

侵权行为的成立，除侵害他人权利肇致损害的符合构成要件（Tatbestandmassigkeit）外，[1] 尚须有不法（违法，rechtwidrig）及故意或过失（Verschulden）。前者为客观归责，后者为主观归责；罗马法上的 inuria 兼指二者，尚未分化，[2] 法国民法上的 Faute 亦属如此。[3] 直至德国民法始将二者加以区别（参照德国民法第 823 条第 1 项），故违法性的概念乃德国法系所特有，[4] 而为台湾地区所继受（第 184 条第 1 项前段）。

二、结果不法说与行为不法说

（一）结果不法说

传统的违法性理论系采所谓的"结果不法"（Erfolgsunrecht），就 184 条第 1 项前段规定言，[5] 即凡侵害他人权利者，如驾车撞伤路人，绑架杀人，烧毁他人房屋等，即属违法，学说称之为因符合构成要件而徵引违法性（Tatbestandsmässigkeit indiziert die Rechtswidrigkeit）。依此见解，加害行为之所以被法律非难而具违法性，乃因其肇致对权利侵害的"结果"。惟违法性在例外情形得因某种事由而阻却之（违法阻却事由）。我学说及判例均采此见解。史尚宽氏谓："权利之内容及其效力，法律上有规定者，其反面既禁止一般人之侵害，故侵害权利，即系违反权利不可侵之义务，而

---

〔1〕　Larenz / Canaris, Schuldrecht Ⅱ/2, S. 363 认为损害非属构成要件的部分。

〔2〕　Hausmaniger, Das Schadensersatzrecht der lex Aquilia, 5 Aufl. 1996, S. 20.

〔3〕　Ferid, Das Französische Zivilrecht, Erster Band, 1971, S. 829.

〔4〕　Deutsch, Unerlaubte Handlung, Schadensersatz und Schmerzensgeld Rn. 77.

〔5〕　关于第 184 条第 1 项后段及第 2 项规定违法性问题，参阅本书第 287 页。

为法之禁止规定的违法。故此时，如无阻却违法之事由，则为不法。"[1] 又 1983 年度台上字第 1469 号判决谓："因过失不法侵害他人之权利者，原则上皆成立侵权行为，侵权行为人之行为，除有阻却违法之事由外，概属不法…。"[2]

（二）行为不法说

德国学者近年来对"结果不法"说提出批评，主张应改采所谓的行为不法说（Handlungsunrecht），[3] 其主要论点系认为一个行为不能仅因其肇致他人之权利受侵害，即构成违法。此在故意侵害他人权利的情形，固值赞可，盖故意侵害他人为法律所当然禁止，其违法性可以迳予认定。在过失侵害他人权利的情形，其违法性的成立，则须以行为人未尽避免侵害他人权利的注意义务为必要。注意义务的违反系违法性的特征。易言之，若行为人已尽其社会活动上必要注意义务时，纵因其行为侵害他人权益，亦不具违法性。[4]

（三）分析讨论

结果不法及行为不法的争论是侵权行为体系及思考方法的问题。[5] 例如在甲驾车撞伤乙的情形，依结果不法说，原则上先应肯定甲之侵害行为的违法性，再继而认定甲有无故意或过失。反之，依行为不法说，甲之侵害行为有无违法性，应迳就具体案件检视其是否违反应负的注意义务而认定之。在德国学说上争论最热烈的是下列案例：甲制造汽车（剪草机、爆竹或其他家电用品）而使之流入市场，乙使

---

〔1〕 史尚宽，债法总论，第 121 页。
〔2〕 民刑事裁判选辑，第 4 卷，第 2 期，第 53 页。
〔3〕 简要的说明，Kötz, Deliktsrecht, Rn. 98f. 深入的研究，Nipperdey, Rechtswidrigkeit, Sozialadäquanz, Fahrlässigkeit, Schuld im Zivilrecht, NJW 1958, 137; Münzberg, Verhalten und Erfolg als Grundlagen der Rechtswidrigkeit und Haftung, 1966.
〔4〕 Esser / Weyers, Schuldrecht, II, Besonderer Teil, S. 558.
〔5〕 Esser / Weyers, Schuldrecht, II, Besonderer Teil, S. 557.

用此等物品遭受伤害或侵害他人的权利时，如何认定甲之侵害行为的违法性？在甲所制造汽车不具缺陷的情形，就结论言，应认甲制造汽车，使之流入市场的行为不具违法性，虽无疑问，对结果不法说言，其理由如何构成确有困难，有认为鉴于甲的行为既为法律所容许，仅因与其无直接关连之事后权利侵害的单纯可能性，而溯及地认定其为不法，显悖事理。[1]主张行为不法说的学者则认为甲的行为所以不具违法性，乃因其并未违反社会生活上防范危险的注意义务。从而甲所制造的汽车具有缺陷而仍使之流入市场致侵害他人权利时，因违反此种 Verkehrssicherungspflicht / Verkehrs – pflicht 而具违法性。由此可知，[2]在理论上，行为不法说确具相当的说服力。惟就实务言，加害人究因其侵害行为不具违法性，或因无过失而不成立侵权责任，其结论尚无不同。德国学者所以对此争议倾注了洪流般的墨水，[3]系由于其善于争辩及问题本身所具高度理论上的魅力。行为不法说虽为学者的通说，但德国联邦法院仍然采取结果不法说，解释适用上并无疑义或困难。

第 184 条第 1 项前段明确区别违法性（不法）及故意或过失，前者系对"结果的非价值"（Erfolgsunwert）的判断，后者系对行为人的非难，在侵权行为体系构造上将违法性予以独立化，层次分明，有助于法律解释适用，自有其意义及功能，应予维持，尚无改采不法行为说的必要。于此须再强调者有二：

1. 在结果不法说，其作为违法性评价的，乃是人的行为，而非侵害结果本身；侵害结果不是违法性评断的对象，"结果非价

---

[1] Larenz / Canaris, SchuldrechtⅡ/2, S. 365.

[2] Kötz, Deliktsrecht, Rn. 102. 参阅 1989 年台上字第 200 号判例："商品制作人生产具有瑕疵之商品流入市场，成为交易之客体，显已违反交易安全义务，因此致消费者受有损害，自应负侵权行为之损害赔偿责任。"此之所谓交易安全，乃指 Verkehrssicherungspflicht 而言。

[3] Kötz, Deliktsrecht, Rn. 99.

值"是该侵害行为被赋与违法性评价的理由。[1]

2. 侵害权利所以原则上即为不法，系以权利的内容可得明确界限为前提，例如生命、身体、健康、自由、所有权等是。若权利的内容过于广泛难以明确限界时，如一般人格权或营业权，其违法性的认定，应依利益衡量及价值判断为之。

三、举证责任

据上所述，关于侵权行为的违法性，在台湾地区法上仍应采传统的"结果不法"说，即侵害他人权利的行为，以违法为原则，于有违法阻却事由存在时，则例外地不为违法，从而原告只须证明权利受侵害的事实，被告则应就违法阻却事由负举证责任。[2]

第二款　违法阻却事由

问题：（1）试比较分析正当防卫、紧急避难及自助行为之作为违法阻却事由。（2）甲、乙同住一栋大厦，乙在该大厦内经营应召店，甲率同其他住户捣毁乙的私娼馆。甲得否主张系行使权利，防卫公序良俗，不构成违法？乙就其所有权所受侵害及不能营业所受损失，得否向甲请求损害赔偿？

侵害他人权利的行为原则上莫不违法，惟得因某种事由可阻却其违法性。此等违法阻却事由，主要有六种，分述如下：

一、正当防卫

（一）构成要件及法律效果

"对于现时不法之侵害，为防卫自己或他人之权利所为之行

---

[1]　Larenz / Canaris, Schuldrecht Ⅱ/2, S. 365.

[2]　史尚宽，债法总论，第121页。

为"称为正当防卫,[1] 性质上属适法行为,可阻却违法,不负赔偿责任（第 149 条）。如便利商店的店员或顾客持木棍击伤抢劫的暴徒；被强暴妇女为解除被侵害而咬伤施暴者的舌头。[2] 就成立要件言,"不法"指为法令所不允许,不以侵害行为构成犯罪为必要,对无意识能力人的侵害,亦可实施正当防卫。又正当防卫、紧急避难及自助行为性质虽有不同,但均非"不法",自不得对之再实施正当防卫。"现时"指已着手于侵害行为的实施而尚未结束。"自己或他人权利"包括公权及私权,而私权则兼指财产权或非财产权。配偶之一方通奸时,他方配偶得否为正当防卫,尚有争论,但应采否定说,夫妻虽负互守诚实,确保其共同生活之圆满安全及幸福义务,但非属得以实力防卫之权利。[3]

正当防卫系权利的自力救济,虽属以"正对不正",惟仍应受合理限制而有比例原则的适用,不得逾越必要程度,有多种防御方法时,应选择反击较轻而相当的方法为之,否则仍应负赔偿之责（第 149 条但书）,如孩童闯入果园,驱逐即可,不必殴打；他人

---

[1] 正当防卫、紧急避难及自助行为属权利的自力救济。关于其理论基础及构成要件,请参阅郑玉波,民法总则,第 395 页；洪逊欣,中国民法总则,第 667 页；施启扬,民法总则,第 396 页；简要说明,拙著民法总则。

[2] 参照 1963 年台上字第 103 号判例："被告因自诉人压在身上强奸,并以舌头伸入口中强吻,无法呼救,不得已而咬伤其舌头,以为抵抗,是被告显系基于排除现在不法侵害之正当防卫行为,且未超越必要之程度,依法自属不罚。"就民法言,则不成立侵权行为。

[3] 洪逊欣,中国民法总则,第 681 页（注 4）。1947 年院解字第 3406 号（汇编 3 册第 662 页）；本夫或第三人于奸夫奸妇行奸之际杀死奸夫,是否可认当场激于义愤而杀人,应依实际情形定之,但不得认为正当防卫。德国判例学说亦同此见解, Palandt/ Heinrich, Bürgerliches Gesetzbuch, 50Aufl. 1995, §227 Anm. 2; Köln NJW 75, 2344.

擅在自己屋前摆设摊位，可将之拆除搬离，无须加以毁损。[1]正当防卫是否过当，应视具体客观之情事，及各当事人之主观事由定之，不能仅凭侵害人一方受害情状为断（参照1975年台上字第2442号判例）。[2]

（二）捣毁私娼馆与正当防卫

关于正当防卫的解释适用，值得提出讨论的是"捣毁私娼馆案件"。1991年度法律座谈会曾提出乙则法律问题：甲、乙同住一栋住宅区之大厦，乙则在该大厦内利用住宅非法经营私娼馆，甲劝乙迁移私娼馆，不得结果，报警取缔，亦无效果。一日，甲乃率同大厦内其余住户，捣毁乙之私娼馆，逐散妓女，致乙不能营业。乙诉请甲赔偿私娼馆被捣毁致不能营业之营业损失，每月新台币

---

[1] 出租人甲于查觉承租人违约，将承租房屋转租于第三人开设工厂，表示不同意，而该第三人继续装设锅炉，意图开工营业，出租人即将第三人所有锅炉毁损时，当时情形虽属现时不法之侵害，但防御行为应以将第三人之装设拆离其房间与基地为限，乃竟加以毁损，已超过防卫之必要程度，不得谓为正当防卫，应构成侵权行为（参照1953年台上字第97号判决）。

[2] 关于正当防卫的民事判决较为少见。"刑法"第23条规定："对于现在不法之侵害，而出于防卫自己或他人权利之行为，不罚。但防卫行为过当者，得减轻或免除其刑。"其构成要件相当于第149条，以下刑事判决案例，可供参照："于黑夜被夥匪多人撞门入室抢劫财物，起而抵抗，将盗夥之一人杀伤身死，其行为自属排除危害应采取之手段，且盗匪于行劫时将其父母砍伤捆缚，则当此急迫之际，持镖戮伤该匪徒致死，亦不得谓逾越防卫必要之程度"（参照1939年上字第3115号刑事判例）；"乙年仅17岁，因回家撞见甲正向其妹施暴，情急之下，取用斧头仅向甲之右手臂砍伤二下，以解其妹之被奸污，而未对其他害攻击，自系对现在不法之侵害而出于防卫他人权利之行为，即属正当防卫之必要措施"（1969年台上字第2616号刑事判决，"司法院"公报12卷1期）；"二人互殴，无从分别何方为不法侵害者，不得主张正当防卫"（1941年上字第1040号刑事判例）；"甲认明乙黑夜无故侵入住宅时并未携有凶器，则此不法之侵害，显非除枪击外不能排除，竟持枪射击连续不已，致乙中弹身死，则其防卫显然逾越必要之程度"（1935年上字第4738号刑事判决）；"甲见乙身带尖刀势欲逞凶，即用扁担打去，夺得尖刀，将乙杀毙，是乙只带刀在身，并未持以行凶，即非有不法之侵害，甲遽用扁担殴打，不得认为排除侵害之行为"（1938年上字第2879号刑事判例）。

（下同）10 万元，提出历年帐册为证据方法。经查核乙之私娼馆每月确有 10 万元以上之利润。甲则以乙在住宅区内经营私娼馆，有背公序良俗，非合法之营业，不受法律保障，拒绝赔偿。甲之抗辩有无理由？

座谈会审查意见认为：一、私娼馆之营业行为为违背法令及违背公序良俗之行为，自不在保障之列，甲之抗辩为有理由：（1）按损害赔偿以权利受侵害，所生之损害为要件。本件乙在住宅区之大厦内经营私娼馆，严重妨害住户之安宁，败坏社会善良风俗，系违法行为，无权利之可言，乙之请求欠缺法律上之基础。（2）违背公序良俗之行为，不受法律之保障（参看"违警罚法"第 64 条第 1 项第 3 款、第 2 项）。[1] 乙在住宅区内开设私娼馆，妨害社会风化，有背善良风俗，甲经劝导乙迁移，并经报警取缔，均无效果，甲捣毁乙之私娼馆，使乙不能继续营业，其行为系不得已，旨在排除社会污染源，系权利之行使，且不为过当，乙不能营业之损失，甲不负赔偿责任。第一厅研究意见认此结论核无不合。[2]

依本书见解，捣毁私娼馆应不构成正当防卫，分三点言之：

1. 乙经营私娼馆并未侵害甲或其家人之权利。甲、乙虽同住一栋大厦，甲的所有权或占有并未因乙经营私娼馆而受侵害，对所有权的妨害，不包括精神侵害在内。又甲或其家人的人格权亦难谓因其大厦内其他住户从事违反公序良俗行业而受侵害。

2. 住宅区社会的公益，非属第 149 条所称他人之权利。所谓他人，除个人外，尚有公法人，但不应包括"社会"在内。权利的概念虽可扩张解释，但不应包括"公益"。维护社会不受色情污染系政府任务，不能由个人依自力救济为之。"甲劝乙迁移私娼馆，不得结果，报警取缔亦无结果，事非得已"，不应作为率众捣

---

[1] 参阅"社会秩序维护法"第三编分则第二章妨害善良风俗（第 80 条，第 81 条）。
[2] 民事法律问题汇编，1993 年 6 月，第 8 辑，第 99 页。

毁私娼馆的法律依据。在台湾地区，违反善良风俗的行业尚有色情三温暖、赌博性电动玩具店、赌场、色情表演等，报警取缔，并无结果，颇为常见，以此为理由，认为率众捣毁，旨在排除社会污染源，系权利之行使，具有正当性，则私力横行，法律秩序将告崩溃。

3. 在德国联邦法院 BGHZ 64，178 判决乙案，被告等人系法律系及神学系学生，见原告在火车站前摆摊出售色情刊物，劝原告搬离，原告拒绝。被告等乃强行取走书刊，并损毁其设施，原告诉请损害赔偿。被告主张正当防卫。德国联邦法院认为正当防卫不能成立，强调个人人格虽为宪法所保障，人民的道德价值亦应受尊重，但此并不表示每一个公民于他人从事背于善良风俗或违反刑法之行为时，皆得采自卫的方法加以排除。被告采取攻击行为，使公益成为私事，使自己成为维护道德及社会秩序的检察官，不受宪法的保护。在一个法治国家，维持有秩序社会的社区生活，乃国家的职务，不能借助私力救济。此项见解，可供参考。[1]

二、紧急避难

"因避免自己或他人生命、身体、自由或财产上急迫之危险所为之行为"，称为紧急避难，性质上为放任行为，亦可阻却违法，不负赔偿责任（第150条第1项），如狼犬追逐，夺刀击退（防御性紧急避难），恶徒追杀、驾他人机车逃避（攻击性紧急避难）。所谓急迫危险，指近在眼前，刻不容缓，如为避免房屋延烧，将燃烧之油桶抱出至店外，因热度过高，被迫抛掷，燃烧他人之物，因其情危险，无考虑选择余地。[2] 此类案件应从严认定，故饥饿不

---

[1] 关于损害赔偿问题，参阅拙著："捣毁私娼馆、正当防卫与损害赔偿"，民法学说与判例研究，（8），第211页。

[2] 参照1959年台上字第737号判决；并参阅1964年台上字第1498号判决（煤油燃烧伤人案件）。

能作为偷窃面包的藉口，无屋栖身亦不足作为占用他人住宅的理由。[1]至于危险，指一切危害而言，如天灾地变、战乱、强盗绑架、恶犬追逐等均包括在内。为逃避暴政，海上遭难，仅有一小救生圈，得之则生，失之则亡，数人互夺，法律无从保护，只得任其发展，故紧急避难系属所谓放任行为。

由上述救生圈之例可知，紧急避难较诸正当防御更涉及不同的利益的取舍及其牺牲，除必要性比例原则外，尚有所谓"法益权衡原则"的适用，即须以避免危险所必要，并未逾越危险所能致之损害程度，否则仍应负赔偿责任（第150条第1项但书），如见狼犬追逐某孩童，击伤足以避险时，不必击毙；不及避险时，则得击杀之，因人身安全重于财物利益也。[2]又在紧急避难的情形，其危险的发生，行为人有责任时，如挑逗邻居之狼犬，引起追逐，而在危险中将之击毙，亦须负赔偿责任（第150条第2项）。此之所谓行为人有责任，指因行为人的行为而引发危险，有无过失，在所不问。

三、自助行为

"为保护自己权利，对于他人之自由或财产，施以拘束、押收或毁损者"，称为自助行为，为法律所容许之权利保全措施，亦不负赔偿责任，但以不及受法院或其他有关机关援助，而且非于其时为之，则请求权不得实行或实行显有困难者为限（第151条），如债务人变卖财物准备搭机潜逃，或在餐厅白吃白喝后，正欲乘车溜走时，得扣留其人或护照证件、取去其汽车匙，此等行为虽侵害他人权利，亦可阻却违法。关于自助行为须不逾越保全权利所必要程度，民法虽未设明文，但其与正当防卫、紧急避难同系例外救济途

---

[1] 此例引自 J. G. Fleming, Law of Torts, p. 96.

[2] 参阅苏俊雄，刑法总论，Ⅱ（犯罪总论），第204页（第224页）。

径，第 149 条及第 150 条规定，应类推适用之。[1] 惟须注意的是，依第 151 条规定，拘束他人自由或他人财产者，应即向法院声请处理（公力救济原则）。此声请被驳回或声请迟延者，行为人应负赔偿责任（第 152 条）。

关于正当防卫、紧急避难及自助行为，已简述如上，三者均属权利的自力救济，为公权力救济制度的例外，而具违法阻却性，其法律性质、构成要件的不同，有助于认识立法上的权益衡量，增进法学上审思明辨的思考能力（为何作此区别？有无检讨余地?），特列下表，用供参照：

内容 类别	法律 性质	构成要件				法律效果	
		受保护 的权利	侵害 方式	救济方法		符合 要件	不符合 要件
				方法	原则		
正当 防卫	适法 行为	自己或他 人的权利	现时 不法	反击 行为	必要原则 （比例原则）	阻 却 违 法	损 害 赔 偿
紧急 避难	放任 行为	自己或他 人生命身 体、自由 或财产	急迫 危险	避险 行为	1. 必要原 则 2. 法益权 衡原则		
自助 行为	适法 行为	自己 权利	不及受有 关机关援 助、及时 自助的必 要	对于他 人自由 或财产 施以拘 束押收 或毁损	1. 必要原则 （类推适用） 2. 诉求公 力救济		

四、无因管理

"未受委任，并无义务，而为他人管理事务者"，称为无因管理（第 172 条），如收留迷失之儿童，修缮他人遭台风毁损之房

---

[1] 施启扬，民法总则，第 404 页同此结论，但认系解释问题。

屋。此等行为虽系侵害他人的自由权或财产权，惟法律为奖励善行益事，既规定无因管理为债之发生原因之一种，自应解为属适法行为，具有阻却违法性，不成立侵权行为。惟须注意的是，无因管理成立后，管理人因故意或过失不法侵害本人之权利者，侵权行为仍可成立，非谓成立无因管理后，即可排除侵权行为之成立（参照1966年台上字第228号判例）。如就收留迷失之儿童之例言，管理人于该童生病时，疏未适时送医诊治，其管理未依本人明示或可得推知之意思，以有利于本人之方法为之，致其身体健康受侵害，除构成债务不履行外，并应负侵权责任。[1]

五、权利行使

行使权利的行为，无论其为公权或私权，虽侵害他人权利，亦可阻却违法。就公权的行使言，如警察依法逮捕通缉犯，检察官依法枪决犯人。就私权的行使言，如父母惩戒其子女，地上权人占有使用他人的土地。惟任何权利的行使，均应受合理的限制，若属滥用，则仍属违法，不得阻却违法，例如子女偷窃他人的铅笔，打其手心，饿其数餐即可，若殴打成伤或幽禁山洞，不给食物，致其健康受损，则属逾越正当的权利行使范围，不具违法阻却性，仍得成立侵权行为。

六、被害者的允诺

（一）概说

1. 允诺的原则及其限制。允诺（承诺）阻却违法（volentino fit injuria）是各国共认的基本原则，[2] 表现个人主义的精神，使个人得自由决定如何处理其身体或财产等权益，如捐血救人，借书予他人允许其阅后得烧毁之。此亦符合侵权行为法旨在合理分配私

---

[1] 参阅拙著，民法债编总论（1），第238页、第254页。

[2] 关于罗马法，Hausmaniger, Das Schadensersatzrecht der lex Aquillia, S. 26; 英国法, Winfield and Jolowicz, Tort, p. 723.

法上负担的趣旨。惟承诺须不得违背强制或禁止规定，如"刑法"第275条禁止自杀之嘱托或得其承诺而杀之，第282条禁止伤害之嘱托或得被害人之承诺而伤害之，致成重伤或死亡，违反之者，不得阻却违法。又承诺亦须不得违背公序良俗，而此须就被侵害的法益的种类（人身权或财产权）及加害人的主观意思（故意或过失）而认定之，如拳斗以得折断四肢为条件而为允诺，或骨牌游戏而赌取股肉，均属违背公序良俗，不生阻却违法的效力。[1] 运动竞赛符合游戏规则时，其侵害他人身体健康，仍得阻却违法。

（二）允诺的法律性质

允诺非在于以发生一定法律效果为目的，不以具法效意思为必要，而系涉及自己权益侵害性，故非属意思表示，乃准法律行为，[2] 至于如何类推适用民法关于意思表示规定，应就个案决定之。允诺得为明示或默示，默示的允诺如举臂让护士抽血，女生让男友拥抱接吻。承诺于加害行为施行前，得撤回之。事后承认应解为是对已发生损害赔偿请求权的抛弃。对将来发生的损害赔偿请求权亦得抛弃（预先免除），其性质不同于允诺，自不待言。须注意的是，单纯被害的预期，如移住于工厂附近，不得迳视为允诺，认被害人同意忍受煤烟废气之害。[3] 又允诺不得以错误为理由而撤销之，此仅涉及过失认定问题，受诈欺或胁迫而为承诺，则不生效力。

有争论的是所谓"允诺能力"。基于法律行为能力制度主要在于维护交易安全，而允诺系被害人对自己权益的"处分"，故不能完全适用民法关于行为能力的规定，原则上应不以有行为能力为要

---

〔1〕 史尚宽，债法总论，第124页。

〔2〕 此为德国通说，BGHZ 29, 361；我学者亦采此见解，史尚宽，债法总论（第123页），及孙森焱，民法债编总论（第158页）均认允诺系准法律行为。

〔3〕 史尚宽，债法总论，第123页；郑玉波，民法债编总论，第145页。

件，而应以个别的识别能力为判定标准。[1] 学童参加棒球比赛，被坏球击中手部受伤，应认有效允诺，得阻却违法；预防注射、割双眼皮等亦应肯定限制行为能力人或禁治产人亦得为允诺，惟重大手术原则上仍须得法定代理人允许。[2]

（三）允诺与自甘冒险

与允诺应予区别的是所谓"自甘冒险"，指明知某具体危险状态的存在，而甘愿冒险为之，如明知他人无驾照或酒醉而搭乘其车。在英美法上称之为 Assumption of Risk，主要适用于过失侵权行为（Negligence），[3] 如何处理，有二种见解。英国法院有认为被告自甘冒险时，原告并未违背其注意义务（duty of care），不成立过失侵权行为。亦有认为被告主张原告自甘冒险的抗辩时，得除去过失侵权行为的效力。无论采取何者，其结果均属相同，即原告不得请求过失侵权行为损害赔偿。在英美法上除 Assumption of Risk 外，

---

[1] 此为德国法上的通说，Soergel-Siebert，§823，Rn. 196f.；英美法基本上亦同此见解，J. G. Fleming, The Law of Torts："minor's can give an affective consent if endowed with intellectual and emotional capacity to comprehend the nature and consequence of what is proposed（for example medical treatment or sexual intercourse）without acquiring parental consent.）"。史尚宽先生认为限制行为能力人就财产上行为为允诺，须经法定代理人之同意。禁治产人及未成年人对人格权加害之允诺，则应有识别能力（债法总论，第123页）。

[2] 关于未成年人或禁治产人的人工流产或结扎手术，参阅"优生保健法"第9条及第10条规定（阅读之）。

[3] 拉丁语谚"Volenti non fit injuria"在英美法上包括二种情形：一为固有意义的consent，主要适用于故意侵权行为（intentional tort），如邀请他人散步于自己庭院；一为 Assumption of Risk，主要适用于 Negligence 侵权行为，如甲与乙某日共饮17杯威士忌，甲明知乙酒醉，而搭乘其所驾驶小型轻飞机，而发生事故受伤（Morris. v. Murray 1991, 2 QB 6）。其详情参阅 Street, Torts, p. 80, 276-285. 关于美国法，参阅 Prosser, Wade and Schwartz, Torts, pp. 581-594.

尚有 Comparative Negligence（比较过失）。[1] 由于 Assumption of Risk 使原告完全不能请求损害赔偿，过于僵硬，常造成不合理的结果，甚受批评，故法院（尤其是美国法院）常趋避 Assumption of Risk，而认定系属 Comparative negligence。亦有试图将此二种抗辨融合为一，以利个案适用，发展趋势实值注意。[2]

在德国法上，自甘冒险称为 Handeln auf eigene Gefahr（或 Einwilligung in Risiko），[3] 实务上见解历经变迁，早期认为是默示合意免除责任，其后解释为是被害者的允诺，具阻却违法性。最近则强调此属与有过失的问题。[4]

上述英美法及德国法的理论与实务发展，有助于台湾地区法的解释适用，即所谓自甘冒险不应定性为被害者的允诺，作为违法阻却的问题，而应将其纳入与有过失的范畴，适用第217条规定，由法院衡量当事人对损害或扩大的原因力，以合理分配其责任。在明知他人酒醉而搭乘其机车之例，其应斟酌的因素，包括驾驶者对其驾车安全性的判断，是否共同饮酒，被害人是否敦促或说服酒醉者驾车，驾车是否为被害人的利益（如赶搭出域班机）等。自甘冒险的情形严重时，得排除加害者的责任，此应就个案加以认定，乃属当然。

（四）性行为的允诺

1953年台上字第319号判例谓："与已成年未结婚之女子通

---

[1] 英美法原采 contributory negligence，其后改为 comparative negligence。前者有译为助成过失，此项抗辩得完全排除加害人责任；后者是依当事人间的过失轻重，以定赔偿责任，相当于台湾地区的"与有过失"。

[2] James, Assumption of Risk: Unhappy Reincarnation, 78 Yale Law Review 85（1968）；Diamond , Assumption of Risk After Comparative Negligence: Integrating Contract Theory into Tort Doctrine, 52 Ohio State Law Journal 717（1991）.

[3] Stoll, Handeln auf eigene Gefahr, 1961；简要说明，Deutsch, Unerlaubte Handlung, Schadensrsatz und Schmerzensgeld, Rn. 168.

[4] BGHZ 34, 355；通说采此见解，Fikentscher, Schuldrecht, Rn. 497.

奸，如系得该女子之自由承诺而为之，则其行为阻却违法性，不成立侵权行为，自无损害赔偿责任之可言。"此项见解可资赞同。所谓自由承诺，指其承诺须出自于自主决定，未受诈欺或胁迫而言。若女子对性行为的承诺系因误信男方有意结婚时，其误信对承诺的效力不生影响。如对性行为的承诺，系受男方欲与其结婚的诈骗时，则应认定其承诺非出于自由，不生阻却违法的效力。值得提出讨论的问题有二：

1. 与成年已结婚之女子通奸，如系得该女子之自由承诺而为之时，其行为得否阻却违法？此涉及该女子的承诺是否违背公序良俗。衡诸目前社会通念，应采否定说，而不得主张人格权（贞操）被侵害。至于该女子的配偶得以其配偶间共同生活之圆满及幸福被破坏，而向相奸者请求损害赔偿乃另一问题。[1]

2. 与未成年女子通奸，如系得该女子之自由承诺而为之时，其行为得否阻却违法？在利用权势而奸淫（"刑法"第228条）及因略诱而得之承诺（"刑法"第298条），不阻却违法，自不待言。奸淫14岁以上未满16岁之女子者，构成和诱罪（"刑法"第227条）。1974年台上字第3827号判例谓："'刑法'第227条第1项奸淫14岁以上未满16岁之女子罪，系因年稚之女子对于性行为欠缺同意能力，故特设处罚明文以资保护，其父之同意不能阻却犯罪，…。"至16岁以上未成年人对于性行为原则上具有同意能力，不必得其父的同意，亦可阻却违法。

（五）运动竞赛

关于运动竞赛所涉及违法阻却问题，1963年度台上字第2771号判决可作为讨论的基础。[2] 本件被上诉人与上诉人系5年级同班同学均为11岁之未成年人，上诉人邀被上诉人作摔角游戏，上

[1]　参照1966年台上字第2053号判例。
[2]　参阅拙著："摔角游戏之违法性"，民法学说与判例研究，（1），第351页。

诉人抱起被上诉人之脚，被上诉人则以残废之右手钩住上诉人脖子，同时仆地，上诉人压在被上诉人身上，卒致上诉人左大腿受伤，上诉人主张因医治腿伤及补充营养，与精神损失应由被上诉人赔偿。法院判决理由谓："按摔角系以摔倒对方与否为决定胜负之运动方法，学校学生例多于课余之际作此游戏。上诉人左大腿受伤，既系因其邀同被上诉人摔角跌倒后所致，殊难谓该被上诉人在当时有致上诉人受如此伤害之意识，亦即无识别能力之可言。核与第187条第1项前段：'限制行为能力人不法侵害他人之权利者，以行为时有识别能力为限，与其法定代理人连带负损害赔偿责任'之规定，已难使该被上诉人就上诉人因伤所受之损害负赔偿责任。该被上诉人与上诉人摔角之处所，既在学校教室内，且被上诉人应上诉人之邀而为此摔角游戏，又非法令所不许…"。

　　法院认被上诉人无识别能力而否定其侵权责任，颇值商榷，因为识别能力并不以加害人有认识使致被害人"受如此伤害意识"的必要，只要有辨别自己行为在法律有某种责任的能力即为已足。本件的关键问题在于违法性。摔角游戏既然是中、小学普遍的课外活动，亦非法令所不许，应认为参与运动或游戏者，默示在他人于不违反运动或游戏规则时，愿意承受通常由此而生的损害。[1]本件被害人已11岁，从事此类中学普遍的课外活动，应认其有识别能力，得为有效的承诺。如上所述，参与运动竞赛之阻却违法系以遵守运动规则为要件，就运动规则的违反，应由被害人负举证责任。[2]

　　因运动竞赛所侵害的被害人，除参与运动者外，尚有观众或其

---

[1]　运动竞赛侵害他人权利时，得因承诺而阻却违法系属通说。此为德国通说，BGHZ 63, 140 (147).

[2]　史尚宽，债法总论，第124页；郑玉波，民法债编总论，第145页；孙森焱，民法债编总论，第159页。

他第三人。于此情形，运动的主办人须采取可期待的安全措施，而观众则应承担其已知或应知的危险。例如棒球比赛，投出的球击中打者的手臂时，得因允诺而阻却违法；打出的全垒打球击伤观众时，亦得认因承诺阻却违法；打出的高飞球击伤球场外的行人时，则应肯定其违法性，有无过失，则视球场所采取之安全措施而定。

第三款　医疗行为上的违法性、医生的告知说明义务与病患的同意[1]

问题：（1）何谓 Informed Consent？何谓病人规则或医生专业规则？医生医疗上的特权？在侵权行为法上具有何种意义。（2）甲医生为乙开刀，发生严重副作用，乙得否主张甲医生未对此加以说明，应负侵权责任？甲医生辩称已为必要之说明，发生争议时，由谁负举证责任？甲医生得否主张，其若为说明，乙亦会同意手术，故就其未为说明，不必负侵权责任？

一、由医疗过误到说明义务的违反

医生未尽医疗上应尽的注意义务，侵害病人的权利时，应负医疗过误的侵权责任（或契约责任），其基本案例类型，如诊断错误、延误治疗、治疗不当、误用针剂、未作过敏试验、注射不当、消毒不良等。[2] 此为医生违反治疗义务的传统型态，近年来则另产生所谓的说明或告知义务，即医生违反时，亦应成立侵权行为，重大改变了医病关系及其法律责任。

---

[1]　医疗行为所涉及的问题甚广，以下讨论限于医疗行为的违法性及违法阻却事由，关于医疗责任的基本问题参阅陈碧玉，"医疗事故之民事损害赔偿责任"（1976年度政大硕士论文）。

[2]　参阅民刑事裁判专辑："有关医疗纠纷之裁判"（1961年至1983年）。

医生从事医疗行为，小者如注射、拔牙、割双眼皮，大者如心脏手术、器官移殖、连体婴分割，在法律上均构成对他人的权利（尤其是身体权）侵害，惟得因病患的允诺（在医疗关系多称为同意，以下采之）而阻却违法。[1]此项见解常遭批评，认为医生从事符合医术的行为旨在医治疾病，根本不具侵害其身体的要件，不生违法问题。惟通说见解仍应值赞同，除法律技术上的理由外，主要在于尊重病人对其身体自主的权利。早在 1914 年美国著名的法官 Cardozo 即已提出"任何人有权决定如何处理其身体"的名言，[2]肯定医疗行为应得病人的同意（consent）。至于所谓的 informed consent 的理论，指即医生应作必要说明使病人得就某种医疗行为作成同意的决定，一般认为系建立于 1957 年加利福尼亚州上诉法院在 Salgo v. Leland Standford Jr. University Board of Trustees 乙案的判决，[3]不但为美国其他各州所接受，并"输出"到国外，使 informed consent 成为一个法律上概念，并为台湾地区"医疗法"所接受，其第 46 条规定："医院实施手术时，应取得病人或其配偶、亲属或关系人之同意，签具手术同意书及麻醉同意书；在签具之前，医师应向其本人或配偶、亲属或关系人说明手术原因、手术成功率或可能发生之并发症及危险，在其同意下，始得为之。但如情况紧急不在此限。前项手术同意书及麻醉同意书格式由卫生主管机关定之。"

---

〔1〕 惟学说上有认为其系业务正当行为而阻却违法（郑玉波，民法债编总论，第 246 页）。

〔2〕 "Every human being has a right to determine what shall be done with his own body", Schaloendorff v. Society of New York Hospital, 2 11 NY 125, 129-30, 105 NE 92, 93. (1914)

〔3〕 154 Cal/App. 2d 560, 317 P. 2d 170 (1957)："A physician violates his duty to his patient and subjects himself to liability if he holds any facts which are necessary to form the basis of an intelligent consent by the patient to the proposed treatment." 关于病人自主权，参阅王皇玉，"患者之自我决定权与刑法"，月旦法学杂志，第 11 期，第 134 页。

病人的同意及医生的说明义务虽基于病人自主的理念，因而扩大了医生的法律责任，具有一定政策上的意义。关于说明义务的构成及内容，因各国法律文化、医病关系而异，[1] 台湾地区实务上相关案例尚少，有赖学说与判例共同努力，期能建立合理的制度。以下拟就若干基本问题，作简要说明，以供参考。

二、医生的说明义务与病人的同意

1. 说明义务与阻却违法。侵害病人身体的医疗行为得因同意而阻却违法，此项同意须以医生的说明为必要，故医生未尽说明义务时，对其同意原则上不生效力，不阻却违法，纵其治疗行为并无过失，医生仍应就手术全部或一部失败所生损害，负赔偿责任。手术虽属成功，其违法性亦不因此而受影响，惟因无损害，故不成立侵权行为。[2] 病人因医生的说明而为手术的同意，既系基于人格权及自主权，应认此项同意不得预先抛弃。[3]

2. 得为同意之人。"医疗法"第46条规定，医院实施手术前，应取得"病人或其配偶、亲属或关系人"之同意。对手术的同意是高度属人的自主决定，故此项规定非谓配偶、亲属或关系人（如孤儿院的院长）得替代病人而为同意，而是病人不能为同意时（如精神丧失、昏迷不醒、植物人），得例外地由其配偶、亲属或关系人为手术的同意，原则上应以配偶为优先。

3. 同意的要式性。"医疗法"第46条规定，医院实行手术时

[1] 美国法及所谓的美国经验（American experience），参阅 J. G. Fleming, The American Tort Process；英国法，参阅 Street, Torts, pp. 82–85; Brazier, Medicine, Patients and the Law, 2nd ed. 1992, Ch. 4.；德国法、瑞士法及奥国法的比较研究，参阅 Giesen, Arzthaftungsrecht, 4 Aufl. 1995; Shaw, Informed Consent：A German Case, International Law and Comparative Law Quarterly, 35（1986）855.

[2] BGHZ 90, 98（102）= JZ 1984,（BGE 108 Ⅱ59）629 m. Anm. A Laufs, JR1984; Giesen, Zwischen Patienten Wohl und Patienten Wille, JZ 1987, 282.

[3] 关于此点瑞士联邦法院作有判决（BGE 108Ⅱ59），可供参考。

应取得同意书。依此规定，同意系属要式行为，病人虽已为同意的表示，但未签具书面时，原则上不能阻却手术的违法性。此项规定旨在使病人为同意时，得因须签具书面而慎思熟虑，并可保全证据，避免发生争议。问题在于手术如何解释，是否包括预防注射、拔牙等具侵害身体的行为。如为肯定，则亦须签具书面，其同意始生阻却违法的效力。

4. 实务案例分析。关于医生的说明义务与病人的同意，最近实务上有乙则判决，可供研究。在 1997 年度重诉更（一）字第 15 号判决乙案，某医院蔡医生为刘姓病患之白内障开刀，因开刀过程具有过失，导致左眼几近失明，乃诉请损害赔偿。刘姓病患立有手术同意书载明："立同意书人对于该项手术执行之性质、过程、危险性、并发症及可能发生之后遗症，既经贵院惠予说明，已充分了解，若有意外情事发生，深信贵院医疗人员必善尽诊疗责任，左列诸项同意贵院全权处理。（1）必要之麻醉。（2）手术时必要切除之器官组织。（3）手术中或手术后有紧急情况发生，接受适当处理，特立此存照，此致台北市立某某医院"；另书有"此次复蒙左眼赐置水晶体手术，德泽似海，恩同再造，故不论后果如何，一切责任均由病患自负，空言无凭，立书为证"；手术同意书上尚记载坚持要放置左眼前房人工水晶体，若有并发症绝无任何异议，并于 1987 年 3 月 11 日前出院。被告主张可见该次开刀为原告所坚持，并同意自负一切后果，依同意不生违法之法理，被告已尽力为原告医治，并无不法侵害其权利之情事。

法院判决原告胜诉，认为医师为病患动手术，令病患或其家属书立同意书，以图事后卸责一事，为公众周知的事实。本案原告刘姓病患虽曾书立三张同意书，表明愿自负手术后的一切责任，但医师系一从事医疗业务的专业人员，其对病患是否须接受手术，或重复接受手术，应有相当的认知及独立判断的能力，原告仅系一病患，医疗常识本较被告贫乏，即使被告曾向原告说明手术可能发生的后果，病患也未必能领悟，病患因先前被告为其植入人工水晶体手术不适，在眼部已受害的情况下，仍愿书立同意书，想必当时的心情必然是相当无奈且饱受煎熬，因此被告不可以同意书脱责。原告刘姓病患于1984年11月间住进台大医院，由被告蔡医师施行左眼囊内摘除手术后，同年12月间再施行人工水晶体手术，未料被告左眼竟出现角膜代谢失常的后遗症，被告本应注意若再次施行同样的人工水晶体植入术，可能再次发生同样的后遗症，却未向刘姓病患详细说明，就擅自再次施行人工水晶体植入术，果然3个月后，刘姓病患左眼眼压再次上升，并出现角膜水肿。之后经过数次治疗，刘姓病患的左眼最终眼力仅余光觉，几近失明，系不法侵害他人之身体健康，应负损害赔偿责任。

本件判决是实务上具有启示性的医疗案件，有助于阐释基本概念，分四点言之：

1. 原告所立的三张同意书涉及二个问题，一为对手术的同意，此属违法阻却；一为手术过失责任的预先免责，此属免责条款的规制，二者法律性质及法律效果不同，应予区别。

2. 原告对手术的同意须基于医生的说明，若原告因未能领悟医生的说明，而此系因医生未尽说明义务时，其同意不生效力。若认定医生未尽说明义务时，则其应就违反此项说明义务而生的损害负赔偿责任。

3. 对施行手术的同意，是阻却对手术本身的违法性，医生因手术过失致侵害病人的身体健康时，仍应负侵权行为责任，不因立有手术书同意在先而受影响。

4. 关于免责条款，首应适用第222条规定，即故意或重大过失的责任不得免除。其次，医院的免责条款系采定型化契约方式时，亦应受消费者保护法的规范（第11条以下）。

三、医生说明义务的范围及所谓医生医疗上的特权

1. 医生说明义务的范围及其判断标准。"医疗法"第46条规定医生于取得签具同意书前，应说明"手术原因、手术成功率或可能发生的并发症及危险。"惟解释上应认此乃例示事项，其说明范围应视个别治疗行为而定，如有多种治疗方法可供选择时，亦应告知，说明其利弊得失。为确保病人决定的自由，应尽量给予适当考虑期间。病人的同意系针对具体手术而为之，在手术过程中须为变更，或须作原同意所不包括的手术时，须再取得病人（配偶、亲属或关系人）的同意，于紧急必要的情形，虽不在此限，但其手术仍须依病人可推知的意思为之。

关于医生的说明义务范围有专业原则（professional rule）及病人原则（patient rule）二种判断标准，前者认为说明的内容应由医生作医学上的判断，后者强调说明的内容应依病人就该当医疗行为作成同意的需要加以衡量。[1]前说具权威及家父的性质；后说符合病人自主权利，较为可采。采病人原则时，亦有客观标准及主观标准的区别，美国法采前者，依所谓通常合理的病人而认定，德国法采后者，以个别病人为准，后者较可保护病人。在台湾地区应采病人原则，医生依"医疗法"第46条规定而为告知时，须顾及各该人的教育程度、职业、年龄等情况，对病人提出的特别问题，亦应为必要的说明。

2. 医生的医疗特权。如前所述，医院手术行为的阻却违法，须基于病人经医生说明后而为的同意。"医疗法"第46条但书规定手术出于紧急者，不在此限。关于说明义务尚有所谓"医生的医疗特权"（therapeuticprivilege）的适用，[2]指说明有危害病人之虞，如自杀、精神崩溃、加重病情，拒不治疗时，医生得例外地为

---

〔1〕 关于此二种判断标准，参阅 Pauscherv. Iowa Methodist Medical Center, （Supreme Court Iowa 1987. 408 N. W. 2d 355），本件判决评论，Franklin／Rabin, Tort Law and Alternatives, p. 108, 113.

〔2〕 参阅 Deutsch, Das therapeutische Privileg des Artzes：Nichtaufklärung zugunsten Patienten, NJW 1980, 1305.

全部或一部的保留。于此情形，其治疗手术应依病人可推知的同意为之。为探求病人的意见，医院须征询病人的配偶、亲属或关系人的意思。医疗特权的使用影响到医生及病人的权益，为避免争议，宜在病历表加以记载。

医生的说明须为适当，过度说明亦不符合说明义务的功能。对病人言，过度说明与说明不足均属未尽说明义务。病人因医生过度说明致健康受侵害时，亦得请求损害赔偿。其受惊吓而为的同意，得视其情节而认其不生同意的效力。[1]

四、举证责任

手术系侵害病人的身体，须得病人的同意。病人的同意则须基于医生的说明，而此项说明与医生医疗义务具有密切关系，故关于病人的同意及医生的说明，均应由医生负举证责任。[2]

值得提出研究的是，医生得否主张无论是否为说明，病人均会同意手术，故其就未为说明所生损害，不必负责？就性质言，此属因果关系的范畴，[3] 在德国，则从合法性替代行为（rechtsmässiger Alternativverhalten）的观点加以讨论，即医生得否主张无论其行为合法与否，侵害行为所生损害同样均会发生，故其手术纵具违法性，在法律上亦与损害无关。对此问题，德国学说上有采否定说，认为医生的说明义务，在于使病人得斟酌考虑，与家人商议，请教专家，甚至另找其他医生，此项同意乃基于自主权的个人决定，不能事后经由法院的认定而取代之。[4] 德国实务通说

---

[1] Deutsch, Das therapeutische Privileg des Artzes: Nichtaufklärung zugunsten Patienten, NJW 1980, 1308.

[2] Deutsch, Schutzbereich und Beweislast der ärztlichen Aufklärungspflicht, NJW 1984, 1802; BGHZ 29, 33 = NJW 1959, 811.

[3] Shaw, Informed Consent: A German Case, International Law and Comparative Law Quarterly, 35 (1986) 860.

[4] H. Lange, Schadensersatz, S. 203 (206).

多数学者则持肯定的见解，并强调为合理兼顾医疗关系，在医生方面须严格其认定标准，即不以通常合理的病人为对象，而应以个别的病人的自主决定权为准据；在病人方面，则须述明其若知悉应说明的情况时，亦会拒绝同意，以避免病人事后迳以医生说明的疏懈作为损害赔偿的依据，防范说明权的滥用。[1]

第七节 故意或过失

第一款 概 说

问题：（1）民法上的故意或过失与刑法上的故意或过失是否具同一意义，在刑法上因无过失不成立犯罪的，在民法上得否成立侵权行为？（2）民法上的过失应作如何解释，其认定标准及考虑因素如何，请参酌实务上案例，分就汽车事故、职业灾害、商品责任、医疗事故或公害说明之。（3）何谓过失客观化，过失举证责任的倒置或转换，具有何种规范意义。（4）您是否知道著名的 Learned Hand Formula of Negligence？

一、故意或过失责任

侵权行为的成立，除构成要件、违法性外，就第184条第1项前段言，尚须侵害行为系出于故意或过失，此属主观的归责。故意（Vorsatz）或过失（Fahrlässigkeit）在德国民法上合称为

---

[1] BGH NJW 1980, 1333; BGH NJW, 1984, 1397. （附有 Deutsch 教授赞同的评论）; MünchKomm / Gursky Randnr. 90a. vor 249; Kern / Laufs, Die ärztliche Aufklärungspflicht.

Verschulden（过咎），其所谓 Verschuldensprinzip，在台湾地区多译为过失责任原则，解释上当然包括故意在内。关于第 184 条第 1 项前段的适用，加害行为究出于故意或过失，并无不同。[1] 在英美法上，侵权行为（Torts）有须以故意为要件的，亦有以过失为要件的，台湾地区不作此种区别。值得提出的是，关于侵害他人债权，有认为得适用第 184 条第 1 项前段，而以故意为要件。惟若肯定债权系属权利，则关于第 184 条第 1 项前段的适用，就其体系及规范目的言，不应限于故意，而将过失排除在外。为保护债权，在第 184 条第 1 项后段可以适用，无另创一种"故意侵害债权"独立侵权行为类型的必要。须注意的是，在侵权行为的法律效果方面，区别故意或过失，亦有实益，分五项言之：

1. 关于非财产损害的金钱赔偿（慰抚金，第 194 条、第 195 条），于量定其数额是否相当时，应斟酌加害行为究系故意或过失，加害行为出于故意时，应特别加以斟酌。

2. 第 222 条规定："故意或重大过失之责任，不得预先免除。"此于侵权行为责任的预先免除，亦有适用余地。

3. 第 339 条规定："因故意侵权行为而负担之债，其债务人不得主张抵销。"

4. "消费者保护法"第 51 条规定，依本法所提之诉讼，因企业经营者之"故意"所致之损害，消费者得请求损害赔偿额 3 倍以下之惩罚性赔偿金；但因"过失"所致之损害，得请求赔偿额 1 倍以下之惩罚性赔偿金。

5. "依强制汽车责任保险法"第 31 条规定，交通汽车事故，

---

[1] "刑法"第 12 条规定："行为非出于故意或过失者，不罚。过失行为之处罚，以有特别规定者为限。"参阅甘添贵，"故意与过失在犯罪理论体系上之地位"，"军法专刊"，第 44 卷，第 8 期，第 1 页。许玉秀，"主观与客观之间"乙书（1997）对刑法上故意及过失阐释甚详，颇为精致，深具学术价值，可供参照。

因被保险人或加害人家属的"故意"所发生者，保险人得于给付金额范围内代位行使被保险人对于该第三人之损害赔偿请求权。反之，若交通事故系由其"过失"所发生时，保险人则无代位求偿之权利。

二、侵权行为法上的"故意或过失"与契约责任上的"可归责之事由"

1993年度台上字第2424号判决谓："上诉人主张因被上诉人滥行诉讼，造成伊严重损害，本诸侵权行为法之法则，应由被上诉人负损害赔偿责任云云，原审就被上诉人是否应负侵权行为之损害赔偿责任，仅谓'似难归责于被上诉人'，'本滋疑问'，而未予明确认定，已属可议，且侵权行为以"故意或过失"为构成要件，原审以'可归责之事由'论断，亦有违间。"[1]

此项判决具有启示性，特加以引申，说明侵权责任与契约责任在责任要件上的不同及其适用关系。

所谓"可归责之事由"，系债务不履行（尤其是契约责任）的共通要件。如第226条第1项规定："因可归责于债务人之事由，致给付不能者，债权人得请求损害赔偿。"第220条第1项规定："债务人就其故意或过失之行为，应负责任。"初视之下，似与第184条第1项前段规定"故意或过失"相近，实则不然，因为第220条第2项尚规定："过失之责任，依事件之特性而有轻重，如其事件非予债务人以利益者，应从轻酌定。"更值得注意的是，债务人有仅就故意或重大过失而负责（如第410条）；有就重大过失而负责（如第434条）；有就事变亦应负责（如第525条），因契约的类型而异。[2] 准此以言，法院指摘原审"以可归责之事由"论断侵权行为的"故意或过失"，确有所据。

---

[1] 民事裁判书汇编，第14期，第82页。
[2] 参阅郑玉波，民法债编总论，第266页。

值得提出讨论的是，第434条规定："租赁物因承租人之重大过失致失火而毁损、灭失者，承租人对于出租人负损害赔偿责任。"依此规定，租赁物因承租人之过失（轻过失）致失火而毁损时，承租人对于出租人固不负契约上责任，问题在于出租人得否依第184条第1项前段规定以承租人因过失侵害其所有权，而请求损害赔偿？1933年上字第1311号判例谓："租赁物因承租人失火而毁损灭失者，以承租人有重大过失为限，始对出租人负损害赔偿责任，第434条已有特别规定，承租人之失火，仅为轻过失者，出租人自不得以侵权行为为理由，依第184条第1项之规定，请求损害赔偿"。

法院一向认契约责任是侵权行为的特别规定。[1] 惟最近已变更此项见解，改采请求权竞合说，故上揭1933年度上字第1311号判例已失其理论依据。其次，根本否定侵权行为请求权，不利于被害人，如第410条规定："赠与人仅就其故意或重大过失，对于受赠人负其责任。"受赠人因赠与的汽车具有缺陷，致身体、健康受侵害时，若仅得主张契约责任，将不能依侵权行为请求慰抚金的损害赔偿，显非合理。为期兼顾，应采所谓的相互影响说，即被害人仍得依侵权行为规定请求损害赔偿，惟应受法律关于特定契约所设的规定的限制，如在上举赠与之例，侵权责任的成立亦须以赠与人具有故意或重大过失为要件。

第二款　故　意

故意的意义，民法未设规定，"刑法"第13条则有之，[2] 通

---

[1] 1988年度第19次民事庭会议决议（银行徵信科员违背职务高估信用案件），参阅拙著，民法学说与判例研究，(8)，第275页。

[2] 参阅拙著，"契约责任与侵权责任之竞合"，民法学说与判例研究，(1)，第395页。

说认为民法上故意的解释亦应同于刑法, 即故意者, 指行为人对于构成侵权行为之事实, 明知并有意使其发生 (直接故意);[1] 或预见其发生, 而其发生并不违背其本意 (间接故意或未必故意)。[2] 就直接故意言, 如明知有人夜行于小巷, 有意致其于死而开车撞之。就间接故意言, 如开车于小巷, 预见有人夜行, 虽认识到有撞到之可能, 仍超速驾驶, 致撞死路人。

关于民法上故意的成立, 通说一向系采所谓的故意说 (Vorsatztheorie), 认为须有违法性 (违反义务性) 的认识, 而违法性的错误当然排除故意。[3] 例如某医生为病人作某种手术, 因误信其无说明义务而未为说明时, 不构成故意, 仅是过失。[4] 在刑法理论上, 除故意说外, 尚有责任说 (Schuldtheorie), 认为故意与故意责任应加以区别, 故意的要件是对构成要件该当事实的认识; 而作为责任要件的故意则是对违法的认识或有认识可能性时, 始有责任非难的可能, 从而违法性错误应否负故意责任, 视对违法性认识可能性有无而定。[5] 如甲明知某物为乙所有, 但误信其有使用权 (如基于租赁契约) 而为使用时, 依故意说, 此属客观的违法, 仅得构成过失侵害他人所有权; 反之, 依责任说则得成立故意侵害行

---

[1] "刑法"第13条规定:"行为人对于构成犯罪之事实, 明知并有意使其发生者, 为故意, 行为人对于构成犯罪之事实, 预见其发生, 而其发生并不违背其本意者, 以故意论。"

[2] 郑玉波, 民法债编总论, 第161页; 孙森焱, 民法债编总论, 第179页。

[3] 德国法上见解, Larenz, Schuldrecht, I, S. 279f.。孙森焱, 民法债编总论第179页:"就故意言, 对于违法性虽无认识, 若对于客观上违法之事实有所认识, 则虽不认识行为之违法性, 仍足构成故意。"系采所谓限制的故意说 (gemässigte Vorsatztheorie)。

[4] Deutsch, Unerlaubte Handlung、Schadensersatz und Schmerzensgeld, Rn. 119.

[5] 关于 Vorsatztheorie 及 Schuldtheorie 的说明, 参阅蔡墩铭, 刑法总论, 第182页; 苏俊雄, 刑法总论Ⅱ, 第322页。

为。[1]德国学者有倡导关于民法上的故意应采刑法学上已成通说的责任说。[2]惟在刑法采责任说或有所据，就民法言，则仍应维持传统的故意说，其主要理由是侵权行为法不同于刑法，关于故意或过失的概念，在方法论上应各依其规范目的及功能而为决定。[3]

第三款　过　　失

第一项　过失的意义、客观化及经济分析

一、过失的意义及功能

关于过失，民法亦无明文规定，学者有认为应依"刑法"第14条规定，而将侵权行为上的过失解释为：行为人虽非故意，但按其情节应注意并能注意而不注意者，或对于构成侵权行为之事实，虽预见其能发生，而确信其不发生者是，易言之，过失者乃怠于注意之一种心理状态。[4] 此项对过失的解释本身，固值赞同。[5] 惟就方法论言，民法上过失的功能及其认定标准，应有别

---

[1] 此例取自 Larenz, Schuldrecht，Ⅰ，S. 280.

[2] Enneccerus/Nipperdey, Allgemeiner Teil des Bürglichen Gesetzbuches，§210 1. 2.

[3] 关于民法及刑法上故意过失的概念，在德国争论甚烈（尤其是60及70年代），目前已趋平静，在民法仍采故意说。此项争论有助于认识过失的概念，参阅 Baumann, Schuldtheorie und Verbotsirrtum im Zivilrecht，AcP155, 495；Gielen, Strafrechtliches Verschulden im Zivilrecht，JZ 1964, 6；Nisse, Die Moderne Strafrechtsdogmatik und das Zivilrecht，JZ 1956, 457。Zeuner, Gedanken über Bedeutung und Stellung des Verschuldens im Zivilrecht，JZ 1966.

[4] 德国民法第276条对于民事法上的过失设有明文："怠于交易上所必要之注意，为有过失。"可资参照，简要说明，Palandt/Heinrich, BGB，§276.

[5] 郑玉波，民法债编总论，第161页；孙森焱，民法债编总论，第179页。值得注意的是，史尚宽亦同此结论，但未提及"刑法"第14条规定。

于刑法，因为二者的规范目的不同。申言之，即刑法在于行使公权力，对犯罪者加以处罚，从而关于过失的认定，应采主观说（或折衷说）；[1] 民法（尤其是侵权行为法）则在合理分配损害，过失的认定应采客观的标准。准此以言，在刑法因无过失（主观）而不成立犯罪的，在民法上得因过失（客观）而构成侵权行为。[2]

二、过失的客观化

对过失的非难无论是指"应注意能注意而不注意"，或"怠于交易上所必要的注意"，均指行为人得预见其行为的侵害结果而未为避免而言，例如"加害人于 30 公尺即已发现有人躺在前方道路，竟未采取减速之措施，仍以 50 公里时速而肇事，实难辞过失之责"。[3] 准此以言，对侵害结果的预见性及可避免性（或预防性），构成了必要注意的条件。关于此点，实务上有乙则案例，可供参照：1972 台上字第 1825 号判决谓："经查 1969 年 9 月 27 日下午 7 时，龙某于撞车后将死者抱至建安诊所求治于被上诉人，据上诉人称当时死者仅前额有擦伤，头部伤口流血，惟意识清楚，言语正常，依台湾省医疗纠纷鉴定意见，足以推断死者头部受伤后，脑

---

[1] 刑法上关于过失的认定标准，有客观说（一般人的注意）、主观说（行为人本人的注意）及折衷说（注意程度依客观而定，注意能力依个人之情况而定）。采主观说者，有蔡墩铭（刑法总论，第 176 页），实务采折衷说者，参见韩忠谟，刑法原理，第 228 页。

[2] 几代通，不法行为法，第 44 页。此在医疗事故，甚为重要。实务上迄未见关于刑法上过失及侵权行为上过失作不同认定的判决，一般多作相同的判断，如 1973 年度台上字第 998 号判决："本院按原审据台湾省医疗纠纷委员会鉴定结果，认死者生前因内脏器多处损伤，及下腹腔静脉刺伤破裂内出血，经诸医师手术后，未获救治生还，其不幸死亡，不能归咎于曾尽力救治患者之医师，及刑事法院已据以判决被上诉人无罪之情形，认定被上诉人对于死者之死亡并无过失可言。"

[3] 1990 年台上字第 1678 号判决（民事裁判书汇编，第 1 期，第 158 页、第 159 页）。

并未有严重之震荡，惟因颅内有血管破裂，因而发生颅内出血，形成血肿后压迫脑部以致死亡，又依台大医院鉴定意见，初诊病患若无意识障碍，则无法诊断有无脑挫伤或颅内出血诸合并症，或预见将来是否发生上述合并症，亦无法预防，故未能诊断或预见脑挫伤或颅内出血，医疗上并无过错。"[1]

过失应依何种标准加以认定？对此关键重要问题，1930年上字第2746号判例谓："因过失不法侵害他人之权利者，固应负损害赔偿责任，但过失之有无，应以是否怠于善良管理人之注意为断者，苟非怠于此种注意，即不得谓之有过失"；又1937年鄂上字第3号判例谓："因失火烧毁他人房屋者，除第434条所定情形外，纵为轻过失而非重大之过失，依第184条第1项之规定，亦应负损害赔偿责任。"由此可知，行为人的注意义务，应以善良管理人的注意（抽象的轻过失）为准。[2] 而其认定过程系将具体加害人的"现实行为"（Ist-Verhalten），衡诸善良管理人在同一情况的"当为行为"（Soll-Verhalten），若认定其有差距，即加害人的行为低于其注意标准时，即属有过失。例如手术时将纱布遗留腹内或其他患处，显未尽善良管理医生的注意义务，应负医疗上过失责任。[3]

---

[1] 民刑事裁判专辑［有关医疗纠纷之裁判］，第40页。

[2] 关于抽象轻过失与其他过失的不同，参阅1953年台上字第865号判决："因过失不法侵害他人致死者，固应负第192条、第194条所定之损害赔偿责任。惟过失为注意之欠缺，民法上所谓过失以其欠缺注意之程度为标准，可分为抽象的过失、具体的过失、及重大过失三种。应尽善良管理人之注意（即交易上一般观念，认为有相当知识经验及诚意之人应尽之注意），而欠缺者，为抽象的过失；应与处理自己事务为同一注意而欠缺者，为具体的过失；显然欠缺普通人之注意者，为重大过失。故过失之有无，抽象的过失则以是否欠缺应尽善良管理人之注意定之，具体的过失则以是否欠缺应与处理自己事务为同一之注意定之，重大过失则以是否显然欠缺普通人之注意定之，苟非欠缺其注意，即不得谓之有过失。"（裁判类编，民事法(2)，第627页）。

[3] 1977年台上字第692号判决（民刑事裁判专辑［有关医疗纠纷之裁判］，第85页）。

善良管理人的注意，乃通常合理人的注意，属一种客观化或类型化的过失标准，[1] 即行为人应具其所属职业（如医生、建筑师、律师、药品制造者），某种社会活动的成员（如汽车驾驶人）或某年龄层（老人或未成年人）通常所具的智识能力。因此，小客车驾驶人不得以视力减损，甫获驾照经验不足，[2] 或妻儿遭绑架，心力交瘁而得不负通常驾驶者应具的注意程度。[3]

过失类型化含有客观责任的性质，与严格的个人责任未尽相符，在某种程度并具担保的因素，旨在实践侵权行为法填补损害及预防损害的机能。此依客观标准而为的过失非难，系就个别的行为人加以认定，基本上仍维持过失责任原则。在若干情形，此种客观化的过失标准事实上将导致某种危险责任，如天生弱视而驾驶者，必须就其视力不足而负责，此为采过失责任所要付出的代价。[4]

三、过失认定的考量因素

过失系违反预见及预防侵害他人权利的行为义务，并以是否尽善良管理人之注意为断，前已论及。在过失责任原则之下，"过

---

〔1〕 此种通常合理人，在英美法上称为 reasonable man，亦采客观注意标准，其丰富的案例及深刻的说理推论，足供参考：英国法，Winfield and Jolowitz, Tort, p. 125-146；J. G. Fleming, pp. 105-124；美国法，Prosser, Wadeand Schwartz, Torts, pp. 143-199.

〔2〕 BGH JZ 1968, 103.

〔3〕 关于此点，英国著名的法官 Lord Denning 在 Nettleship v. Weston（1971. 2. QB 691）乙案判决有一段古典名言可供参考："It is no answer for him to say: 'I was a learner driver under instruction. I was doing my best and could not help it.' The civil law permits no such excuse. It requires of him the same standard of care as of any other driver. 'It eliminates the personal equation and is independent of the idiosyncrasies of the particular person whose conduct is in question' … The learner driver may be doing his best, but his incompetent best is not good enough. He must drive in as good a manner as a driver of skill, experience and care, who is sound in wind and limb, who makes no errors of judgment, has good eyesight and hearing, and is free from infirmity."

〔4〕 Larenz, Schuldrecht, Ⅰ, S. 287.

失"的概念及其适用，至为重要。法院虽以善良管理人的注意为判断标准，惟就相关认定因素未作必要的阐释。过失的判定一方面是据以认定决定加害人应负损害赔偿责任的理由，他方面亦是行为的规范基准，在重要案例应作更深入的说明过失的认定过程及其考量的相关因素。"过失"是个不确定的法律概念，必须予以具体化，有待于学者从事案例比较，组成类型，以探究违反注意的实质基准。关于此项认定行为义务的考量因素，其主要者有三：[1]

1. 危险或侵害的严重性：危险性愈高，所生侵害愈重时，其注意程度应相对提高，如独眼之人从事某种易于伤害眼睛的工作时，雇主应为特别防范措施，避免因意外事故，而导致完全失明。[2]

2. 行为的效益：此指行为的目的及效用，如公共汽车减速，必会降低事故发生机率，但其所担负的交通运输使命必因此大受限制。[3] 医生为挽救病患的生命，从事某项困难手术时，应容许其产生如副作用等可计算的危险，惟应告知病人得其同意。

3. 防范避免的负担：即为除去或减少危险而采预防措施或替代行为所须支付的费用或不便。古典的案例系于人口稀少的地区容许无人看管的火车平交道，但纵属如此，亦须装置必要的警告或安全措施。在英国有二则判决可供参考：于邻近的蜜蜂觅食于花丛时，应延迟喷洒农药；[4] 为避免惊扰近处正在生育之貂，应降低

<hr />

[1] 参阅 J. G. Fleming, Law of Torts, p. 114; Markesinis / Deakin, Tort Law, p. 155; Street, Torts, p. 220.

[2] 参阅英国法上 Paris v. Stepney, B. C. [1951] A. C. 367.

[3] 参照日本最高裁判所昭和 46 年 4 月 23 日民集 25 卷 3 号 351 页；前田达明，不法行为法，第 41 页。关于英国法, Daron v. Bath Tramways [1946] 2 All. E. R. 333 (336)。

[4] Tutton v. Walter (1986) Q. B. 61.

修筑道路的噪音,[1] 因其防范甚易,而产生危害至巨也。

兹举乙例综合说明上述判定行为义务的考量因素:某自助餐厅常闹鼠患,该餐厅主人经常使用毒鼠药物,而将之放在果酱瓶内,未加标记,放在厨房。某新雇的厨师误认该瓶所装为 椒粉而使用于炸猪排之上,致食客中毒,健康受损。[2] 于认定该餐厅主人的行为义务时,应予考量的是:鼠药放在厨房易被误用产生危险,致人伤亡,其侵害性甚巨;毒杀餐厅老鼠固有必要,但将毒药装在果酱瓶内,显然增高事故发生的危险性;又为防范厨师误用,其成本费甚少,如不将毒药放于果酱瓶内,或将装毒鼠药的果酱瓶藏放他处,纵放在厨房,作显著的标记,而置诸较为安全的地方。在此"以鼠药炸猪排"案例,就上述因素整体综合加以考量,应认定该自助餐厅主人怠于尽善良管理人的注意义务,具有过失。又就此例可知,"过失"的认定是一个有待具体化的标准,应由法官就该事件之具体情况,考量相关因素而为客观的判断。惟在所谓边界案件,法官个人的价值判断,亦具重要性,自不待言。

四、过失的经济分析

关于侵权行为法上过失(Negligence)的判断标准,值得重视的是经济分析的思考方法。美国著名的法官 Learned Hand 在 UnitedStates v. Carroll Towing Co. 乙案,[3]为过失提出如下公式:若发生损失机率为 P,损失金额为 L,并用 B 表示预防成本,则在 B< PL(即预防成本小于损失金额乘以损失发生机率)时,加害人始有过失。此一所谓"The Negligence Formula of Learned Hand"(以

[1] Grandel v. Mason〔1953〕3 D. L. R. 65.

[2] 此例参考 Kötz, Deliktsrecht, Rn. 110.

[3] Circuit Court of Appeals, Second Circuit, 1947, 159 F. 2d. 169. 关于本件判决的评释,Posner, Tort Law, 1982, pp. 1-9. Learnd Hand 是与 Holmes, Cadozo 及 Brandes 等同享盛名的美国法官及法学家,关于其生平,参阅 G. Gunther, Learned Hand: The Man and The Judge, 1994.

下简称汉德公式），经 Richard Posner 氏积极阐扬以后，不仅对过失标准产生重大影响，也成为侵权行为法的核心概念。[1] 其基本思想系建立在所谓经济效率，即藉着鼓励以合理费用预防意外事故，而不鼓励在安全上的超过投资，而对财富予以极大化、对成本费用予以极小化。兹举二例阐释"汉德公式"的运用，在英国法上 Blyth v. Birmingham Water Works Co. 乙案，[2] 其问题争点在于自来水公司未将水管埋得够深，以防其冻裂后损害原告的房屋时，是否构成过失。法院采否定说，强调此次冰冻的严重，前所未有，其发生机率甚低，损害不大，而将水管埋得更深，则须支付高额费用，故其事故的预防成本大于损失金额乘以损失发生机率，应不成立过失。又在美国伊利诺州 Hendricks v. Peabody Coal Co. 乙案，[3] 一个 16 岁男孩在被告废弃已盛满泉水的露天矿井游泳时，受到伤害。被告虽认识到该矿井将被用作游泳水湾，而且在小孩潜水和受伤地方水面之下有隐蔽突出物，可能造成危险，惟未为必要的控制。法院认为："只要用 1.2-1.4 万美元的钢丝就能封闭整个水面，此与小孩受伤害的风险相比，其成本实微不足道。"而作成有利原告判决。[4]

　　上述"汉德公式"及对过失的经济分析，具有启发性。加害人活动的价值及防止危险的经济因素，应作为认定过失的相关因

〔1〕　Landes and Posner, The Economic Structure of Tort Law, p. 85; Cooter and Ulen, Law and Economics, p. 281. 德国法上的分析, Schäfer/Ott, Lehrbuch der ökonomischen Analyse des Zivilrechts, 2. Aufl. 1995, S. 127f.

〔2〕　11 Exch 78, 156 Eng. Rep. 1047 (1856), 参阅 Posner, Tort Law, p. 208.

〔3〕　115 111. App. 2d 35, 253 N. E. 2d 56 (1969), 参阅 Posner, Tort Law, p. 224.

〔4〕　Posner 氏在担任美国联邦巡回法院法官后，曾在若干判决应用"汉德"公式，备受重视，限于篇幅，难以详述，参阅 Barnes and Stout, The Economic Analysis of Tort Law, 1992, pp. 39-48 所评论的二则判决：McCarty v. Pheasant Run Inc. (1987) 及 Davis v. Consolidated Rail Corporation (1986). 参阅范晓玲，王元勋，"过失所致纯粹经济上损失"，月旦法学杂志，第 26 期，第 95 页；第 27 期，第 78 页。

素，自值赞同。惟必须指出的是，侵权行为法上的过失，不应使之等同纯为经济上的方程式，应说明者有三：其一，传统的侵权行为法植根于个人的道德性，其所着重的是个人间的公平，而非在增进广泛的社会政策或福利。其二，过失的认定尚包括生命、身体、健康、自由、名誉、隐私等非经济的价值，难以金钱或财富加以计算衡量。其三，法官有无能力从事经济分析，甚有疑问，在人身侵害案件多欠缺精确资料，纵或有之，如何予以量化，显非容易。综合言之，过失的概念实具功利的性质，过失的认定亦应考量经济因素，诚有必要，然侵权行为法的理念在维护个人自由并合理地分配损害，非仅为成本效益的微积分，不能使侵权行为法上的善良管理人成为冷血、精于计算的经济人。[1]

第二项　实务案例类型

关于侵权行为上的过失，我判例学说均以善良管理人的注意（抽象轻过失）为判断标准，已详上述。过失的认定，不仅是事实问题，也是法律问题，乃实务上重要课题。目前法律系学生多偏向法律抽象规范的记忆而忽略了细心、耐心研读案例事实，及如何将具体事实涵摄，或具体化于抽象过失概念之下。鉴于此种涵摄及具体化在法学研究和实务上的重要性，特就若干重要案例类型，摘述法院判决，以供参考：[2]

1. 车祸事故。1987 年台上字第 158 号判决（连环车祸乘客跃

---

〔1〕　关于过失的经济分析的"分析检讨"，J. G. Fleming, Law of Torts, p. 118; Barnes/Stout, The Economic Analysis of Tort Law, p. 41, 45; Prosser, Wade and Schwartz, Torts, pp. 132-143; Epstein, Torts, pp. 150-168.

〔2〕　关于以下所述车祸、职业灾害、商品责任、公害、医疗事故等，将于本丛书第 2 册作较深入说明。

落桥下伤亡案件),〔1〕系具有典型性的车祸案例。终审法院采原审见解,认为:"罗云晖驾驶中兴号大客车,于夜晚又未注意与前车保持安全距离,致追撞前车,此部分应由罗云晖负过失责任。至陈荣辉疏未注意与前车保持安全距离,亦造成相继追撞,且因陈荣辉驾驶之小客车起火燃烧,而波及其他3车,此项追撞肇事责任,固在于陈荣辉,但上诉人之中兴号大客车上乘客张星煌等18人所以死伤,并非由于前开车辆追撞肇事所致,而系因上述3车先后起火燃烧,其乘客于下车后又见火势猛烈,惟恐车身爆炸,乃于未辨明周遭环境前,即冒然将桥缝误为安全岛而纷纷跳下所致,经刑事法院于罗云晖过失致人于死案件,认定属实,并有车辆损坏情形照片、道路交通事故调查报告表、台湾省彰化县汽车肇事鉴定委员会鉴定书、台湾省汽车肇事覆议鉴定委员会函附上开刑事卷宗可稽,并经证人供明在卷。是本件车祸之过失责任在于陈荣辉及罗云晖固堪认定。"按汽车(尤其是大客车)行驶于高速公路,其危险性甚大,损害亦巨,实可预见,保持安全距离以预防事故,其成本费用甚少,原审的认定实值赞同。又由此案例可知,关于车祸事故之判定有道路交通规则可资依据,并有肇事鉴定委员会鉴定书可供参考,基本上多不生争议。

汽车行驶中紧急刹车最属常见,在1994年度台上字第613号判决乙案(车祸诱发精神分裂症案件),〔2〕原审谓:"郑志远为台汽公司雇用之司机,于上开时地,驾驶台汽公司营业大客车,应注意分段逐渐煞车,以避免紧急煞车造成车身剧裂震动,导致乘客发生危险,乃竟疏于注意,于行驶中紧急煞车,致车身不稳,车内乘客即上诉人赖美媛因而头部外伤,合并发生意识障碍之事实,有出具之诊断书可稽。郑志远既为大客车职业司机,紧急煞车将导致车身剧动，易发生车内乘客受害之危险，为其所明知，自应为相当之注意，而疏于注意，此与紧急避难情形，亦属有别。应认为有过失。郑志远及台汽公司就赖美媛坐于车内如何与有过失情形，亦不能举证证明，自不得主张赖美媛与有过失。郑志远及台汽公司引用1967年、12.5交路字第14300号函谓：汽车驾驶人在行驶中，因闪避行人，使用煞车使乘客受伤，不能依一般汽车肇事案件，责令驾驶员负全部责任。台湾省台中市区车辆行车事故肇事鉴定委员会及台湾省汽车肇事覆议委员会之鉴定意见亦认定上开函示看法，惟查上开意见无非就驾驶员在内部责任之认定，尚不足以作为对外发生侵权行为责任分担之依据。"就本件事实言，终审法院采原审见解认定司机具有过失，固值赞同。但紧急刹车是否构成紧急避难（如躲避山崩落石），或乘客与有过失（如未依规定使用安全带），应就具体个案认定，乃属当然。

关于使用汽车所涉及的过失，1991年度台上字第173号判决（关闭汽车门窗求欢案件），[1] 亦具趣味。在本件上诉人以自用轿车载某女外出游玩，途中因求欢而将汽车门窗关闭，但疏未注意调节车内空气，致使原患有心脏扩大症该女顿感呼吸困难，产生恶心，呕吐等现象，上诉人见状，复疏未注意采取适当之安全措施，仍任令汽车门窗紧闭，驯致该女由于缺氧引起急性心肺循环衰竭而死亡。原审及终审法院均认上诉人应负过失侵权行为之责任。虽该女原患有心脏扩大症，以致加速缺氧，仍无解于上诉人所应负之过失责任。终审法院并认上诉人对于该女之心脏病毫不知情，如该女未曾预促其注意，即系与有过失。

2. 职业灾害。在实务上职业灾害案件尚不常见，多涉及雇主

〔1〕 民事裁判书汇编，第3期，第78页。

的过失,[1] 在 1992 年度台上字第 117 号判决,原审认:"进轮公司轧断巫荣奎手指之吊物起重机及出轨之反转机,系在特定场所使用动力,将货物吊升并将其作水平搬运为目的之机械,属起重升降机具安全规则所规范之机械,依该规则第 38 条第 2 款规定:雇主对于固定式起重机,于从事检修、调整时,应指定作业监督人员,从事监督指挥工作。进轮公司于从事检修故障之反转机时,并未指定监督人员,从事监督工作,难谓无违反上开安全规则情事。又起重升降机具安全规则系依劳工安全卫生法而订定,进轮公司违反该规则,自属违反保护他人之法律。应推定其有过失。"值得注意的是,关于某种具危险性机器的使用,相关职业团体(或制造厂商)常定有安全规则,或应遵守的检查监督事项。对其违反虽不能迳推定其有过失,但可作为判定过失的考量因素,自不待言。

3. **商品责任**。最为惨烈的商品责任系发生于 20 世纪 70 年代的多氯联苯案件,其诉讼拖延多时,主要争点在于故意或过失有无的问题,在 1991 年度台上字第 636 号案件,[2] 被上诉人经营丰香油行,贩卖彰化油脂公司米糠油,是否明知或因过失不知其含有多氯联苯,原审法院认为:"被上诉人所销售之米糠油系彰化油脂公司于 1978 年间,调配制造米糠油过程中,使用多氯联苯为热煤,疏未注意,致多氯联苯染及米糠油,销售各地,批售与被上诉人经营之丰香油行,1979 年 4 月间,惠明盲哑学校师生陆续发生不明皮肤病症,于同年 5 月 11 日向台中县卫生局提出报告,经该局于

---

[1] 1997 年台上字第 283 号判决谓:"劳工是否遭遇职业病,为一客观事实,与雇主是否有过失,似属二事,倘雇主对该项职业灾害之发生有过失情事,则其另有侵权行为损害赔偿责任,与无过失时有别,故不能将职业灾害与雇主必有过失相提并论,雇主对职业病所生之损害,是否负侵权行为损害赔偿责任,请求人仍须先证明雇主有何故意或过失情形。"(民事裁判书汇编,第 27 期,第 115 页,本件判决理由甚长,请阅读之)

[2] 民事裁判书汇编,第 3 期,第 169 页。

同年8月9日检验该项米糠油完成，并未发现不合规定，虽经参与诊治之彰化基督教医院、台湾大学附属医院会同台湾省立台中医院皮肤科医师前往调查诊疗，仍不能确定其病因。嗣于同年5月又发现兴发工业公司员工有类似情形，乃依一般食品中毒检验项目检验该项米糠油，仍未发现结果。经收集有关食品中毒资料，始发现1968年10月，日本九州福冈县一带发生类似中毒事件，系因多氯联苯于制造食油过程中渗出掺入油中污染引起，因此作多氯联苯检验，结果五种检体含有多氯联苯。在未检验获有结果前，具有专门智识之卫生人员及医师尚且不知该项食油含有多氯联苯，被上诉人仅为食油经销商人，而该油品又系向合法厂商彰化油脂公司购入，并未参与制造，自难期被上诉人有注意有无含有多氯联苯之能力，且被上诉人之家属曾因食用其出售之米糠油致多氯联苯中毒，在医院治疗。被上诉人在卫生机关确定该食油含有多氯联苯前，对是否含有多氯联苯并不知情，对惠明盲哑学校师生及兴发工业公司员工陆续发生皮肤病，亦不知其事，难谓其有注意能力，自无故意过失之可言。"

终审法院则谓："惟查上诉人在原审主张：被上诉人贩售米糠油，其在1979年4、5月间，即知悉凡食用被上诉人所开之丰香油行所出售之食用油，消费者有多人中毒，引起不明皮肤病，食油有问题，并且在台中县卫生局于1979年5月11日派人至油行抽取食用油检验后，被上诉人仍继续售油至1979年10月7、8日止，对消费者的生死毫不在乎，草菅人命，应负赔偿之责任云云（见原审诉更（五）卷第23页）。自属更重要攻击方法。乃原判决对此未予调查审认，并于判决理由项下，说明何以不足采取之意见，难谓无理由不备之违法。"

本件为典型商品责任案件，涉及商品出卖人的故意或过失，多年诉讼仍难认定，由此可知商品责任的归责原则及举证责任，确有检讨余地。[1]

4. 公害。关于公害,实务上涉及过失的案例甚少,在 1983 年度台上字第 3986 号判决乙案,[2] 其判决理由谓:"被上诉人对工厂污水之处理,似未尽妥,而有受主管机关依水污染防治法处罚之记录。台风季节,常挟有豪雨,为公知之事实。本件被上诉人在闻知台风来临之际,对其污水之溢流,有无作必要之防范?如有疏忽,对其因疏忽溢流之污水所造成之损失,能否谓无过失,即值推敲。又本件被上诉人之污水果系构成上诉人养殖鱼类死亡原因之一,即令其他工厂流入之污水,亦属构成养殖鱼类死亡之原因,仍应有第 185 条第 1 项后段规定之适用。原判决未注意及此,遽为上诉人不利之判断,自有未合。"本件判决值得注意有二点:

1) 过失的要素包括预见性(闻知台风来临)及预防性(对污水溢流作必要防范)。

2) 数个原因事实,个别均足为侵害他人权利的原因时,不能据此各自主张其对侵害的发生,不具因果关系,而应成立共同侵权行为。

5. 医疗事故。医疗诉讼日益增多,而以过失的认定为主要争点,其被认定医师应负过失责任的,如怠于注意,不按时予以 X 光检查,以明了病情,作为应否开刀之决定,致未能为适时治疗;[3] 欠缺善良管理人注意,未将病人之骨折处接合,致成陈旧

---

[1] 参阅"消费者保护法"第 8 条第 1 项规定:"从事经销之企业经营者,就商品或服务所生损害,与设计、生产、制造商品或提供服务之企业经营者连带负赔偿责任,但其对损害之防免已尽相当之注意,或纵加以相当之注意而仍不免发生损害者,不在此限。"系采推定过失责任。

[2] 引自林辰彦等编,最新综合六法审判实务,民法债编(1),第 501 页。

[3] 1963 年台上字第 1155 号判决,民刑事裁判专辑〔有关医疗纠纷之裁判〕,第 1 页。

性骨折畸形不愈合且肿胀;[1] 应知注射葡萄糖液，引发热性副作用致人于死，注射之初，未密切注意病人反应，对甫行手术之病人，注射 200CC，未审慎施用;[2] 未经试验即注射盘尼西林针剂，致中毒发生过敏性反应，引发心脏肥大等症;[3] 注射康必安未预作皮肤敏感测试，致人于死;[4] 手术纱布遗留于腹中。[5] 在诸判决，最高法院均作过失的认定，惟多未详述认定标准。

在理论构成上甚具启发性的是 1997 年度台上字第 56 号判决（双胞正常活胎误诊为单生异常死胎案件）。[6] 本件被上诉人至上诉人设立之吴妇产科诊所检查，因上诉人将怀孕 8 周之双胞正常活胎误诊为单生异常死胎，乃同意由上诉人施行人工流产手术。嗣上诉人发现手术失败，前往要求说明为何腹中尚有 11 周之胎儿时，上诉人未经其及其配偶同意，出具手术同意书，即进行第二次人工流产手术，不惟仍未堕出胎儿，反导致子宫穿孔，产生腹膜炎，具

---

[1] 1981 年台上字第 1079 号判决，民刑事裁判专辑［有关医疗纠纷之裁判］，第 5 页。

[2] 1963 年台上字第 1180 号判决，民刑事裁判专辑［有关医疗纠纷之裁判］，第 13 页。

[3] 1965 年台上字第 111 号判决，民刑事裁判专辑［有关医疗纠纷之裁判］，第 21 页。

[4] 1982 年台上字第 5302 号判决，民刑事裁判专辑［有关医疗纠纷之裁判］，第 25 页。

[5] 此类案件颇为常见，在 1996 年台上字 1131 号判决乙案（民事裁判书汇编，第 24 期，第 206 页），被上诉人于某年某月某日至上诉人医院生产手术，由上诉人雇用之甲医师为其剖腹产，孰料某甲竟将一块手术用纱布遗留伊腹中，致伊术后一直为阵发性之腹痛及腹泻所苦，直至术后 2 个月，方由另所医院为其取出。原审法官认为："被上诉人主张之事实，有诊断证明书、手术纪录、其他类检查报告……可稽，自堪信为真实。查上诉人雇用之某医师甲于剖腹产手术后遗留纱布……于上诉人腹中，……确实有医疗上之疏失，有医事审议委员会第 83191 号鉴定书为凭，足见被上诉人所受之身体健康伤害与某甲之手术过失间，应有相当因果关系……"

[6] "司法院公报"，第 39 卷，第 7 期，第 116 页（阅读之）。

有过失。在判决理由中，原审及终审法院提出二个重要法律见解：
（1）人工流产手术之过程中，最常见之合并症为子宫穿孔，发生率为4‰至5‰，此项发生率在子宫重度后倾可能更高，固经荣民总医院于鉴定函中叙述详细，惟第二次手术，并无不立即手术，将危及被上诉人生命安全之情形，被上诉人既然神识清醒，且有配偶陪伴在旁，上诉人即应说明手术之原因、手术成功率或可能发生之并发症及危险，由被上诉人自行选择是否承担手术可能之危险。上诉人未经被上诉人同意，擅自施行第二次手术，系违反"医疗法"第46条第1项保护病人之法律，依第184条第2项，推定上诉人为有过失。（2）上诉人辩称：第二次手术系因被上诉人子宫严重后屈且子宫角怀孕所致，此等特殊畸形生理构造，产生子宫穿孔等情形，应属"可容许之危险"云云。查所谓"可容许之危险"，系指行为人遵守各种危险事业所定之规则，并于实施危险行为时尽其应有之注意，对于可视为被容许之危险得免其过失责任而言。如行为人未遵守各该危险事业所定规则，尽其应有之注意，则不得主张被容许之危险而免责。[1]

兹分二点说明如下：

1. 并发症发生率为4‰时，医院仍应为说明，而说明的内容及给予病人考虑的期间应斟酌有无立即手术的必要及病人是否清醒而定。值得注意的是，法院认"医疗法"第46条第1项系属保护他人的法律，违反者，推定其有过失。按说明义务所涉及的是"违法阻却"，违反说明义务时，不阻却违法，医生应负侵权责任。医生是否尽其说明义务，不以有无过失作为判断标准

2. 值得重视的是，法院第一次将刑法学说上所谓"可容许之

---

[1]　本件判决刊登于"司法院公报"（39卷第7期第116页），系以此段判决理由作为"裁判要旨"。

危险"理论适用于侵权行为之上。[1] 应提出的有二点：（1）所谓"可容许的危险"乃刑法上的理论，一般多认为是"违法阻却"，法院则认为得"免其过失责任"，"阻却违法"不同于"免除过失责任"。本件判决遂将刑法上尚具争议的"可容许危险"，移用于民法上的侵权行为，是否妥适，尚值深思。实则，医生遵守其医疗行业的规则，并于实施危险行为时尽其应有的注意时，应遂认其无过失，不成立侵权行为，法院认此系"对于可视为被容许之危险得免其过失责任"，于解决问题无益，概念上徒增困扰而已。（2）诚如法院所云，各种危险事业皆自定有其规则，就医疗"事业"言，如医疗器材使用守则，某种手术应注意事项等，或所谓的惯行（common practice）。此等规则，对于从事危险事业者过失的认定甚为重要，并应徵询专家鉴定意见，共同作为认定"实施危险行为时尽其应有注意"的标准。

第四款　故意或过失的举证责任

一、被害人的举证责任

关于侵权行为上的"故意或过失"，应由被害人（原告）主张有利于己之事实，而负举证责任。1969 年度台上字第 1421 号判例谓："侵权行为固以故意或过失侵害他人之权利为成立要件。惟关于假扣押裁定因自始不当而撤销，或因"民事诉讼法"第 529 条第 2 项及"民事诉讼法"第 530 条第 3 项规定而撤销者，债权人应赔偿债务人因假扣押或供担保所受之损害，同法第 531 条定有明

---

[1] 就吾人查阅所及迄未发现法院判决有采用"可容许危险"的理论。关于刑法上"可容许危险"（erlaubtes Risiko）的理论，参阅苏俊雄，刑法总论 II，第 256 页。关于在民法上侵权行为（尤其是医疗事故）适用的检讨，参阅邱聪智，"医疗过失与侵权行为"，民法研究，第 438 页；Laufs/Uhlenbruck（Hrsg.）Handbuch des Artzrechts, 1992, 139, 55; 140, 22。

文。故债权人所负此项赔偿损害责任，乃本于假扣押裁定撤销之法定事由而生，债务人赔偿请求权之成立，即不以债权人之故意或过失为要件，亦属于所谓无过失责任之一种。至债权人对于分配表声明异议，并对于他债权人起诉，虽受败诉判决，但法律上既无该声明异议人应赔偿他债权人因此所受损害之明文规定，则该他债权人对于声明异议人如请求损害赔偿，惟得依民法侵权行为之法则办理，亦即对于声明异议人之有故意或过失应负证明之责。"此项举证责任的分配，就理论言，系基于法律要件分类说，然实乃过失责任原则的表现。在侵权行为既采过失责任主义，原则上均由原告负举证责任。[1]

　　关于原告的举证责任，实务上有乙则美容失败案件，[2] 可供参考："李女因其鼻梁较低，乃于1972年7月13日前往生生医院请求隆鼻，先后由孔某为其装置软鼻骨，张某为其在印堂注入人造脂肪，再经宁某于1973年5月19日将所装软鼻骨卸除，并施以针药治疗，终因注射硫胺剂过量而致脸部肿胀，引起剧烈反应扩及全身，皮肤奇痒，辗转前往台北市各大医院求医，始渐好转，但脸颊处仍留有三处红肿硬结，异样变化等事实，业经刑事法院调查属实，并有李女提出之生生医院挂号单两张，内载装置软鼻骨，注射人造脂肪及其收费金额等密码可证，李女脸部现存之三处红肿，先后经台湾大学附属医院、中兴医院、马偕医院及前司法行政部调查局诊断及鉴定结果，均认为系属异物反应所致。李女主张其脸部三处红肿硬结之伤害，系由于注入人造脂肪及硫胺剂等异物所引起之

---

〔1〕　德国法，Deutsch, Haftungsrecht, Erster Band, Allgemeine Lehre, 1976, S, 295；日本法，前田达明，不法行为法，第53页；英美法，Street, Torts, p. 241；Franklin / Rabin, Tort Law and Alternatives, p. 76.

〔2〕　1981年台上字第538号判决（民、刑事裁判专辑，有关医疗纠纷之裁判，第13页）。本专辑选录民、刑事有关医疗事故判决，分为应负过失、不负过失责任及有无过失行为不明部分三类，足供参考分析。

结果，堪以采信。孔某等五人，自应令负过失侵权行为之连带损害赔偿责任。"由此判决理由可知，原告要使法院认定被告有过失，诚属不易，须要有刑事法院的调查、挂号单、密码、多家医院及调查局的鉴定等，对原告言，须耗费心力，对社会言，须负担重大财政支出。

二、举证责任的减轻

法谚有云："举证责任的所在，败诉的所在。"由原告负举证责任固在维护过失责任原则，但为保护原告不因举证困难而遭败诉，基于公平原则，缓和举证责任实有必要，至其方法，在德国法系采所谓表面证据（Anscheinbeweis），英美法上有所谓 Res ipsaloquitur（事实说明自己）法则，[1] 在台湾地区则有"民事诉讼法"第 282 条规定："法院得依已明了之事实，推定应证事实之真伪。"可资适用。此项推定应本诸法院的自由心证，应用经验法则而为之，例如驾车开上行人道撞伤路人，手术纱布留于病人腹内均可推定其有过失。

三、举证责任的转换

举证责任的转换，系在若干侵权行为类型，为保护被害人所采的一种方法，即将法律要件分类说所定的一般举证原则分配加以倒置，使被告（相对人、加害人）就相反的事实负举证责任，民法上之条文规定："但已尽相当之注意而仍不免发生损害者，不在此限"时，均属举证责任的转换，除第 184 条第 2 项规定违反保护他人法律的规定推定其有过失外，尚有第 187 条第 2 项（法定代理人责任）、第 188 条第 1 项但书（雇用人责任）、第 190 条第 1 项（动物占有人责任）及第 191 条（工作物所有人责任）。

对此等过失推定责任，学说上有认为系由过失责任移向无过失

---

[1] Street, Torts, pp. 242-248; Prosser and Keeton, Torts, pp. 242-257.

责任的中间责任。[1] 值得提出的是，法院得否为实践当事人间的公平，而基于证据距离、危险控制领域或经验法则上的盖然性等理论，就某种特殊侵权行为作举证责任的分配。德国联邦法院曾在商品瑕疵所生损害、医疗事故或公害等，藉此方法调整了侵权行为的归责原则。[2] 惟在实务上迄未发现此类案例。此种举证危险的变更必须被害人确有"举证困境"时，始得审慎为之，以避免稀释或掏空过失责任原则。

第五款　责任能力

一、责任能力制度

加害人"因故意或过失"侵害他人权利者，具主观"可归责性"，而此项可归责性须以责任能力（归责能力）为前提，此属侵权行为人负损害赔偿责任的资格，故亦称为侵权行为能力，在思考逻辑上应先肯定加害人有责任能力，再进而认定其有无故意或过失。侵权行为能力属于广义行为能力，与法律行为能力（狭义的行为能力）原则上均以识别能力（意思能力）为判断标准。惟在法律行为，为免举证的困难及保护交易的安全，民法设有"行为能力制度"，基本上以年龄为基准，采取划一的标准，分为无行为能力人（未满 7 岁的未成年人），限制行为能力人（满 7 岁以上之未成年人），及完全行为能力人（成年人、未成年而已结婚者）。[3] 然则侵权行为能力的有无，将依何标准而为决定？关于责任能力的认定标准，各国立法例不同。德国民法第 827 条规定无意识状

---

[1]　关于此等推定过失责任，预定于本丛书第 2 册（特殊侵权行为）再行详论。

[2]　简要说明，参阅陈荣宗，民事诉讼法，第 500 页（第 510 页以下）；H. Stoll, Haf-tungsverlagerung durch beweisrechtliche Mittel, AcP 176, 145.

[3]　参阅拙著，民法总则，第 185 页。

态或精神活动之病态上错乱，致不能自由决定意思之状态，加损害于他人者，不负赔偿责任；第 828 条规定未满 7 岁的未成年人无识别能力，就其所加于他人之损害，不负责任。满 7 岁以上，18 岁以下之未成年人，则以其行为时有无识别能力而决定其责任能力（聋哑之人亦同）。[1] 日本民法第 712 条规定，未成年人对他人加以损害时，如未具知能足以识别其行为之责任者，就其行为不负赔偿责任；第 713 条规定，于心神丧失中对他人加以损害之人，不负赔偿责任。

台湾地区就责任能力的有无未设明文规定，系间接规定于第 187 条："无行为能力人或限制行为能力人，不法侵害他人之权利者，以行为时有识别能力为限，与其法定代理人连带负损害赔偿责任。行为时无识别能力者，由其法定代理人负损害赔偿责任。前项情形，法定代理人如其监督并未疏懈，或纵加以相当之监督，而仍不免发生损害者，不负赔偿责任。如不能依前二项规定受损害赔偿时，法院因被害人之声请，得斟酌行为人或被害人之经济状况，令行为人为全部或一部之损害赔偿。前项规定，于其他之人，在无意识或精神错乱中所为之行为，致第三人受损害时，准用之。"应说明的有二：

1. 侵权行为责任的成立，须以识别能力为必要，无识别能力者无责任能力。其无责任能力者：（1）无行为能力人或限制行为能力人于行为时无识别能力。（2）行为当时在无意识（如酣睡、酒醉、发狂、受催眠、精神病或心脏病发作）或精神错乱中时亦无责任能力。由此可知，侵权行为责任能力系就个别行为而判断，因其涉及对个人行为的非难，而非如行为能力制度之须顾及交易安全。

---

[1] 关于德国民法第 827 条及第 228 条之解释适用，参阅 Palandt/Thomas § 227, 228 BGB; Larenz/Canaris, Schuldrecht, Ⅱ/2, S. 650.

2. 行为时无识别能力时，由其法定代理人负损害赔偿责任，[1]但行为人无识别能力，且法定代理人举证免责时，则由行为人负衡平责任。[2]

二、识别能力

关于识别能力，民法未设定义规定，立法理由书认系辨别是非利害的能力，而其所谓是非利害，非指善恶而言，乃指法律上的是非利害，即认识其行为为法律所不容许，而须对其行为结果有所负责。易言之，即指辨别自己的行为在法律上应负某种责任的能力。此种能力的认定，有时甚为困难，须借助受心理学训练的专家加以鉴定。关于实务上案例，兹举三者以供参考：

1. 8 岁孩童，以毛尾针对冰贩设置用为赌博冰棒之旋盘射击，冀能赢取冰棒，不料毛尾针误中盘侧，受抵抗力反击射向在场 6 岁孩童左眼眼球，致视力全失而成残废。[3] 法院认加害人有识别能力。

2. 某甲 17 岁就学商业学校，见乙在校内殴打同学，路抱不平出而劝止，遂生口角，被乙以手腕紧握颈项咽喉窒息而死。最高法院认加害人"虽属限制行为能力人，但其识别能力则与成年人无异。"[4]

3. 1963 年度台上字第 2771 号判决谓："摔角系以摔倒对方与否为决定胜负之运动方法，中学学生例多于课余之际作此游戏，上诉人左大腿受伤，既系因其邀同被上诉人蔡生湾摔角跌倒后所致，殊难谓该蔡生湾在当时有致上诉人受如此伤害认识，亦即无识别能

---

〔1〕　关于法定代理人的侵权责任，预定于本书第 2 册再行论述。

〔2〕　关于债务不履行责任，依第 221 条规定："依第 187 条之规定定之。"又在刑法上尚有所谓刑事责任（犯罪能力，参阅"刑法"第 18 条及第 19 条），请比较其不同及理由。参阅郑玉波，民法债编总论，第 160 页。

〔3〕　1955 年度台上字第 45 号判决（裁判类编，民事法，第 3 册，第 603 页。）

〔4〕　1958 年台上字第 831 号判决（裁判类编，民事法（5），第 136 页）。

力可言，难使该蔡生湾就上诉人因伤所受之损害负赔偿责任。"〔1〕
本件判决对识别能力采较严格的认定标准，即须认识有使"上诉
人受如此伤害之认识"，是否妥适，尚有研究余地。

须注意的是，德国民法第 827 条第 2 项规定："以酗酒或其他
类似之手段，一时陷于前段所称之状态者，就其在此状态所不法惹
起之损害，负担犹如因过失而应负之相同责任；非因过咎而陷于此
种状态者，不负责任。"日本民法第 713 条但书亦规定："因故意
或过失致一时之心神丧失者，不在此限。"台湾地区虽未设此规
定，亦应同样解释，例如故意吸食毒品，于心神恍惚中，骑摩托车
奔驰，以致撞伤行人受伤时，应负赔偿责任。〔2〕

三、衡平责任

无责任能力人不法侵害他人者，不成立第 184 条第 1 项所定的
侵权责任，法定代理人亦得证明其监督并未疏懈，或纵加以相当之
监督，而仍不免发生损害，而无庸赔偿。于此二种情形，"法院因
被害人之声请，得斟酌行为人与被害人之经济状况令行为人为全部
或一部之损害赔偿。"（第 187 条第 3 项），学说上称为衡平责任
（或公平责任）。此项责任属无过失责任（危险责任）之一种。其
应斟酌的，除经济情况外，尚应包括加害的种类及方法，责任能力
欠缺的程度，以及被害人是否已取得保险金等情事。〔3〕

值得特别提出的是与有过失的问题。被害人对损害发生或扩大
之与有过失须否以有识别能力为必要，颇有争议，通说采肯定见

---

〔1〕 裁判类编，民事法（7），第 749 页。关于本件判决的评释，并参阅本书第 243
页。

〔2〕 参阅孙森焱，民法债编总论，第 187 页。

〔3〕 史尚宽，债法总论，第 179 页；德国通说亦采此见解，Kötz, Deliktsrecht, Rn.
325f.

解。[1]于此情形，应认有第 187 条第 3 项衡平原则类推适用的余地。[2]例如富豪某甲因精神错乱，奔跑于交叉路口，为疏于注意的摩托车骑士乙所撞伤。甲虽因无识别能力，不成立与有过失，但于量定赔偿之数额时，甲的经济状况及肇致损害的程度，亦应加以斟酌。

四、举证责任

关于加害人的故意过失，应由被害人负举证责任，前已论及。识别能力则应由加害人负举证责任。至于第 187 条第 2 项规定的免责要件，[3]应由法定代理人负举证责任，自不待言。

---

[1] 不同见解，参阅拙著，民法学说与判例研究（1），第 391 页。

[2] 此为德国通说 BGHZ 37, 102; Kötz, Deliktsrecht, Rn. 323.

[3] 参照 1983 年度台上字第 953 号判决："法定代理人对无行为能力人或限制行为能力人之侵权行为，以负责为原则，免责为例外，故第 187 条第 2 项所定免责要件，应由法定代理人负举证责任。"

第六章　故意以背于善良风俗之方法加损害于他人
—第184条第1项后段—

问题：（1）试说明第184条第1项"后段"与"前段"构成要件的不同及其规范功能。（2）债权被侵害时，究应适用"前段"或"后段"，其理由何在？（3）甲与乙妇通奸，乙之夫丙得否依第184条1项后段规定向甲请求精神痛苦的慰抚金？（4）第184条第1项后段系属"概括条款"，如何解释适用，予以具体化，并作案例比较，组成类型？试就相关判例、判决加以分析整理。

第一节　规范功能及适用范围

一、规范功能

第184条第1项前段规定："因故意或过失，不法侵害他人之权利者，负损害赔偿责任。"后段则规定："故意以背于善良风俗之方法，加损害于他人者，亦同。"第184条第1项前、后二段是侵权行为法体系结构的基本规定，涉及侵权行为法的发展，至关重要，但常为初学者所误会。[1] 为期澄清，首先应该认识的是，第

---

[1]　考试时，有不少学生将第184条第1项后段规定写为："故意以背于善良风俗之方法加损害于他人'权利'。"

184 条第 1 项"前段"与"后段"规定究竟有何不同?"后段"具有何种规范目的? 为便于观察, 兹再将其适用关系图示如下:

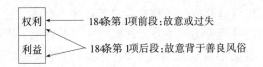

由上开图示可知第 184 条第 1 项后段规定的主要特色有二, (1) 其受保护的利益, 除"权利"外, 尚包括其他利益。(2) 侵害行为须出于故意以背于善良风俗的方法。与第 184 条第 1 项前段加以比较, 后段所受保护的权益较为广泛, 主观归责要件较为严格。

关于第 184 条第 1 项"前段"与"后段"的适用关系, 1997 年台上字第 3760 号判决谓:"按因故意或过失不法侵害他人之权利者, 负损害赔偿责任, 故意以背于善良风俗之方法加损害于他人者亦同, 第 184 条第 1 项定有明文。本项规定前后两段为相异之侵权行为类型。关于保护之法益, 前段为权利, 后段为一般法益。关于主观责任, 前者以故意过失为已足, 后者则限制须故意以背于善良风俗之方法加损害于他人, 两者要件有别, 请求权基础相异, 诉讼标的自属不同。"[1] 所谓请求权基础相异, 诉讼标的自属不同, 乃指第 184 条第 1 项前段与后段系二个独立的侵权行为。[2] 此项判决有助于阐释第 184 条的体系结构及规范目的, 甚值赞同。

第 184 条第 1 项后段具有二种重要的规范功能: (1) 补充功能, 此系针对前段而言, 旨在扩大受保护的客体及于权利以外的利

---

[1] "司法院公报"第 40 卷, 第 7 期, 第 93 页。

[2] 参阅本书第 72 页。

益（尤其是纯粹财产上损害），前已再三提及，惟以故意背于善良
风俗作为要件，加以合理限制，使侵权责任不致过于广泛。（2）
法律发展的功能，即以善良风俗此项概括条款作为判断侵害行为的
基准，使侵权行为法得以开放，而与社会道德连接，以适应社会价
值的变迁。此种功能可再分为三项：①法院应探寻并适用人类社会
生活上共同承认，但迄未具法规范性质的行为准则（继受功能）。
②社会道德价值变迁时，法院应注意观察采用，作为判决基础
（转换功能）。③使法院得据以创设新的行为规范，以促进法律的
进步（正当化的功能）。[1] 此种实体法与善良风俗的交叉作用，对
多元社会的法律发展具有重要意义。[2]

二、以第 184 条第 1 项后段作为慰抚金的请求权基础

1952 年台上字第 278 号判例谓："民法亲属编施行前之所谓夫
权，已为现行法所不采，故与有夫之妇通奸者，除应负刑事责任
外，固无所谓侵害他人之夫权。惟社会一般观念，如明知为有夫之
妇而与之通奸，不得谓非有以违背善良风俗之方法，加损害于他人
之故意，苟其夫确因此受有财产上或非财产上损害，依第 184 条第
1 项后段，自仍得请求赔偿。"被害人于其权利或利益受侵害时，
得依第 184 条第 1 项后段请求财产上或非财产上损害赔偿，自属正
确。问题在于对非财产损害得否请求相当金额的赔偿（慰抚金）。

---

[1] 第 184 条第 1 项后段相当于德国民法第 826 条，关于以上说明，参照 Ermann /
    Schiemann，§ 826 Rn. 1f; Siebert / Honn，§ 826 Rn. 1-4; Tübner, Standards und
    Direkten in Generalklauseln, 1991.

[2] 值得特别提出的是美国著名法学家 Roscoe Pound（庞德）于 1946, 1947 年间担任
    国民政府司法部顾问曾提出"改进中国法律的初步意见"（Draft of a Preliminary
    Report to the Minister of Justice），其关于民法部分，略谓：第 184 条第 1 项后段规
    定故意以背于善良风俗加损害于他人的赔偿责任，这一规定渊源于德国民法，已
    成为哲学家及法学家热烈讨论的问题，在台湾地区久已讨论，这一规定是否也有
    待专门性的学术性处理？参阅张文伯编着庞德学述，1967 年 11 月，第 151 页。
    此段记载承程明仁君告知，特致谢意。

就本件言，法院采肯定见解，而其所谓非财产上损害系指慰抚金而言。[1] 在上揭判例对第 184 条第 1 项后段创设了一种新的规范机能，即以之作为得主张非财产上损害金钱赔偿（慰抚金）的请求权基础（!），并逐渐扩大其适用范围及于强奸有夫之妇、侵害隐私权等。此项见解旨在突破现行"民法"对非财产上损害金钱赔偿须有法律特别规定的限制，固具有法律续造的意义，惟在法学方法上尚有商榷余地，分二点加以说明：[2]

1. 第 18 条第 2 项规定，人格权受侵害时，以法律有特别规定者为限，得请求慰抚金。第 184 条第 1 项后段非属此之所谓特别规定。以第 184 条第 1 项后段作为慰抚金的请求权基础，一方面其要件过于严格，须以故意背于善良风俗方法；他方面是其保护范围过于广泛，包括一切权利及利益。法院见解不能纳入现有的法律体系，作为一种法律原则，实非妥适。

2. 为加强对人格权的保护，使被害人得请求慰抚金，在方法论上应类推适用第 195 条规定，而建立一般法律原则，即侵害他人的人格法益，其情节重大者，被害人虽非财产上损害亦得请求相当金额赔偿。债编修正第 195 条第 1 项规定："不法侵害他人之身体、

---

[1] 邱聪智，"第 184 条第 1 项后段规范功能之再检讨"，民法研究（1），第 391 页。本文见解深刻，颇具启发性，足供参阅。

[2] 1982 年 3 月"司法院"业务研究会第 1 期，就二则法律问题，作成研讨结论：（1）按强奸行为甚于通奸，本件某丙如明知乙为有夫之妇而加以强奸，不得谓非有以违背善良风俗之方法加损害于他人之故意，某甲就其因此所受非财产上之损害，依第 184 条第 1 项后段，请求丙赔偿，自属有理。（2）按民法上虽未就秘密权（亦称隐私权）设有特别规定，惟秘密权亦属人格权之一种。秘密权旨在保护个人之私生活为其内容，侵害秘密权，固常伴随名誉权亦并受侵害，惟前者重在私生活之不欲人知；后者重在社会评价之低落，两者仍有区别。本题甲男与乙男素有嫌隙，探悉乙男与丙女感情颇笃，某夜瞥见乙、丙，俩相偕进入某旅店房间，竟密将两人之幽会情节，予以录影后，频对丙女透露上情，丙女不堪其扰，精神痛苦不已。甲之行为系故意以背于善良风俗之方法加损害于丙女，丙女依第184 条第 1 项后段规定，请求甲男赔偿其非财产上损失，应予准许。

健康、名誉、自由、信用、隐私、贞操，或不法侵害其他人格法益而情节重大者，被害人虽非财产上之损害，亦得请求赔偿相当之金额。其名誉被侵害者，并得请求回复名誉之适当处分。前项请求权，不得让与或继承。但以金额赔偿之请求权已依契约承诺，或已起诉者，不在此限。前二项规定，于不法侵害他人基于父母或配偶关系之身分法益而情节重大者，准用之。"由此项修正可知，法院以第184条第1项后段规定作为慰抚金请求权基础，确有商榷余地，其相关判例亦将因第195条修正后而不再援用。

三、竞合关系

（一）第92条

第92条关于被诈欺或被胁迫的规定，得与第184条第1项后段规定竞合，其主要实益在于撤销权因除斥期间（第93条）经过而消灭后，被害人仍得依第184条第1项后段规定请求废除契约，以回复损害发生前的原状（第213条）。第72条关于"法律行为，有背于公共秩序或善良风俗者，无效。"的规定，其构成要件虽相当于第184条第1项后段，因其法律效果不同，自不发生竞合关系。

（二）公平交易法

公平交易法关于不公平竞争设有规定，如第19条明定若干行为有碍公平竞争之虞者，事业不得为之。事业违反此等规定，致侵害他人权利者，应负赔偿责任（第31条）。公平交易法关于损害赔偿规定得与第184条第1项后段发生竞合关系；其消灭时效期间系属相同（第195条第1项，公平交易法第33条）。[1]

（三）营业秘密法

营业秘密指方法、技术、制程、配方、程式、设计或其他可用

---

[1] 参见廖义男，公平交易法之理论与立法（公平交易法论集），第9页，第169页；曾世雄，"违反公平交易法之损害赔偿"，政大法学评论，第44期，第351页；曾品杰，"从民法到公平交易法"，公平交易季刊，第6卷，第1期，第91页。

于生产、销售或经营之资讯。关于营业秘密的法律性质甚有争论。有认营业秘密是一种具绝对性的专属权利。通说认其仅是一种受法律所保护的利益,[1] 原应适用第 184 条第 1 项后段规定,惟营业秘密涉及产业伦理、竞争秩序及社会公共利益,为期调和,1996 年 1 月 17 日公布施行营业秘密法,对营业秘密的意义、取得与消灭、使用、受侵害的救济方法等详设规定,成为民法的特别法,但仍与第 184 条第 1 项后段规定发生竞合关系。

第二节　构成要件及法律效果

第一款　构成要件

第 184 条第 1 项后段系属一种独立的请求权基础,应具备三个要件:(1) 侵害他人权利,或利益致生损害。(2) 背于善良风俗。(3) 侵害的故意。分述如下:

一、侵害他人的行为

侵害行为包括作为及不作为,惟不作为须违反依善良风俗应为作为的义务。其所受保护的,除权利外,尚包括利益在内,而所谓利益,则兼指纯粹财产上利益(纯粹经济上损失)及精神自由等非财产利益。例如甲与乙同在某地区经营"清除化粪池"业务,以电话对外连络,甲为不正竞争,故意剪断乙的电线,或以他法干扰时,系以故意背于善良风俗方法加损害于乙,乙就其减少的营业收入得向甲请求损害赔偿。又雇主为其离职的会计出具服务证明

---

[1] 谢铭洋、古清华、丁中原、张凯娜合著,营业秘密法解读(月旦出版公司),第 28 页,第 30 页,第 157 页;徐玉玲,营业秘密的保护,1993 年(三民书局)。

书，明知其曾多次盗用公款，仍故意记载其忠实可靠，致新雇主遭受财务损失时，亦构成第184条第1项后段故意以背于善良风俗方法加损害于他人，应负赔偿责任。

加害行为与权益受侵害之间（责任成立），权益受侵害与损害（责任范围）之间须具因果关系。例如甲向乙购买某件古物，丙明知其事，为破坏甲的展览，故意以高价引诱乙违约出售于己，并愿赔偿乙对甲应负的损害赔偿，甲精神大受刺激，心脏病发作，健康受损。在此情形，丙系故意以背于善良风俗方法侵害甲的债权；但对甲健康受损，则不必负责，因甲的债权受侵害与其健康受损之间并无相当因果关系。惟若丙明知甲热爱该件古董，筹划特展，丙预期甲将深受刺激，有心脏病发作的可能，仍任其发生而不违背其本意时，则应认其有侵害的故意（未必故意），而不免于负损害赔偿责任。

二、背于善良风俗

（一）善良风俗的意义

侵害他人的行为须背于善良风俗。此之善良风俗的意义相当于第72条所称的善良风俗，指一般道德观念而言。此种社会道德系事实上存在，历史上可变迁的观念，使侵权行为法得与法律外的社会体系相连接，而适应社会的变迁。值得注意的是，"宪法"关于基本权利的规定亦可经由"善良风俗"的概念，发生"第三人效力"，适用于私人行为，[1] 例如某信用合作社使其女性职员订立"结婚即离职"的条款时，此项条款违反保障工作权及婚姻自由的意旨，应依第72条认系背于善良风俗，无效，而被害人亦得依第184条第1项后段规定请求损害赔偿。在此意义上，第184条第1项后段规定具有实现基本人权价值体系及维护实质正义的

---

〔1〕 参阅拙著，"劳动契约单身条款、基本人权与公序良俗"，民法学说与判例研究，(7)，第36页。

功能。

（二）背于善良风俗的主观认识

加害人对于其行为之"背于善良风俗"须否有所认识？关于此点，应采否定说，加害人仅须认识构成"背于善良风俗"的事实，即为已足，[1] 以避免被害人举证的困难，并使加害人不因其松懈的判断或误认而得免于负责。[2] 惟行为人确信其行为系为履行法律上或道德上义务，或为合法追求正当利益时，则应不受背于善良风俗的非难。[3]

（三）背于善良风俗与违法性

第184条第1项前段规定故意或过失"不法"侵害他人权利，后段并未提及"不法"，其违法性究应如何认定，而使加害行为成为"不法行为"？史尚宽氏认为狭义的违法，指违反禁止或命令之规定；广义的违法性包括形式的违法侵害（不法）及实质的违法侵害（不当）。第184条第1项前段规定的不法为狭义的违法。后段规定的故意以背于善良风俗之方法加损害于他人，指广义的违法性而言。原来背于善良风俗只是不当，并非不法。惟于故意加害，始等于不法，而带有违法性。[4] 此项见解，固有所据，惟善良风俗与侵害故意，乃不同的要件，前者为客观归责，后者为主观归责，仍须加以区别。因此应认为侵害行为背于善良风俗本身即足徵

---

[1] 史尚宽，债法总论，第120页。

[2] Medicus, Schuldrecht, Besonderer Teil, Rn. 383。

[3] 史尚宽，债法总论，第117页；德国通说，Larenz / Canaris, Schuldrecht Ⅱ/2, S. 455；BGHZ 101, 380, 388. 参阅1989年台上字第1040号判决："被上诉人为确保其损害赔偿债权，而声请假扣押，不能谓其主观上有故意以背于善良风俗之方法，加损害于上诉人，盖假扣押究属债权人依法保全其债权得受清偿之正当方法，何有背于善良风俗方法之可言。"

[4] 史尚宽，债法总论，第120页。

引其违法性。[1] 背于善良风俗与违法性非同属一事，违反道德上中立的命令或禁止规定（如交通、经贸法规），虽具违法性，但不违背善良风俗。违背善良风俗较诸"侵害他人权利"更具不法内容，可称之为加重的违法性。[2]

三、侵害的故意

第184条第1项后段所谓故意，包括直接故意及间接故意（未必故意）。"故意"应别于"背于善良风俗"而认定，但背于善良风俗的行为常可供证明故意的存在。故意的成立不以确知因果关系、个别被害人或损害范围为必要，惟仍须对其损害的过程及可能的损害有所认识。如在前揭雇主为离职的会计出具离职证明书之例，只要认识其故意隐瞒离职会计窃盗公款之事，将使新的雇主遭受财务的不利益，即足成立故意，对于何种损失则无具体确知的必要。

为进一步强化第184条第1项后段的适用范围，德国实务有将故意扩张及于轻率或肆无忌惮等重大过失情形。[3] 此项见解，难以赞同，因其显然违背法律文义。值得注意的是，学者史尚宽谓："行为人并无须出于诈害的态度，苟行为人有严重过失之行为，可认为不诚实之表现，虽非诈伪之意，亦不妨为违背善良风俗。例如银行家轻易就信用为不实之报告，医生无充分之根据轻易鉴定某人为心神丧失而有宣告禁治产之必要，即为违背善良风俗，如此时知其鉴定可生损害于他人，而敢轻易为之，则为故意之加害，可构成侵权行为"。[4] 此项见解应非谓"严重过失之行为"得构成"故

---

[1] 德国通说 Fikentscher, Schuldrecht, Rn. 1278: "Die Rechtswidrigkeit ergibt sich aus der Sittenwidrigkeit."

[2] Larenz / Canaris, Schuldrecht Ⅱ/2, S. 431.

[3] 参阅 Larenz / Canaris, Schuldrecht Ⅱ/2, S. 454; Medicus, Schuldrecht, Beson-derer Teil, Rn. 838.

[4] 史尚宽. 债法总论，第116页。

意之加害",而系认此等具有严重过失轻易的报告或鉴定,可供据以认定背于善良风俗。准此以言,如某土木技师受委任鉴定某山坡地住宅的结构安全时,未经实地测量,仅凭书面资料即认定其安全无虞时,得认其就其鉴定的不正确及因此所生损害,系具有未必的故意,以背于善良风俗的方法加损害于他人。

四、举证责任

第 184 条第 1 项后段的构成要件,如加害行为,背于善良风俗及侵害的故意,均应由被害人(原告)负举证责任。

第二款 法律效果

故意以背于善良风俗方法加损害于他人者,应负损害赔偿责任,其法律效果同于第 184 条第 1 项前段。应特别提出的有三点:

1. 被害人得就其财产上或非财产上损害请求回复原状(第 213 条),如受诈欺而订立契约时,得请求废除契约;因性别或种族歧视而遭开除的社员,得请求回复其社员资格。

2. 就非财产上损害请求相当金钱赔偿(慰抚金)应限于法律所特别规定的情形,如甲女被乙男强奸时,得以故意背于善良风俗方法侵害其身体权,而依第 195 条规定请求慰抚金。

3. 某镇之内,仅有一家瓦斯公司,如无正当理由而拒绝供给瓦斯时,得构成违背善良风俗的侵权行为。于此情形,为使被害人回复侵害前的原状,该瓦斯公司负有缔约的义务。[1]

---

[1] 参阅拙著,民法债编总论(1),第 72 页。

第三节　背于善良风俗加害的具体化及案例类型

第一款　善良风俗的具体化及类型化

第 184 条第 1 项后段规定故意以背于善良风俗侵害他人，应负损害赔偿责任，是侵权行为法上的一个概括条款，[1] 而善良风俗系一个相当不确定及高度抽象的概念，具有灵活、适应、发展及引入法律外道德规范的功能，诚如史尚宽氏所云，违背善良风俗之加害，有如侵权行为之蓄水池，尤有取用自如之妙。[2] 适用时须在个案就一定的生活关系予以具体化，使裁判成为可能，并实现法律的价值判断。[3] 具体化是一个结合认识和意志的创造性评价过程，其应斟酌的因素包括应受保护的各种法益、加害人的行为方式、动机、目的与手段的关系等，须综合考量，彼此交互作用，并使之公开，成为可供合理检验的评价观点。

经由概括条款具体化所形成的个别案例，可透过案例比较，使之同类相聚，组成类型，并进而建立体系，以促进法律适用的安定性。比较法的资料可供类型化的参考。[4] 为此特整理实务上重要案例，期能进一步了解第 184 条第 1 项后段的规范功能，及其解释适

---

〔1〕　关于概括条款的一般理论，参阅秦季芳，"概括条款之研究"，台大 1994 年度硕士论文。

〔2〕　史尚宽，债法总论，第 156 页。

〔3〕　关于法律及法学上的具体化，Engisch, Die Idee der Konkretisierung im Recht und Rechtswissenschaft unserer Zeit, 2Aufl. 1968.

〔4〕　史尚宽，债法总论（第 156 页至第 158 页）曾依外国学说及判例广举事例，以宏其用，足供参考，惟未论及台湾地区实务上案例，其主要理由应系当时（1954年）法院判决殊少刊载，欠缺资料。

用的基本问题。

第二款　案例分析

一、婚姻及性之关系

婚姻及性之关系在违背善良风俗加害他人的案例中，最为突出，而此显与传统道德观念有关，其主要的案例，如与有配偶者相奸；[1]私娼馆容留有夫之妇与人通奸；[2]强奸有夫之妇。[3]实务上于此等案例肯定被害人得依第 184 条第 1 项后段请求非财产上损害的金钱赔偿（慰抚金）。1940 年上字第 470 号判例谓："上诉人明知被上诉人之所在，竟主使被上诉人之夫甲，以生死不明已逾 3 年为原因，诉请离婚，并利用公示送达之方法，使被上诉人无法防御，因而取得离婚之判决，致被上诉人受有精神上之损害，对于被上诉人自应负赔偿责任。"是否以第 184 条第 1 项后段作为请求权基础，不得确知。

二、侵害他人债权

关于第 184 条第 1 项后段的适用，于侵害他人债权具有特别的意义，因其涉及第 184 条第 1 项前段是否包括债权的争议，[4]兹分四种情形加以说明：

（一）双重买卖

1. 唆使为双重买卖第三人的侵权行为。1929 年上字第 2633 号判例谓："债权之行使，通常虽应对特定之债务人为之，但第三人如唆使债务人合谋，使债务之全部或一部陷于不能履行时，则债权

---

〔1〕　1952 年台上字第 278 号判例。

〔2〕　1963 年台上字第 225 号判决（裁判类编，民法，第 432 页。）

〔3〕　民事法律专题研究，第 202 页；关于"妻因夫奸淫亲生女，诉请裁判离婚，可否请求赔偿慰抚金"，同书第 199 页。

〔4〕　拙著，"侵害他人债权之侵权责任"，民法学说与判例研究，（5），第 209 页。

人因此所受之损害，得依侵权行为之法则，向该第三人请求赔偿。"按本件判例系着于现行"民法"施行前，就结论而言，应值赞同。值得注意的是，法院其后在乙则双重买卖的案例，明确认为应适用第184条第1项后段，1942年上字第891号判例谓："……至上诉人如果明知被上诉人乙已受有所有权之移转，乘其未经登记，唆使被上诉人甲更行移转于自己而为登记，致被上诉人乙受其损害，诚系故意以背于善良风俗之方法加损害于他人，依第184条第1项后段之规定，应负赔偿责任。然此系另一问题，究不得因此遽认上诉人所受之移转为无效，……"。分三点加以说明之：

1）甲向乙购买某物，丙唆使乙将该物登记（不动产）或交付（动产）于己，以移转其所有权。在此情形，纵丙的行为对甲构成侵权行为，应负赔偿责任，丙取得该物所有权的物权行为不因此而受影响，诚如法院所云，不因此即认丙所受所有权之移转无效。

2）在上举甲向乙购买某物之例，丙"明知"此项买卖，仍自乙购买该物而受让其所有权时，原则上应不认其已构成背于善良风俗方法加损害于乙，其主要理由系顾及市场的竞争秩序，使货畅其流，而甲仍得向乙依债务不履行规定请求损害赔偿（第226条），亦有合理救济方法。[1]

3）依上揭判例，加害人丙除明知甲与乙之间的买卖外，尚须对乙有所"唆使"，始构成故意以背于善良风俗方法加损害于甲。所谓"唆使"应就个案加以认定，出高价购买本身尚不属之，因为使某物归于愿以高价购买之人，符合物尽其用的原理。惟若丙对乙表示愿承担乙违约的损害赔偿时，因已排除法律对违约者的制

---

[1] 从法律经济分析的观点言，此种违约具有效率（effective breach），参阅陈彦希，"契约法的经济分析"（1993年度台大博士论文，内容甚佳，可供参考），第110页；Cooter/Ulen, Law and Economics, pp. 215–21. Schäfer/Ott, Lehrbuch der Zivilrechts, 2. Aufl. S. 372f.

裁，应认系违背善良风俗。

2. 债务人的侵权行为。在双重买卖，受唆使而将标的物转售第三人，并移转其所有权的债务人，对债权人（前买受人）是否应负侵权责任？对此问题，1962 年台上字第 2806 号判决谓："不动产物权依法律行为取得丧失及变更者，非经登记不生效力，第758 条定有明文。故不动产所有人已将不动产出卖于人，而在未为所有权移转登记之前，又另行出卖他人者，除负民法上违约责任及有诈欺故意应构成诈欺罪名外，更无成立侵权行为余地。"[1]

（二）虚伪设定抵押权，侵害债权

1. 与债务人通谋之第三人的侵权行为。1978 年度第 5 次民庭会议决议（二）："债务人欲免其财产被强制执行，与第三人通谋而为虚伪意思表示，将其所有不动产为第三人设定抵押权，债权人可依侵权行为之法则，请求第三人涂销登记…。"本件决议作成后，在 1978 年第 6 次民庭庭推总会，又有提案谓："关于第三人侵害他人债权问题，决议认债权人可依侵权行为之法则，请求第三人涂销登记，但未确定第三人侵权行为，属于权利之侵害（第 184条第 1 项前段），抑利益之侵害（同条项后段），观念未臻明确，亦请复议，加以补充说明。"对此提案，本次总会虽未特别加以补充。惟 1978 年台上字第 1654 号判决则谓："债务人之财产，为债权人之总担保，如第三人有唆使或帮助债务人将其所有之不动产，对该第三人办理虚伪之抵押权设定登记，而使债权人受偿困难时，应认第三人有以背于善良风俗之方法加损害于他人，业已构成侵权

---

[1] 裁判类编，民事法（7），第 297 页。值得注意的是 1995 年台上字第 897 号判决谓："按侵权行为，须以故意或过失不法侵害他人之权利为要件，而债务人于时效完成后，得拒绝给付，第 144 条第 1 项定有明文。则债务人于时效完成后，将给付标的物售与他人，能否谓系不法侵害债权人契约上之权利，而构成侵权行为，尚非无疑。"（民事裁判书汇编，第 20 期，第 132 页）。于此判决法院是否认为于时效完成前将给付标的物售与他人，得构成侵权行为，不得确知。

行为，债权人为排除其侵害，不能谓无涂销该抵押权登记，以回复其原利益状态之请求权。"本件判决舍弃笼统的"侵权行为之法则"，而明确地以第 184 条第 1 项后段规定为请求权基础，实值赞同。

2. 债务人的侵权行为？与第三人通谋虚伪移转不动产所有权（或设定抵押权）的债务人，对债权人应否负侵权责任？最高法院采否定说，其理由为债务人与第三人通谋移转其财产，其目的虽在使债权无法实现，而应负债务不履行之责任，但将自己之财产予以处分，原可自由为之，究难谓系故意不法侵害债权人之权利，故与侵害债权之该第三人不能构成共同侵权行为。债权人如本于侵权行为诉请涂销登记时，仅得向该第三人为之，债务人既非共同侵权行为人，自不得对其一并为此请求。[1]

（三）冒充抵押债权参与分配

无抵押债权存在，而以他人本票债权冒充抵押债权，就抵押物之卖得价金声明参与分配，使执行法院陷于错误而为分配，致被害人的第二顺位抵押债权未能获得清偿，亦属故意以背于善良风俗方法加害于他人，应负赔偿责任。[2]

（四）故买已受法院查封的动产再转售他人

1969 年台上字第 1626 号判决谓："执行标的物如为不动产，于查封未撤销前，债务人就该查封标的物所为之处分，对于债权人为无效，固无侵害债权人何种权利之可言。惟本件被上诉人所查封债务人之鸭子属于动产，上诉人向债务人买受，经出卖人交付即取得所有权，而债务人除上开蛋鸭外，别无其他财产可供执行，上诉人谓黄安心尚有其他财产，未能提出任何证明以实其说，上诉人明知该鸭已受法院查封而仍向黄安心买受，并即以之转售他人，自属

[1] 1980 年第 7 次民庭会议决议（3）。
[2] 民事裁判发回更审要旨选辑（5），第 52 页。

不法侵害被上诉人之权利，按第184条第1项前段所指他人权利，包括债务人之债权以及将来可享之利益，上诉人将系争鸭子转售他人，致被上诉人之债权无法受偿，焉得谓非侵害被上诉人之权利。"[1]本件判决认债权系第184条第1项前段所称的权利，惟侵害行为须出于故意（明知）为要件。本书认为于本件情形，其所侵害既为"债权及将来可享有之利益"，应适用第184条第1项后段规定。

三、诈欺

（一）第184条第1项后段与第92条

诈欺系故意以背于善良风俗加损害他人的典型案例。第184条第1项后段为第92条的损害赔偿规范，例如甲受乙诈欺出售某书，而移转其所有权时，其所侵害的，不是甲的所有权，而是纯粹财产上损害，故无适用第184条第1项前段的余地。又须注意的是，诈欺尚侵害被害人的精神自由，故纵无财产上损害，被害人亦得依第184条第1项后段规定请求损害赔偿，以废除其因受诈欺而订立的契约。

（二）受诈欺而订立买卖契约

在因诈欺而订立买卖契约，法院原认为在经依法撤销前，并非无效之法律行为，出卖人交付货物而获有请求给付价金之债权，如其财产总额并未因此而减少，即无损害之可言，即不能主张成立侵权行为而对之请求损害赔偿。其后则强调在经依法撤销前，已受有

实际损害时，仍得依侵权行为法则请求损害赔偿。[1]此项见解可资赞同。法院所谓侵权行为法则系指第 184 条第 1 项后段而言，因其所涉及的不是"权利受侵害"，而是纯粹财产上损害。

（三）不能清偿债务的金融机构继续吸收存款

在 1953 年度台上字第 490 号判例乙案，上诉人前曾任高雄区合会储蓄有限公司桥子头办事处主任，代该公司吸收人民存款，迨至 1950 年 5 月 19 日，该公司停止付款，亦即不能清偿债务后，仍于同年同月 22 日收受被上诉人存款新台币 1 750 元，致仅受偿 200 元，其余之 1 550 元则因该公司倒闭无从取偿。法院谓："被上诉人向某某储蓄有限公司办事处交存款项之日期，既在该公司停止付款，亦即不能清偿债务之后，则任该办事处主任职务之上诉人，自应负告知停止存款之义务，乃竟阄蔽不为告知而仍吸收其存款，对于被上诉人因此不能受偿之损害，究难辞其赔偿之责任。"此项判例未叙明被害人主张损害赔偿的请求权基础，惟其所侵害的并非权利，而是纯粹财产上损害，亦应认系适用第 184 条第 1 项后段规定。

---

[1] 本书第 184 页。1974 年第 2 次民庭庭推总会议决议（2）；1978 年第 13 次民庭庭推总会决议。参照 1988 年度台上字第 467 号判决："被上诉人如实施诈欺属实，上诉人依第 92 条第 1 项规定，固得撤销其因被诈欺所为之意思表示，使买卖契约自始归于消灭，而请求被上诉人返还不当得利，然此项诈欺行为，倘同时构成侵权行为，上诉人非不得依侵权行为之法律关系行使损害赔偿请求权（按请求权合时，债权人得择一行使）。又上诉人如已付出高额价金（金钱）57 万元，似不能谓其总财产并无减少，纵上诉人已取得损害赔偿请求权，但此项请求权未获得实现以前，可否谓上诉人所减少之财产，已获得弥补，亦有斟酌余地。"（民、刑事裁判选辑，第 9 卷，第 1 期，第 44 页）。

四、诉讼制度的滥用

诉讼制度的滥用是故意背于善良风俗加害的重要类型,[1] 如明知被上诉人之所在,主使被上诉人之夫,以生死不明已逾3年为原因诉请离婚,并利用公示催告之方法使被上诉人无法防御因而取得之离婚判决;[2] 共谋以和解凭空创设的债权,申请法院执行某笔土地,致被害人不能行使依确定判决取得之土地登记请求权。[3]

诉讼制度滥用典型案例是在诉讼中故意作不实陈述,或贿赂证人而取得不正确判决(或执行名义),并据此而为强制执行。在1995年台上字第196号判决乙案,[4] 上诉人明知并未执有被上诉人所签发之支票,利用督促程序,法院不审究文件正本之机会,持各该支票影本,声请台中地方法院发给支付命令,命伊支付各该票款及利息,上诉人即执以声请强制执行。原审认此乃故意侵害被上诉人之权利。终审法院更表示上诉人请求被上诉人给付系争票款固发给支付命令确定在案,惟其以不法行为取得该执行名义,侵害被上诉人权利,应准被上诉人以侵权行为法律关系寻求救济,以臻平衡。本件诉讼标的为侵权行为损害赔偿请求权,确定支付命令之请求为票款请求权,二者既不相同,即无是否违背一事不再理原则之问题。[5]关于本件判决,应说明者有二:

1. 本件涉及既判力问题,终审法院认不违背一事不再理原则,应值赞同。侵权行为之诉并非在求除去依既判力所生的权利变更,

---

〔1〕　此项案例范围甚广,涉及诉讼制度,值作深入研究。在英美法上侵权行为上有malicious prosecution (恶意诉讼) 或 misuse of legal procedure (滥用诉讼)。关于英国法,参阅 Salmond and Heuston, Torts, pp. 390-400;关于美国法,参阅 Prosser, Wade and Schwartz, Torts, pp. 996-1012;关于英美法、法国法与德国法的比较研究, Hopt, Schadensersatz aus unberechtigter Verfahrenseinleitung, 1968.

〔2〕　1940年上字第470号判例。

〔3〕　1982年台上字第2412号判决 (民、刑事裁判选辑,第3卷,第2期,第47页)。

〔4〕　民事裁判书汇编,第19期,第629页。

〔5〕　史尚宽,债法总论,第123页 (注1)。

乃在要求赔偿以诈欺手段取得执行名义，并据以强制执行而生的损害，并未反覆审理同一法律问题。

2. 终审法院认为上诉人系以不法行为取得执行名义，侵害被害人权利。惟解释上应认系第 184 条第 1 项后段规定。据法院确定判决或执行名义而为强制执行的行为，固非不法，然出于诈欺的手段时，乃故意以背于善良风俗加以损害于他人，应成立侵权行为。[1]

五、借用他人名义输入物品逃漏税捐

1981 年台上字第 4347 号判决谓："侵权行为，并非法律行为，不发生代理之问题。果诉外人中华公司系借用上诉人名义自境外输入废橡胶进口。被上诉人于其进口之废橡胶中夹带旧轮胎而逃漏税捐之事实时，如应成立侵权行为，纵因其系该公司法定代理人，乃为该公司利益而为，其自己仍应负责（公司应否依第 28 条规定负责系另一问题）。又逃漏税捐侵害者固为课徵税捐之权利，但此究属违背善良风俗之行为。中华公司借用上诉人名义进口废橡胶，于其进口之废橡胶中夹带旧轮胎，如被海关查觉，进口名义人之上诉人，乃必然遭受处罚，而发生损害。被上诉人如明知而仍然为之，即难谓非故意以背于善良风俗之方法而加损害于上诉人。依第 184 条第 1 项后段规定，当应成立侵权行为。"[2] 在本件被害人所受损害，系遭受海关处罚，此乃纯粹财产上损害（纯粹经济上损失）。加害人的故意，系明知而仍然为之，应解为属直接故意，亦有第 184 条第 1 项后段规定的适用。

---

[1] 史尚宽，债法总论，第 123 页；此为德国通说，BGHZ 41, 130; 50, 115; 101, 380; Kötz, Deliktsrecht, Rn. 197.
[2] 民事裁判发回更审要旨选辑（2），第 26 页。

第七章　违反保护他人之法律

—第 184 条第 2 项规定—[1]

问题：(1) 第 184 条第 2 项规定："违反保护他人之法律者，推定其有过失"，究仅为举证责任倒置的规定，抑得解为系第三种独立的侵权行为类型？将该项规定解为是一种独立的侵权行为具有何种规范功能？并就其构成要件说明与第 184 条的第 1 项前段的不同及适用关系。(2) 法院认第 35 条，第 794 条，第 960 条等系"保护他人之法律"，试说明其规范意义。(3) 甲建造房屋，出售于乙，其后发现该屋具有严重瑕疵，而甲应负"刑法"第193 条关于违背建筑术成规罪时，试问乙就其身体健康所受侵害，或对房屋支出的修缮费用，得否依第 184 条第 1项前段或第 2 项规定向甲请求损害赔偿？

---

[1] 拙著："违反保护他人法律之侵权责任"，民法学说与判例研究，(2)，第 185 页；黄立，民法债编总论，第 274 页。

第一节　独立侵权行为类型的
肯定及其规范功能

第一款　第三种独立的侵权行为类型

一、现行"民法"的解释

第184条第1项规定："因故意或过失不法侵害他人之权利者，负损害赔偿责任。故意以背于善良风俗之方法加损害于他人者亦同。"系规定两种侵权行为类型。[1] 同条第2项规定："违反保护他人之法律者，推定其有过失。"其所规范的，究仅为举证责任的倒置，抑为"第三种"独立侵权行为类型，是侵权行为法体系及立法政策上的重大争论问题。主张举证责任倒置说的学者认为："故意过失应由被害人负举证责任，是为成立侵权行为最不易证明之点，被害人往往以之不能获得赔偿，无过失责任主义的创立，即所以谋补救。民法以过失为构成侵权行为之要件，但多有推定过失之规定。第184条第2项规定：'违反保护他人之法律者，推定其有过失。'行为之过失既先推定，被害人的举证责任即被免除，但行为人得证明自己无过失而推翻法律之规定。故此之所谓推定实为举证责任之倒置。"[2] 本书则认为第184条第2项是一种独立的侵权行为类型，其理由有二：

1. 法制发展及立法意旨。民律第一次草案第945条第1项规定："因故意或过失，侵害他人之权利而不法者，于因加侵害而生

---

[1] 1991年台上字第344号判决谓："按第184条第1项规定侵权行为之两种类型，均适用于自然人之侵权行为，上诉人为法人，尚无适用上开规定之余地。"（民事裁判书汇编，第3期，第93页）。

[2] 王伯琦，民法债编总论，第75页；胡长清，中国民法债编总论，第152页。

之损害，负赔偿之义务。"第 946 条规定："因故意或过失违背保护他人之法律者，视为前条之加害人。"第 947 条规定："以背于善良风俗之方法故意加损害于他人者，视为第 945 条之加害人。"又民律第二次草案第 246 规定："因故意或过失不法侵害他人之权利者，负损害赔偿责任，故意以有伤风化方法侵害他人之权利者，亦同。"第 247 条规定："因故意或过失违背保护他人之法律者，视为前条之侵权行为人。"由是观之，民律第一次草案与第二次草案均认"违反保护他人之法律，加损害于他人"，亦属独立构成侵权行为。现行"民法"将之浓缩为第 184 条，分为两项，乃立法体制的变更，应仅在于增设倒置举证责任的规定，并不改变违反保护他人之法律系属一种独立侵权行为的基本立场。

2. 侵权行为法的体系构成及被害人的保护。关于侵权行为法的体系构成，在立法技术上，有采列举主义，有采概括主义，台湾地区折衷其间，即因故意或过失不法侵害他人"权利"者，应负损害赔偿责任。权利以外法益的保护，虽得依第 184 条第 1 项后段而受保护，惟其构成要件甚为严格，不易成立，若不承认第 184 条第 2 项是一种独立之侵权行为，在现行侵权行为法上存在着一个严重的缺漏，即因他人的过失行为致权利以外之利益遭受损害时，常难有请求损害赔偿的余地。史尚宽氏谓："或以为依民法规定，苟侵害之客体为权利以外之利益，则不足构成侵权行为，似未免太狭。在台湾地区"民法"，明白承认各种人格权较之德、日民法权利之范围，虽已为广泛，而违背良俗加害行为，其被侵害客体得为个人之一切利益，始有运用自如之妙。所遗漏者，仅为过失而侵害非关于权利之利益，然此不失为网开一面，其例亦不多见。"[1]实则，权利以外利益的保护，日益重要，其例亦颇常见，必须肯定"违反保护他人法律"为独立侵权行为，始能弥补漏网，保护被害

---

[1] 史尚宽，债法总论，第 108 页。

人之利益，使侵权行为法的体系更臻周全。[1]

二、第 184 条第 2 项的修正

值得注意的是，民法债编部分条文修正将第 184 条第 2 项明定为："违反保护他人之法律，致生损害他人者，负赔偿责任。但能证明其行为无过失者，不在此限。"其修正理由为："现行条文第 2 项究为举证责任之规定，抑为独立侵权行为类型？尚有争议，为明确计，爰将其修正为独立之侵权行为类型，凡违反保护他人之法律，致生损害他人者，即应负赔偿责任。惟为避免对行为人课以过重之责任，仍维持其原规定之精神，如行为人虽违反保护他人之法律而能证明其行为无过失者，不负赔偿责任。增设但书规定。"此项明确地规定违反保护他人法律为独立的侵权行为类型，将使我侵权行为法律体系益臻完善，实具意义。

第二款　规范功能

第 184 条第 2 项作为一种独立的侵权行为类型，兼具形式与实质的功能。形式的功能有二：（1）由"权利的侵害"移向"法律的违反"，即以客观法律规范的违反作为构成要件的实现；（2）将其他领域的规范迁入侵权行为法，使侵权行为得与整个法律规范体系相连接，并具有使立法简化、合理化的作用。在实质功能方面，除推定加害人过失外，应特别强调的是，相对于第 184 条第 1 项前

---

[1]　立法理由书谓："查民律草案第 945 条及第 947 条理由谓无论何人因故意或过失，侵害他人之权利者，均须负赔偿之责任，否则正当权利人之利益，必至有名无实。又故意以背于善良风俗之方法以损害他人者，（故意泄漏他人之秘密或宣扬他人之书札之类）亦应负赔偿之责任，以维持适于善良风俗之人民生活。此第 1 项所由设也。又同律第 946 条理由谓以保护他人利益为目的之法律（'警察法规'），意在使人类互尽保护之义务，若违反之，致害及他人之权利，是与亲自加害无异，故推定其为过失加害，使负赔偿损害之责任。此第 2 项所由设也。"

段言，第 2 项的保护客体扩大及于权利以外的利益，尤其是纯粹财产上损害（纯粹经济上损失）。兹举乙则判决加以说明。

在 1975 年度台上字第 2263 号判决乙案，上诉人之被继承人黄维乾受雇于吉市公司，其董监事未为办理加入劳工保险，致被继承人于执行职务被杀伤死亡，上诉人不能依劳工保险条例请领相关给付，乃依第 28 条规定求为命被上诉人连带赔偿。法院认为："第 28 条所谓因执行职务所加于他人之损害，并不以因积极执行职务行为而生之损害为限，如依法律规定，董监事负执行该职务之义务，而怠于执行时所加于他人之损害，亦包括在内。又公司之职员，合于'劳工保险条例'第 8 条规定时，该公司应为之负责办理加入劳工保险手续，如有违背，应受罚锾处分（'劳工保险条例'第 12 条、第 83 条）。从而被上诉人如有义务为黄维乾办理加入劳保手续而怠于办理，致生损害于上诉人时，依上说明，尚难谓不应负责。"[1]

按第 28 条规定："法人对于其董事或其他有代表权之人因执行职务所加于他人之损害，与该行为人连带负赔偿之责任。"系规定法人的侵权能力，而其侵权责任的成立则须符合第 184 条规定，关键问题在于被侵害的客体究为权利，抑为权利以外的利益。雇主未为受雇人办理加入劳工保险，致受雇人于保险事故发生，不能请领保险给付时，受雇人并无权利遭受侵害，仅系受有财产上不利益，受雇人自不得依第 184 条第 1 项前段请求损害赔偿。又第 184

---

〔1〕 本件判决的评释，参阅拙著，"雇主未为受雇人办理加入劳工保险之民事责任"，民法学说与判例研究，（2），第 239 页。1997 年台上字第 3746 号判决谓："劳工保险为强制保险，雇主如未为劳工办理劳工保险或将其退保，致劳工于退休时未能领取老年给付者，自属侵害劳工之权利，应负损害赔偿责任。又该老年给付之请求权，于劳工退休时始发生，其消灭时效应自斯时起算。"（民事裁判汇编，第 30 期，第 131 页。）在本件情形，其被侵害者，非劳工之"权利"，而是"财产上利益"，应适用第 184 条第 2 项规定。

条第 1 项后段虽系在于保护权利以外之法益，但以行为人系出于故意背于善良风俗加损害于他人为要件，雇主未为受雇人办理加入劳工保险，尚难即作如此认定。因此，肯定第 184 条第 2 项系一种独立侵权行为的实益，在于其保护客体兼括权利及其他利益。"劳工保险条例"旨在保护劳工，系属于"保护他人之法律"。上揭判决须采此见解，始有法律依据。

第二节　请求权基础的再构成

第 184 条第 2 项既系一种独立的侵权行为，应重新构成其请求权基础如下：

1. **构成要件**：违反保护他人之法律，侵害他人，是第 184 条第 2 项构成要件上的核心问题。"违反保护他人法律的行为"，与"侵害他人"之间须有因果关系（责任成立因果关系）。至于应予赔偿的损害及范围（责任范围因果关系）则应依法规目的加以判定。

2. **违法性及违法阻却**：加害行为的违法性，因违反保护他人之法律而具备，惟得因有阻却违法事由而阻却之，如驾车超速伤害路人，系违反保护他人之法律（参阅"道路交通管理处罚条例"第 14 条），但得因紧急避难而阻却违法。

3. **过失推定**：第 184 条第 2 项规定亦以过失为要件，惟此项过失由法律推定，以转换其举证责任，[1] 以保护被害人的利益，因既有保护他人法律的存在，行为人自有注意之义务。由此可知保护他人法律的违反非属无过失责任，从而依该当保护他人之法律的

---

〔1〕 1980 年度台上字第 2927 号判决谓："查违反保护他人之法律者，依第 184 条第 2 项规定，不过推定其有过失而已。兹被上诉人王聪华既获有证据足以证明其无过失，已见前述；即得推翻上开法律上之规定，自己不能按该条规定令负侵权行为责任。"（引自林辰彦等编，最新六法综合审判实务，民法债编 (1)，第 481 页）。

内容，无过失亦得违反时，仅于行为人有过失时，始生损害赔偿责任。又保护他人的法律以故意为要件时，其侵权行为的成立亦须以故意为必要，自不待言。

值得提出研究的是，此之所谓过失究系针对何者而言。德国通说认系对保护他人之法律而言，故其过失不及于该当法益之受侵害。[1] 在德国联邦法院某件判决，[2] 被告违反道路交通安全规则在交叉路口超车，压死某机车骑士，被告主张车祸的发生，系由于死者突然右转，实难预见。德国联邦法院认为此项主张纵属真实，被告亦应负损害赔偿责任："因违反保护他人法律侵害他人者（德国民法第 823 条第 2 项），其所要求行为人的故意或过失，与德国民法第 823 条第 1 项规定不同。德国民法第 823 条第 2 项侵权行为的构成要件，既系违反保护他人之法律，故行为人的故意或过失应针对违反法律本身而言，至于行为人对其行为的结果（权利或法益的侵害）于尽适当注意时可否预见，则所不问。"上述德国通说，自值重视，但本书认为在台湾地区法上仍应采固有意义之侵权行为的过失，即其非仅系针对法律违反本身而言，尚应兼及对法益的侵害及损害的发生。[3]

第三节　保护他人的法律及其保护范围

关于违反保护他人法律之应负损害赔偿责任，在方法上应分三

---

[1] Larenz／Canaris, Schldrecht II／2, S. 445："Da Gegenstand des Schuldvorwurfs die Tatbestandsverwirklichung ist, braucht sich dieser hier nur auf den Gesetzes verstoss als solchen undnicht auf die Verletzung des betreffenden Rechtsguts zu beziehen."

[2] BHG 22. 6 1995, LM § 823 BGB Nr. 10.

[3] Fikentcher, Schuldrecht Rn. 1263, 1273; Hans Stoll, Kausalzusammenhang und Normzweck im Deliktsrecht, 1968, S. 21f. 台湾地区实务未特别论及此项问题，似仍采固有意义侵权行为的过失。

个阶段加以认定：

1. 其所违反的是否为保护他人之法律，此涉及保护他人法律的概念。

2. 被害人是否属于受保护之人的范围。

3. 被害人所请求的是否为该法律所要保护的利益（物的保护范围）。分述如下：

第一款　保护他人法律的概念

一、判断基准

保护他人的"法律"，指法规范而言，除狭义的法律（公法或私法）外，尚包括习惯法、命令、规章等，[1] 而以其是否以保护个人的权益为判断标准。此项个人权益的保护得与一般公益并存，但为专以维护社会秩序的法律则不属之。1988年台上字第1582号判决谓："第184条第2项所谓保护他人之法律，系指保护他人为目的之法律。即一般防止危害他人权益或禁止侵害他人权益之法律。限制计程车以出租或其他方式交与他人驾驶营业之规定，纯系基于对计程车业者行政上管理之考虑，而非着眼于乘客安全之保障，尚难指为第184条第2项所谓保护他人之法律。"[2] 又1995年台上字第1142号判决谓："第184条第2项所谓保护他人之法律，系指保护他人为目的之法律，即指任何以保护个人或特定范围之人为目的之法律而言，如专以保护公益或社会秩序为目的之法律则不包括在内。

---

〔1〕　1994年度台再字第134号判决谓："按第184条第2项规定之法律，系指一切以保护他人为目的之法律规范而言，'海关管理进出口货栈办法'第4条系为保护货物所有人之权益而制定之法规，应属上开条项所谓之法律。"（民事裁判书汇编，第18期，第124页）

〔2〕　民刑事裁判选辑，第9卷，第3期，第29页。

二、实务案例

(一) 民法

民法上的规定属于保护他人之法律的,如第 35 条,1967 年台上字 1353 号判决谓:"上诉人等身为常务董事,依第 35 条规定,理应向法院声请破产宣告,如不为前项声请,致法人之债权人受损害时,其有过失之董事,即应负损害赔偿责任。上诉人等对于公司无法支付应付款之财产状态并不否认,则其违反保护他人之法律,未及时声请破产宣告,依第 184 条第 2 项之规定,要难辞其过失责任。同时因消极之不作为而共同侵害他人之权利,揆诸第 184 条第 2 项之规定,要难辞其过失责任。"[1] 第 35 条第 2 项规定本身原属独立的请求权基础,适用第 184 条第 2 项的意义在于过失的推定。

其属保护他人法律的,尚有第 794 条:"土地所有人开掘土地或为建筑时,不得因此使邻地之地基动摇或发生危险,或使邻地之工作物受其损害"的规定。[2] 民法关于占有保护的规定亦属之,1985 年台上字第 752 号判决谓:"民法有关保护占有的规定,于无权源之占有,亦有其适用。故占有人事实上管理占有物,纵无合法权源,对其主张权利者,仍应依合法途径谋求救济,以排除其占有,如果违背占有人之意思,而侵夺或妨害其占有,非法之所许者,占有人对侵夺或妨害其占有之行为,得依第 960 条第 1 项规定,以己力防御之。第 962 条规定之占有保护请求权,于无权源之占有人亦得主张之。如果占有被不法侵害,占有人即非不得依侵权行为之法则,请求赔偿其所受之损害。"[3] 此之所谓侵权行为之法则,应系指第 184 条第 2 项规定而言。

---

〔1〕 裁判类编,民事法 (9),第 701 页。

〔2〕 1983 年度台上字第 3823 号判决 (民、刑事裁判选辑,第 4 卷,第 3 期,第 93 页。

〔3〕 民刑事裁判选辑,第 6 卷,第 1 期,第 274 页。

（二）刑法

保护他人之法律亦包括刑法上的规定，惟实务上相关案件不多，就法律适用言，最具意义的是关于保护财产及行为自由不受侵害的规定，因其扩大了第 184 条第 2 项规定的保护范围。故买赃物是否侵害物主的权利，曾有争论，但"刑法"第 349 条关于赃物罪的条文，属保护他人之法律，自应成立侵权行为。刑法规定以故意为要件时，于适用第 184 条第 2 项时亦须以故意为必要。关于法规错误问题，亦应依刑法理论决定之。

（三）道路交通安全法规

道路交通安全法规是实务上最属常见。如依"道路交通管理处罚条例"第 92 条所订之道路交通安全规则第 112 条第 1 款及第 128 条分别关于"脚踏车载物宽度，不得超过把手"，"慢车在夜间行车，应燃亮灯光"，[1] "道路交通管理处罚条例"第 22 条第 1 项、第 28 条关于未领有驾照执照驾车的规定等。[2] 车祸为主要的意外事故，依第 184 条第 2 项推定加害人之过失，有助于保护被害人。

（四）其他法律

其他属于保护他人的法律，尚有"工厂法"第 7 条、第 7 款、第 11 条、第 12 条规定童工不得从事危险性之工作，每日工作时间不得超过 8 小时，不得于午后 8 时至翌晨 6 时之时间内工作；[3]

---

〔1〕 参照 1977 年台上字第 1015 号判例。

〔2〕 1978 年度台上字第 2111 号判例："上诉人明知加害人张某未领有驾驶执照，仍将该小客车交其驾驶，显违'道路交通管理处罚条例'第 21 条第 1 项第 1 款、第 28 条之规定，亦即违反保护他人之法律，应推定其有过失。"

〔3〕 1967 年度台上字第 540 号判决（裁判类编，民事法（9），第 601 页。）

"饲料管理法"第 27 条第 2 项规定不得贩卖未经核准擅自制造饲料；[1]"水污染防治法"第 34 条关于排放污水标准的规定；[2]"劳工安全卫生法"；[3]"医疗法"第 46 条第 1 项关于医院手术应得病人同意的规定等。[4]

第二款 保护范围

保护他人的法律所保护的对象，有其一定的范围，即被害人本身，其受侵害的法益，或所生损害，均须属该当法律的保护范围。此种法规目的的思考方法对侵权行为及损害赔偿法的发展，深具意义，简述如下：

一、人的保护范围

关于开掘土地或建筑时，预防发生危险的规定，第 794 条是保护他人的法律，前已论及，其所要保护的，是邻地所有人，而非邻地的买受人或承租人，从而土地所有人开掘土地或建筑使邻地基动摇或发生危险时，邻地买受人或承租人不得依第 184 第 2 项规定请求损害赔偿。又"饲料管理法"第 27 条第 2 项规定不得贩卖未经核准制造的饲料，其所要保护的是因食用饲料而死亡猪只等的所有人，至于拍卖销售猪只的商人或消费者则不在保护范围之内。

---

[1] 1981 年度台抗字第 406 号判例："'饲料管理法'第 27 条第 1 项规定，为保护他人之法律，如刑事判决认定相对人违反该条项之规定，抗告人并受骗而购买此等未经核准擅自制造之饲料，予以使用，致其饲养之猪只死亡，依第 184 条第 2 项规定，即应推定相对人为有过失。虽于刑事法上所犯之罪，由于牵连关系不另单独宣告其刑，抗告人仍非不得于刑事诉讼程序附带提起民事诉讼，对该相对人及其他依民法应负赔偿责任之人请求赔偿其损害。"

[2] 1983 年度台上字第 5141 号判决。

[3] 1988 年台上字第 839 号判决（民、刑事裁判选辑，第 9 卷，第 2 期，第 47 页）

[4] 此为 1997 年度台上字第 56 号判决所采见解（民事裁判书汇编，第 27 期，第 100 页）。

二、物的范围

于肯定被害人系属受保护之人的范围之后，应再检讨的是，被侵害的法益或损害是否受该当法律所保护。有的法律在于保护被害人的生命健康；有的法律在于保护所有权；有的法律以纯粹财产上损害为保护对象，亦有限于某种财产上损害，应依法规目的及内容认定之，兹举四例加以说明：

1. 第 960 条、第 961 条、第 962 条关于占有保护的规定系属保护他人之法律。物的实体损害不在其保护范围之内。有权占有人得请求使用收益的损害，无权占有人得否为此主张，不无疑问。鉴于无权占有人对于占有物并无使用收益的权能，应采否定说，例如甲有货车被乙盗用，甲自力取回该车时，乙不得以使用利益被侵害而向甲请求损害赔偿。[1]

2."公司法"第 211 条第 2 项规定公司资产显有不足抵偿其所负债务时，董事会应即声请宣告破产。此项规定是否为保护他人的法律，1957 年台上字第 419 号判决曾采否定说，略谓："第 184 条第 2 项所谓保护他人之法律指违反损害预防发生之法律而言。'公司法'第 195 条第 2 项仅公司资产显有不足抵偿债务时，董事应即声请宣告破产，至不为此项声请致公司之债权人受损时，该董事对于债权人应否负责，在公司法并无规定，则该'公司法'第 195 条第 2 项，已难认为与第 184 条所谓保护他人之法律相当。况法人之董事依第 35 条第 1 项向法院为破产之声请，依同条第 2 项规定致法人之债权人受损时亦以其有过失之董事为限，始负赔偿责任，此与第 184 条第 2 项之规定保护他人之法律有别，是上诉人执此指被上诉人违反保护他人之法律，推定其有过失，应负连带赔偿责任，显非足采。"[2]

法院上开见解，似值商榷。原"公司法"第 195 条（现行"公司

---

〔1〕 参阅拙著，民法物权（2）：占有，第 261 页。
〔2〕 裁判类编，民事法(4)，第 366 页。

法"第211条第2项)虽未如第35条第2项明定,董事应对债权人负赔偿责任,但不得据此而认其非属保护他人之法律。一个法律是否属于保护他人之法律,并不以该法律明定对被害人负损害赔偿为要件,[1]而应斟酌法律规范的目的而决定之。现行"公司法"第211条第2项既在"预防损害之发生",[2]自应认其系属保护他人之法律。关于其保护范围,应解为包括于应声请宣告破产时对公司既有债权之人(旧债权人),及其后与该公司从事交易之新的债权人。债权人所得请求赔偿的,不限于因延迟于声请宣告破产而减少的破产分配额,而应包括因与无支付能力公司所定契约而生的全部损害。[3]

3. "刑法"第193条关于违背建筑术成规罪的规定,[4]亦属保护他人之法律。其规范目的是在防范对于人身的侵害。建筑物本身具有瑕疵并不构成对所有权的侵害,无适用第184条第1项前段规定的余地。然则定作人得否依同条第2项规定请求修缮建筑物所支出的费用?对此问题,应采否定说,因"刑法"第193条的目的,非在于防范此类财产上损害的发生,被害人仅能依民法关于承揽契约的规定请求损害赔偿。

4. "工厂法"第12条禁止童工在午后8时至翌晨6时之时间内工作。若有雇主要求被害人于夜间加班,而被害人拇指被工厂机器

---

〔1〕 参照1934年上字第204号判例谓:"特别法无规定应适用普通法,'公司法'(旧)第147条第2项仅载公司财产显有不足抵偿债务时,董事应即声请宣告破产,至不为此项声请破产致公司之债权人受损害时,该董事对于债权人应否负责,在'公司法'既无规定,自应适用第35条第2项之一般规定。"

〔2〕 德国股份有限公司法第64条第1项设有相当台湾地区"公司法"第211条第2项规定,通说亦肯定其为保护他人之法律。(BGH2 29,100)

〔3〕 此为德国最近见解。(BGHZ 126,181; Kötz, Deliktsrecht, Rn. 185)

〔4〕 "刑法"第193条规定:"承揽工程人或监工人于营造或拆卸建筑物时,违背建筑术成规,致生公共危险者,处3年以下有期徒刑、拘役或3 000元以下罚金。"参阅林山田,刑法各罪论,第249页以下。

压断时,应有第 184 条第 2 项规定的适用。反之,被害人于夜间工作休息期间到附近电动玩具店,而被电动玩具机件伤害时,此项损害非属上开工厂法规定所要预防的危险,不得依第 184 条第 2 项规定请求赔偿,自不待言。

附录一 参考书目

一、中文书籍（依在台出版年度序列）

民法债编通则释义	洪文澜	1954 年
债法总论	史尚宽	1954 年
民法要义	梅仲协	1955 年
民法债编总论	戴修瓒	1954 年
民法债编总论	王伯琦	1956 年
民法债编总论	郑玉波	1962 年
民法债编总论	孙森焱	1979 年
民法债编通则	邱聪智	1987 年
民法债编总论	黄 立	1996 年
损害赔偿法原理	曾世雄	1997 年修正再版

二、日文书籍

加藤一郎，不法行为增补版，法律学全集，昭 49，有斐阁。

几代通，不法行为，平成 5 年，有斐阁。

川井健，民法教室不法行为第 2 版，昭 63，日本评论社。

前田达明，民法 VI2（不法行为法），昭 55，青林书院新社。

山田桌生编集，新、现代损害赔偿法讲座，1997 起，日本评论社。

三、德文书籍

（一）文献

Christian v. Bar, Verkehrspflichten, Richterliche Gefahrsteuerungs-gebote im deutschen Deliktsrecht, 1980.

Gert Bruggemeier, Deliktsrecht: Ein Hand-und Lehrbuch, 1986.

Erwin Deutsch, Unerlaubte Handlungen, Schadensersatz und Sch-merzensgeld, 2. Aufl. 1993.

JosefEsser und Hands-Leo Weyers, Schuldrecht, Band II: Be-sonderer Teil, 7. Aufl. 1990.

Hein Kotz, Deliktsrecht, 7. Aufl. 1996.

Hermann Lange, Schadensersatz, 2. Aufl. 1990.

Karl Larenz, Lehrbuch des Schuldrecht, Band I: Allgemeiner Teil, 14. Aufl. 1987.

Karl Larenz und Claus-Wilhelm Canaris, Lehrbuch des Schuldrecht, Band II: Besonderer Teil, Halbband 2, 13. Aufl. 1994.

Munchener Kommentar zum Burgerlichen Gesetzbuch, Band 3: Schuldrecht, Besonderer Teil, 2. Aufl. 1995.

Hans-Bernd Schafer und Claus Ott, Lehrbuch derokomomischen Analyse des Zivilrechts. 2, Aufl. 1995.

Konrad Zweigert und Hein Kotz, Einfuhrung in die Rechts-vergleihung auf dem Gebiet des Privatrechts, 3. Aufl. 1996.

（二）略称

Absatz

Archiv fur die civilistische Praxis

Anmerkung

Auflage

Entscheidungen des Bundesgerichtshofs in Zivilsachen

Entscheidungen des Bundesverfassungsgerichts

folgende

Herausgeber

Juristische Schulung (Zeitschrift)

Juristenzeitung

Monatsschrift fur Deutsches Recht

Neue Juristische Wochenshrift

Rabels Zeitschrift fur Auslandisches und internationales Privatrecht

Randnumer

Seite

Versicherungsrecht (Zeitschrift)

四、英文书籍

Peter Cane, Atiyah's, Accidents, Compensation and the Law, 5th ed., 1993, Butterworth

Richard A. Epstein, Cases and Materials on Torts, 5th ed., 1990, Little Brown and Company

H. L. A. Hart and Tony, Causation in the Law, 2nd ed., 1985, Oxford University Press

W. M. Landes and R. A. Posner, The Economic Structure of Tort Law, 1987, Harvard University Press

F. H. Lawson und B. S. Markesinis, Tortious Liability for Unin-tential Harm in the Common Law and the Civil Law. Vol. I: Text, 1982, Cambridge [UK]

Saul Lermore, Foundations of Tort Law, 1994, Oxford University Press

Basil S. Markesinis, The German Law of Torts. A comparative Introduction 3rd ed. Oxford, 1994

Basil S. Markesinis und Simon F. Deakin, Tort Law, 3rd ed. 1994, Oxford1994

William Guthrie Salmond und R. F. V. Heuston on the Law of Torts (by R. F. V. Heuston und R. A. Buckley), 20th ed. 1994, London

Street on Torts, The Law of Torts, (by Margaret Brazier) 9th ed. London u.
　　a. 1993

John G. Fleming, The American Tort Process, 1988, Oxford University Press

John G. Fleming, The Law of Torts, 8th ed. 1993, North Ryde, N. S. W.

Allen M. Lnden, Canadian Tort Law, 3rd ed. 1982, Butterworths

Dand G. Owen (ed), Philosophisical Foundations of Tort Law, 1995, Oxford
　　University Press

Richard Posner, Economic Analysis of Law, 5th ed. 1998, Aspen Law and Si-
　　ness

Richard Posner, Tort Law, Cases and Economic Analysis, 1982, Little, Brown
　　and Company

Prosser and Keeton, Torts, 5th ed. 1984, West Publishing Co.

Robert Cooter and Thomas Ulen, Law and Economics, 2nd ed. 1996, Addison
　　-Wesley

Robert L. Rabin, Perspectives on Tort Law, 3rd ed. 1990, Little, Brown
　　and Company

Franklin and Rabin, Tort Law and Alternatives: Cases and Materials, 9th ed.
　　1992, The Foundation Press, Inc.

Francis Triandade and Peter Cane, The Law of Torts in Australia, 2nd ed.
　　1993, Oxford University Press

Prosser Wade and Schwartz, Torts, Cases and Materials, 9th ed. 1994, The
　　Foundation Press, Inc.

Percy Harry Winfield und John Anthony Jolowicz on Tort (by William Vaughan
　　Horton Rogers), 14th ed. 1994, London

Reinhard Zimmermann, The Law of Obligations, Roman Foundations of the Ci-
　　vilian Tradition, 1992, Tuta & Co, Ltd.

附录二　事项索引

图书在版编目（CIP）数据

侵权行为法.1，基本理论·一般侵权行为/王泽鉴
著.—北京：中国政法大学出版社，2001.7
 ISBN 7-5620-2093-0
Ⅰ.侵... Ⅱ.王... Ⅲ.侵权行为—民法—基本知
识—中国 Ⅳ.D923.1

中国版本图书馆CIP数据核字(2001)第042624号

☆☆☆☆☆

书　　　名：侵权行为法
出 版 人：李传敢
出版发行：中国政法大学出版社
经　　销：全国各地新华书店
承　　印：清华大学印刷厂
开　　本：850×1168mm　1/32
印　　张：10.625
字　　数：274千字
版　　本：2001年7月第1版　　2002年11月第2次印刷
印　　数：11001～16000
书　　号：ISBN 7-5620-2093-0/D·2053
定　　价：21.00元
社　　址：北京市海淀区西土城 路25号　邮政编码：100088
电　　话：（010）62229563　（010）62229278　（010）62229803
电子邮箱：zf5620@263.net
网　　址：http://www.cupl.edu.cn/cbs/index.htm

☆☆☆☆☆